COELIWCH
NEU
BEIDIO

Coeliwch neu Beidio

ROY DAVIES

Gomer

Cyhoeddwyd yn 2007 gan
Wasg Gomer, Llandysul, Ceredigion SA44 4JL

ISBN 978 1 84323 865 2

Dymuna'r cyhoeddwyr gydnabod cymorth
Cyngor Llyfrau Cymru.

Argraffwyd a rhwymwyd yng Nghymru gan
Wasg Gomer, Llandysul, Ceredigion.

Er cof am fy nghyfaill oesol
Dewi Davies (Dew Bach)
a fu farw'n sydyn ddeufis cyn
cyhoeddi'r gyfrol hon.

Rhagymadrodd

Pan ofynnwyd i mi ysgrifennu fy hunangofiant, fy ngofid pennaf oedd na fyddai pobl â diddordeb i'w ddarllen yn credu'r fath ddigwyddiadau yn fy hanes. Mewn gwirionedd bûm yn ystyried ysgrifennu hanes fy mywyd flynyddoedd yn ôl, nid er mwyn ei gyhoeddi ond er mwyn iddo fod ar gof a chadw i'r plant.

Soniais ychydig am hyn wrth y Prifardd Dic Jones un tro ac wedi sôn am rai achosion y bûm yn ymdrin â hwy, dywedais wrtho yr ofnwn na fyddai pobl yn fy nghredu. 'Coeliwch neu Beidio' fyddai'n deitl addas, meddai Dic. Felly, mae'r teitl yn hen ond mae'r hanes yn newydd.

Bore Oes

Ym mharlwr Pwllcornol Uchaf, Penrhiwllan, Llandysul, ym mherfeddion Sir Aberteifi, y gwelais olau dydd neu, yn hytrach, olau lamp baraffîn gyntaf, a hynny ar 14 Mai, 1934. Ond gan mai deng munud yn unig oedd yn weddill o'r diwrnod hwnnw, cofrestrwyd dydd fy ngenedigaeth fel y diwrnod canlynol – 15 Mai. Felly yr wyf ddiwrnod yn hŷn nag yr ydwyf mewn gwirionedd!

Bydwraig answyddogol yr ardal oedd Ann Davies, neu Ann Slibwrt fel yr adwaenid hi dros ardal eang, ac i'w dwylo hi y deuthum i'r byd. Roedd ei hoff nai, Harold Davies, Tŷ'r Ysgol, Aberbanc, yn gweithio mewn banc yn Aberteifi ac ym mis Awst 1933 collodd ei fywyd wrth ymdrochi ar draeth Gwbert ac yntau ond yn 21 oed. Dyddiad ei ben blwydd oedd 14 Mai, a mynnai Ann hyd y diwedd mai dyna oedd dydd fy mhen blwydd innau, a chawn anrheg ganddi'n rheolaidd ar y dyddiad hwnnw. Felly, fel y Frenhines, roedd gennyf ddau ben blwydd hyd nes y bu farw Ann Slibwrt. Y tro cyntaf i mi fynd i'r clinic yn Henllan oedd ar 19 Mehefin, 1934, ac efallai'n wir mai Ann aeth â mi yno gan fod dyddiad fy ngeni ar y cerdyn yn blaen – *May 14th, 1934.*

Gan mai Harold oedd ei ffefryn o'u holl neiaint, a hithau heb blant ei hun, dymuniad Ann Slibwrt oedd i mi gael fy enwi ar ei ôl ac yn fynych iawn galwai fi'n 'Harold'. Fi, meddai, oedd wedi dod i lenwi ei le; fi hefyd oedd ei ffefryn, bellach, ac felly y bu hyd y diwedd; ni allwn wneud dim o'i le a gwae i unrhyw un ddweud un gair angharedig amdanaf. Mae'n edifar gennyf hyd heddiw na fuaswn wedi gwerthfawrogi'r cariad mawr a ddangosodd tuag ataf ar y pryd ond, pan oeddwn i'n ifanc, fel llawer un arall yn sicr, pethau eraill oedd yn mynd â'm bryd. Diolchaf iddi yn awr a hynny'n fawr iawn.

Roedd fy chwaer ddwy flynedd a hanner yn hŷn na mi ac wedi ei henwi yn Megan, cyfuniad o enwau'r ddwy fam-gu, Marged ac Ann. Evan a John oedd enwau'r ddau dad-cu ond ni fynnai fy mam fy ngalw y naill enw na'r llall gan nad oedd yn hoff o Evan, ac am mai John oedd enw fy nhad. Felly cefais dri enw – Evan John Roy. Fel 'Evan' y cawn fy adnabod yn y lluoedd arfog, ac fel 'Ianto' ar rai cyrsiau y bûm arnynt gyda'r heddlu.

Fferm o 72 o aceri, a lle digon trafferthus, oedd Pwllcornol Uchaf; y tŷ a'r tai mas wedi eu hadeiladu ar lethr creigiog led cae o heol wledig, ac yr oedd y graig yn agos iawn i wyneb y tir mewn un neu ddau o'r caeau hefyd. Ond gan fod y lle yn uchel, roedd golygfa ardderchog o glos y fferm dros ddyffrynnoedd Cwerchyr a Theifi i Sir Gâr ac yr oedd y Frenni Fawr yn Sir Benfro, hefyd, i'w gweld yn amlwg. Roedd enw ar bob cae: Cae Llety, Cae-wrth-gefen-'r-ydlan, Cae Pensingrug, Parc-cwarre, Parc-pen-rhiw, Cae Pant, Parc-cwarre-bach, Parc Crofft, Waun Isha, Waun Ucha, y ddwy Ddôl ar lannau afon Cwerchyr a'r Cae-dan-tŷ. Ar hyd llwybr troed drwy'r Cae-dan-tŷ y cerddwn i'r heol, ond roedd lôn gert arw iawn a serth yn arwain hefyd o'r heol i'r clos ac wrth fynd heibio i'r lle weithiau yn awr fe gwyd hiraeth arnaf am nad oes sôn am y llwybr troed. Ond daeth gwên i'm hwyneb wrth ddarllen disgrifiad o'r lle pan oedd ar werth ychydig yn ôl: *'Pwllcornol Uchaf – has its own private drive'* – y lôn gert!

Wrth y gwair ym Mhwllcornol (1935).
Rhes gefn: Brenda Penlonwen a Glyn Llwynreos
Rhes ganol: Megan fy chwaer, Merfyn Llwynderi a John Isaac
Rhes flaen: Fi a Dai Felin

Dathlu Coroniad y Brenin Siôr VI –
Dafi Slibwrt yn ei het, a finnau
gyda'r rifolfer

Mam, 'nhad, Megan a fi ar glos
Pwllcornol

Ffermdy yn perthyn i Stâd y Bronwydd ydoedd, a'r rhent blynyddol yn £52. Cyntefig iawn oedd y cartref wrth gymharu â'r oes bresennol; hen dŷ wedi ei adeiladu tua diwedd y ddeunawfed ganrif; dau ddrws i fynd iddo a'r ddau yn y ffrynt, un yn arwain i'r gegin fach, a'r llall i'r pasej rhwng y gegin ore a'r parlwr. Yng nghefn y tŷ ar y llawr roedd y rŵm ford a'r llaethdy a rhaid oedd mynd drwy'r gegin ore i fynd iddynt. Y tu ôl i'r parlwr roedd 'rŵm y pregethwr'. Yno y byddai'r pregethwyr dieithr yn aros y nos pan ymwelent â Chapel Gwernllwyn, cyn codi'r Tŷ Capel, ac er i hwnnw gael ei adeiladu ymhell yn ôl – ym 1888 – fel 'rŵm y pregethwr' y cyfeiriem at yr ystafell yma o hyd.

Ni welais garped ar lawr y cartref erioed, ac ar wahân i'r parlwr, slabiau cerrig oedd lloriau ystafelloedd y llawr i gyd. Roedd carreg drws y gegin fach wedi pantio yn y canol gan yr holl gerdded trosti drwy'r blynyddoedd gan adael bwlch rhwng gwaelod y drws a'r llawr, a hen got frethyn a ddefnyddiem i atal y drafft. Oelcloth oedd ar lawr y parlwr, y gegin orau, ar y staer ac yn yr ystafelloedd gwely. Yn yr ystafell wely orau roedd stand

11

ymolchi a'r wyneb o farmor, a phadell a jwg addurnedig ar gyfer rhywun fyddai'n dod i aros dros nos. Ond ar wahân i berthnasau, dau yn unig rwy'n cofio'n aros y nos, a'r ddau hynny oedd gyrrwr injan ddyrnu Blaenglowon a'i gynorthwywr. Rwy'n cofio'r injan fawr a'r dyrnwr yn cyrraedd gyda'r nos un hydref, yn barod i ddyrnu drannoeth, a chofio'r cynnwrf a deimlwn wrth weld yr injan stêm fawr yma'n cyrraedd. Roedd injan ddyrnu arall hefyd yn yr ardal, y *Cunllo Princess* – injan ddyrnu Blaenllan Fawr, dyma'r cerbyd cyntaf a gofrestrwyd yn Sir Aberteifi – EJ 1 – ac mae'r rhif yna ar gar modur wyres Evan Jones, Blaenllan, yn Llandysul, ar hyn o bryd.

Gwyngalch oedd muriau'r tŷ byw a'r tai mas, y beudy, yr ysgubor, y stabl a hyd yn oed y tylciau, a gwyngelchid yr adeiladau unwaith bob blwyddyn. Daeth fy nhro innau i gymryd at y gwaith pan ddeuthum yn grwt diogel o faint, ond muriau'r twlc yn unig a ymddiriedwyd i mi, a'r tro cyntaf i mi wneud hynny, yn wir roedd bron cymaint o wyngalch ar fy nillad ag oedd ar furiau'r twlc.

Nid oedd dŵr na thrydan yn y tŷ na chwaith faddon a'r unig gawod a welais oedd y glaw yn dod drwy'r simdde lwfer a disgyn ar fflamau'r tân. Roedd ffwrn ddur un ochr i'r tân a phentan yr ochr arall. Cedwid y tân yn fyw drwy'r nos yn y gaeaf trwy roi cwlwm ar ei ben, a'r tân, felly, yn llosgi'n farw. Cadwai'r dŵr yn dwym ym mhair y pentan ddydd a nos. Y dŵr hwnnw fyddai gennym yn ymolchi'r bore; arferwn lanw'r dŵr â sosban i badell ar stôl fach, a chan fod y pentan wedi ei wneud o haearn bwrw *(cast iron)*, rhydlyd iawn oedd y dŵr ar adegau ac ymolchwn yn aml iawn mewn dŵr coch! Y gegin fach, felly, oedd ein bathrwm a phan oeddwn i'n blentyn bach, 'twba' o flaen y tân fyddai'r gweithgaredd bob nos Sadwrn.

Rwy'n rhyfeddu fy hun erbyn hyn wrth gofio am fynd i'r gwely yn y gaeaf – pob un â'i ganhwyllarn. Wrth fynd lan drwy'r staer byddwn yn fy niddanu fy hun trwy ddal fy llaw rhwng fflam y gannwyll a'r pared a gwneud cysgod fy llaw yn llai a llai wrth fynd â'r canhwyllarn ymhellach oddi wrthi ac yna'n llaw fawr iawn wrth ddod â'r fflam yn nes. Roedd yn rhaid diddori fy hun gan ein bod yn byw ym mherfeddion y wlad a heb lawer iawn o gwmni plant eraill i chwarae.

Dysgais bader yn ifanc iawn a'i hadrodd yn gyflym, gyflym heb feddwl dim am ystyr y geiriau:

> Rhoi fy mhen bach lawr i gysgu,
> Rhoi fy hunan i Grist Iesu,
> Os byddaf farw cyn y bore,
> Duw fendithio f'enaid inne.

Bûm yn ei dweud hyd at fy arddegau, hyd y gwn i, ac nid wy'n cofio pryd y rhoddais y gorau iddi.

Pwllcornol Uchaf yn y cefndir

Ond nid oedd Pwllcornol Uchaf yn wahanol i'r mwyafrif o gartrefi'r ardal, yn enwedig y ffermdai. Arferai pawb gario dŵr o ffynnon neu bistyll, ac ar ein clos ni roedd yna ddigonedd o ddŵr glân yn dod o dair ffynnon yn ogystal â dŵr a lifai o gaeau Nantgaran Hen trwy bistyll i'r clos. Un o'm gorchwylion dyddiol fyddai cario'r dŵr o'r ffynnon neu o'r pistyll a gofalu bod dwy neu dair ystên yn llawn bob amser yn y gegin fach. Roedd buddai yn y rŵm ford a byddai Megan a minnau yn corddi ar foreau

Sadwrn; troi'r fuddai am yr hyn a deimlai yn amser hir. Pan fyddai gwydr y ffenest fach yng nghlawr y fuddai i'w weld yn lân, byddai'r menyn yn barod, a digon o laeth enwyn i'r teulu.

Roedd gennym dŷ cŵler ar gyfer oeri'r llaeth, ac i danc dŵr yno y pwmpid y dŵr o ffynnon ar y clos 30 llath i ffwrdd – ei bwmpio â llaw, wrth gwrs. Roedd y gwaith hwn yn dod i'm rhan yn rheolaidd a rhaid oedd cadw'r tanc yn llawn. Weithiai yn ystod haf sych iawn, a'r dŵr yn brin, byddai'n rhaid i mi gadw i fynd a phwmpio ar ffwl-sbîd i gadw lefel y dŵr yn ddigon uchel yn y tanc.

Roedd y tŷ o'r golwg y tu ôl i res o goed sycamor ar glawdd y clos, a phob tro y clywn eiriau'r gân *Adieu to dear Cambria*, 'Yn Iach i ti Gymru '. . . a'm cartref gwyn annwyl yng nghanol y coed', roeddwn yn teimlo eu bod yn ddisgrifiad perffaith o'r tŷ lle'm ganwyd ac o'r cartref y cenais innau'n iach iddo ymhen blynyddoedd. Yn nechrau'r pum degau penderfynwyd torri'r coed oedd o flaen y tŷ, a hynny am ddau reswm, sef i gael mwy o olau yn y tŷ a hefyd i gael coed tân. Wedi torri'r coed, roedd y fferm wedi dod i'r golwg ac yn amlwg iawn, a rhai pobl a oedd yn byw draw yn Sir Gâr yn methu'n lân â deall pa ffermdy newydd oedd wedi ei adeiladu 'draw ym Mhenrhiw-llan'.

Ar ôl sefydlu'r Bwrdd Marchnata Llaeth ym 1933 a rhoi'r cyfle i'r ffermwyr werthu eu llaeth drwy'r Bwrdd, fe wellodd sefyllfa fy rhieni gryn dipyn. Roedd fferm 72 erw ac yn godro deg neu bymtheg o wartheg yn nhri degau a phedwar degau'r ganrif ddiwethaf yn golygu fferm fawr – digon i gadw tri neu bedwar. Dau was rwy'n eu cofio ym Mhwllcornol. Y cyntaf oedd Jimmy, Cwm Gernos. Ef oedd fy arwr; yr oeddwn yn ei ddilyn i bobman a rhoddai'r gofal mwyaf i mi. Mae'n debyg na chawsai'r gwynt chwythu awel arnaf. Un tro, a'r ddau ohonom allan ar y caeau, cawsom ein dal mewn cawod sydyn o law taranau, ac er mwyn fy arbed i rhag gwlychu, tynnodd ei siaced a'i lapio amdanaf, a chariodd fi i'r tŷ yn sych gorcyn ac yntau yn wlyb hyd at ei groen.

Yr ail was oedd Dewi Jenkins a gafodd ei fagu ym Mountain Hall, fferm fawr yn Llangeler. Roedd e'n eithriadol o gryf ond yn rhannol fud a byddar. Cawsai ddamwain pan oedd yn fachgen bach – torrodd un o'i fysedd i ffwrdd wrth chwarae â pheiriant shaffo yn yr ysgubor. Roedd e wedi dod i siarad, ond roedd y sioc a gafodd yn ddigon i effeithio ar ei glyw ac, o hynny ymlaen, dechreuodd ef a'i frawd, Sami, gyfathrebu â'i gilydd trwy arwyddion.

Roedd Dewi, neu 'Mwsh' fel y'i gelwid, yn yr un dosbarth yn Ysgol Gynradd Brynsaron â'r Prifardd T. Llew Jones. Clywais T. Llew yn dweud fod Dewi yn ymladdwr heb ei ail; roedd mewn ffeit yn aml iawn ar iard yr ysgol ac o'r holl ornestau, yn ôl T. Llew, un yn unig a gollodd – yn erbyn Charlie Frost! Pe buasai Dewi wedi cael cyfarpar clywed yn ei glust yn blentyn, byddai wedi dod i siarad yn iawn rwy'n siŵr, ond datblygodd ei iaith ei hun. 'Mari' oedd pob merch ifanc iddo, y nyrs leol oedd 'Mari Dost'; a galwai'r Nadolig yn 'Byta mowr *two five*'. 'Oy' a 'Medan' oeddwn i a'm chwaer iddo, a phan fyddwn i yn ddrygionus ac yn haeddu clatsien, dywedai wrth fy mam, 'Oy ddwg. Bŵr e.'

Tua 1933 torrodd iechyd tad Dewi a symudodd y teulu o Mountain Hall i le llai – i Bwllcornol Isaf, Penrhiwllan, ond buan iawn wedyn bu farw'r tad gan adael Dewi a Sami ei frawd i ffermio. Roedd chwaer iau ganddynt, Ray, ac aeth hi yn forwyn i'r Faerdre yn Llandysul, ond ymhen tair blynedd bu farw'r fam hefyd. Cynhaliwyd ocsiwn ym Mhwllcornol Isaf gan adael y plant, i bob pwrpas, heb gartref, a dyna pryd y daeth Dewi'n was atom ni. Aeth Sami yn was i Faengwyn ac yn ddiweddarach i Nantygwynfaen.

Dewi Jenkins y gwas

15

Roedd hi'n arferiad 'slawer dydd i was fferm, wrth selio cytundeb i'w ailgyflogi am flwyddyn arall, dderbyn swllt yn ern gan y ffermwr. Bu Dewi'n was gyda ni am 28 o flynyddoedd, a bob blwyddyn cyn ei ailgyflogi Galangaeaf, cadwai at yr hen arferiad o ofyn am yr ern, neu yn ei eiriau ef, 'swst aros'. Cefais lawer iawn o sbort yng nghwmni Dewi.

Roedd hi'n 1948 cyn i dractor ddod i Bwllcornol, a hyd hynny ceffylau, tri ohonynt, a weithiai'r lle. Eu henwau oedd 'Ross', 'Pol' a 'Poni', yr olaf a gafodd fy nhad a'm mam yn anrheg briodas gan rieni fy mam; dyna'r math o anrheg a gâi pâr ifanc i 'ddechrau eu byd' yr adeg honno. Roedd gennym un gambo, un cert trwm, un cert ysgafn a hefyd *governess trap*, a phan alwai perthnasau pell defnyddid y *trap* i'w cludo i'r *bus stop* yng Nghroes-lan neu Bont Henllan ar eu ffordd adref. Wedi i ni gael tractor a threiler daeth oes y ceirt i ben, a dirywio wnaeth cyflwr y *governess trap* wrth iddo gael ei ddefnyddio at lawer gorchwyl heblaw cludo teithwyr. Diau y byddai'n werth arian mawr erbyn heddiw.

Dysgais farchogaeth y poni'n ifanc iawn, a phan fyddai'r tri cheffyl yn tynnu'r beinder wrth dorri'r llafur, roedd y poni yn dueddol o fod yn ddiog ac yn dal y ddau geffyl arall yn ôl. Felly fy ngwaith i oedd mynd ar gefn y poni a gwialen fechan er mwyn ei gadw'n gyfystlys â'r ddau arall. Roeddwn yn fy elfen gyda'r anifeiliaid ond heb ddiddordeb mewn peiriannau.

Y milfeddyg a alwai o bryd i'w gilydd i drin anifail sâl oedd Jones Nantypopty, a phan welodd fi un tro yn llawn annwyd trwm cynghorodd fy mam i roi digon o *cod liver oil* i mi. Dyna'r gwirionedd, ond roed Dewi Parc-hate yn mynnu dweud, 'Pan o'dd Roy Pwllcornol yn dost yn fabi, o'n nhw'n mynd ag e at y fet!'

Dôi Shoni Wynwns o amgylch o dro i dro; yr un un a alwai ym Mhwllcornol bob blwyddyn, nid wy'n cofio'i enw ond Cymraeg a siaradai bob amser. Flynyddoedd lawer wedi hyn, pan oeddwn yn Rhydaman yn Dditectif Sarjant, un o'm dyletswyddau oedd cofrestru tramorwyr a ddôi i'r wlad. Deuent i swyddfa'r C.I.D. â'u cardiau tramorwyr *(alien's card)* a'r iaith fyddai'r drafferth o hyd. Ond pan ddeuai André a'i lwyth o wynwyn i sefyll yn Nhafarn y *Coopers* yn y Betws, ni chawn unrhyw anhawster; Cymraeg oedd y cyfweliad bob tro, a chawn raffed o wynwyn ganddo am ei gofrestru.

Pump oed oeddwn i pan dorrodd yr Ail Ryfel Byd allan ac rwy'n cofio'n iawn y dydd Sul hwnnw – 3 Medi, 1939. Roeddem yn oedfa'r hwyr; nid oeddwn yn gwrando ar y pregethwr ond, yn sydyn reit, gwelais fod yno ryw aflonyddwch neu gyffro ymhlith y gynulleidfa a nifer yn sibrwd wrth ei gilydd. 'Be' sy'n bod?' gofynnais i 'nhad, ac atebodd fod rhyfel wedi dechrau.

Blynyddoedd y rhyfel oedd blynyddoedd fy addysg gynnar, a chawn fy atgoffa bob dydd bron am yr ymladd ac nid rhyfedd oedd hynny – roedd fy nhad yn y Llynges yn ystod y Rhyfel Byd Cyntaf, a'r Gweinidog a'r Prifathro yn gyn-filwyr o'r rhyfel hwnnw hefyd.

Rywbryd yn ystod blynyddoedd y rhyfel deuthum o hyd i ddarn o barasiwt wedi disgyn ar

Fy nhad yn y Llynges yn 1918

Gae Pant. Sut y disgynnodd yno ac o ba le y daeth nid oes gennyf y syniad lleiaf, ond roedd o ddefnydd sidan ac ni fu fy mam yn hir cyn gwneud sawl crys i mi allan ohono. Felly gallaf ymffrostio fy mod, pan oeddwn yn blentyn ysgol gynradd, yn gwisgo crysau silc!

Wrth edrych yn ôl ar fy mywyd yn blentyn, braidd yn unig oedd y bywyd a dreuliais; ychydig iawn o fechgyn fy oed i oedd yn byw yn agos. Geraint 'r Efel (yr Efail) a Ken Pratt, Tŷ Gwyn, oedd y ddau fachgen agosaf a rhaid oedd creu ein difyrrwch ein hunain, fel gweithio bwa a saeth o bren collen a chortyn gweddol

17

gryf. Roedd Geraint yn hŷn na mi ac ef fyddai'n saethu bellaf bob amser, gan anelu at frân neu ryw aderyn arall, er nid wy'n cofio i ni daro'r targed un tro. Nid oedd gan yr un ohonom bêl-droed gartref ac nid wy'n cofio bod un yn yr Ysgol Gynradd chwaith, ond rwy'n cofio dod o hyd i ddraenog un tro, a Geraint a minnau yn ei ddefnyddio fel ffwtbol! Druan â'r draenog ond rwy'n credu ei fod wedi goroesi drwy'r cyfan. Roedd gan bob bachgen, rwy'n siŵr, 'gylch a bachyn' wedi ei wneud gan Tomi, gof Aberbanc. Awn â hwn weithiau ar fy ffordd i'r ysgol gan ei guddio yn y clawdd ryw gan llath o Sgwâr Penrhiwllan, a chwarae ag ef eto ar y ffordd adref.

Wrth i mi dyfu, cawn ychydig bach yn rhagor o dasgau ar y fferm, ond cyfaddefaf nad oedd llawer o waith ynof yr oedran hwnnw. Serch hynny, roedd dau beth yr oeddwn yn eiddgar iawn i'w gwneud – saethu (roedd gwn dwy faril gan fy nhad), ac aredig. Roeddwn yn 13 oed, a 'nhad yn aredig un o'r caeau ac anfonwyd fi i'r cae â bwyd iddo. Pan eisteddodd yntau yn y clawdd i gael ei fwyd cefais roi cynnig ar aredig. Aradr *one way* ydoedd. Pam ar y ddaear ei galw'n aradr unffordd wn i ddim, achos doedd dim yn fwy amlwg na'i bod yn aradr ddwyffordd! Wedi agor un gŵys ar hyd y cae, gellid troi ei swch wedyn i aredig y ffordd arall, ond roedd ei 'throi' yn waith trwm, rhaid oedd codi'r aradr wrth ei chyrn a hynny'n ddigon uchel a gwasgu pedal i ryddhau'r swch fel bod y swch yn medru mynd o un ochr i'r llall. Roedd y ddau geffyl yn weddol hawdd i'w trafod ac agorais gŵys heb lawer o drafferth. Ond pan gyrhaeddais ben talar a cheisio troi'r swch, fe foelodd yr aradr ar ei hochr. Nid oeddwn yn ddigon cryf i fynd ymhellach, a dyna'r unig dro i mi aredig â cheffylau.

Wrth danio dryll y tro cyntaf, tanio i'r awyr o dan ofal fy nhad, caeais fy llygaid yn dynn wrth bwyso ar y triger a disgwyl y 'gic'. Er nad oeddwn wedi saethu erioed cyn hyn, roeddwn yn barod am y 'gic' gan fy mod yn cofio'r 'gic' honno a roddodd dryll Twm Nansi i Rheinallt wrth saethu at gath Marged Jones! Roedd ambell i ffesant a chyffylog yn dod i'r caeau, yn enwedig yn y gaeaf. Gwelais ffesant ryw ddiwrnod ar y banc ac es i gyrchu'r dryll ar unwaith, ond methais yn deg â'i saethu gan i'r aderyn fy ngweld o bell a hedfan o un cae i'r llall a minnau ar ei ôl yn chwys diferu. Es adref â'r dryll ac aeth fy nhad i roi cynnig arni. Cyn pen hanner awr dychwelodd â'r ffesant gydag ef – heb golli dafn o chwys. Roedd ef wedi hen ddysgu a minnau'n awr yn dechrau; aeth ef â sach ac ychydig o lafur ynddi; gadawodd y sach wrth fôn clawdd gan ddenu'r ffesant ati a chuddiodd yntau y tu ôl i glawdd arall ryw 15 llath i ffwrdd. Ni welodd y ffesant fy nhad o gwbl gan fod pen yr aderyn i mewn yn y sach yn chwilota. Bu'r triciau a ddysgodd fy nhad i mi yn help mawr i mi ddal lladron ymhen blynyddoedd.

Wrth i mi ddod yn ddigon hen i odro cefais ddewis y fuwch dawelaf yn y beudy ac ar y dechrau treuliwn fwy o amser yn godro honno na threuliai Mam, 'nhad a'r gwas i odro'r rhelyw. Cymerwn hoe yn fynych iawn gan fod cyhyrau fy mreichiau'n dolurio, ond gydag amser daeth y gorchwyl yn haws, a dyma ffordd dda iawn i ddatblygu cyhyrau'r breichiau. Ond mae'n rhaid 'mod i wedi dechrau ymarfer godro pan oeddwn dipyn yn iau, fel y mae'r llun hwn yn dangos!

Cowman ieuengaf Penrhiw-llan

Diwrnod mawr oedd diwrnod lladd mochyn – hogi'r cyllyll, dod â'r ffwrwm o'r ysgubor ar gyfer y *post mortem*, digon o ddŵr berw ar gyfer eillio'r mochyn ac yna i'r twlc i'w gyrchu ef i'w dranc. Rhoi rhaff denau i'w geg mewn dolen a'i chlymu uwch ben ei safn, a'i arwain i fan y dienyddio – o dan goeden. Taflu un pen o'r rhaff dros gangen a'i thynnu nes bod trwyn y mochyn yn pwyntio i'r nef ac yn rhoi mantais i'r lladdwr eillio blew'r gwddf cyn torri'r wythïen fawr. Sgrechai'r mochyn nes bod yr ardal yn ego a'r gwaed yn dechrau llifo a chynyddu'n afon hyd nes deuai sŵn ei sgrechfeydd allan drwy'r agoriad yn ei wddf. Yna, gwanhau wnâi'r sgrechfeydd a'r coesau yn rhoi oddi tano wrth iddo waedu i farwolaeth, a chyn iddo gwympo'n farw, ei godi i'r trestl. Heb oedi munud rhoi ei draed a'i goesau mewn ystenau yn llawn dŵr berwedig fel bod y blew yn rhyddhau, ac yna crafu'r blew ymaith â 'chanhwyllarn' (math o sgrafell). Yna taflu'r dŵr dros ei gorff a chrafu'r blew i gyd gan ei adael yn borcyn glân.

Y gwaith nesaf oedd torri'r croen yn ei ddwy sawdl ôl a thynnu'r gïau allan fel dolen i roi darn o bren hir wedi ei naddu'n bwrpasol (cambren) gyda hac, neu ric, ar bob pen i ddal wrth y gïau ac i ddal y coesau ar led. Yna codi'r corff a'i hongian gerfydd ei goesau ôl wrth gangen coeden ac agor ei fola i gael gwared â'r perfedd. Y cŵn wrth eu bodd yn mynd ati i gladdu'r rheiny. Ond byddwn i'n bachu'r bledren ar unwaith; byddai cwilsen iâr yn barod gennyf bob amser i chwythu aer i'r bledren a dyna fyddai fy ffwtbol am rai dyddiau. Roedd hi'n ysgafn iawn, wrth gwrs, ac rwy'n cofio cicio'r bledren ar y Cae-dan-tŷ un tro, ei chicio rhyw ddeugain llath i'r clawdd lle byrstiodd ar ben llwyn drain.

Tynnu'r cig bwytadwy fel yr afu a'r ais; byddai gormod o hwnnw i ni fel teulu a châi'r cymdogion yr hyn roeddem yn ei alw yn 'ffrei'. Ei fwyta ar unwaith; nid oedd y fath beth i'w gael ag oergell i'w gadw.

Roedd gwastraffu yn air gwaeth o lawer na rhegfeydd yn ein tŷ ni, fel yn sicr drwy'r holl ardal. Nid rhyfedd hynny gan fod fy mam wedi ei geni ym 1899 a 'nhad ym 1900. Pan oedd y ddau yn eu harddegau cynnar, torrodd y Rhyfel Mawr allan a digon prin fu popeth am flynyddoedd wedyn. Priododd y ddau ym 1924, a chyn hir daeth dau o blant a dirwasgiad y tri degau. Cyn pen dim dyma'r Ail Ryfel Byd ar eu gwar a chyfyngu ar fwyd a dillad. Er hynny, ni welais i unrhyw eisiau; roedd mwy na digon o fwyd yn y cartref drwy'r blynyddoedd. Ond gwastraffu? Dim o gwbl. Fel enghraifft, prynai fy mam farjarîn a hwnnw wedi ei lapio mewn papur saim. Rwy'n ei chofio'n crafu pob mymryn o'r marjarîn â chyllell o'r papur ac yna, gan fod haenen o saim yn dal wrtho, defnyddiai ef wedyn i roi ychydig o saim yn y ffreipan cyn ffrio wy neu facwn. Ac yr oedd hyd yn oed rhagor o ddefnydd iddo – diwedd oes y papur marjarîn fyddai dechrau tân yn y gegin fach.

I ddod 'nôl at y mochyn, rhoi pastwn tua 18 modfedd o hyd i ddal ei fol yn llydan agored, tynnu'r leinin neu'r 'siôl' o du mewn y mochyn a'i thaenu dros yr agoriad mawr i gadw'r pryfed a'r cylion draw. Gadewid y mochyn i hongian am ddiwrnod neu ddau cyn mynd ati i'w dorri'n ddarnau a'i halltu. Roedd meinciau cerrig yn y llaethdy ac yno y câi ochrau'r mochyn a'r ddwy ham eu gorchuddio â haenen drwchus o halen. Cyn hir byddai'r ddwy ham a'r ochrau yn hongian wrth fachau bwtshwr o nenfwd y gegin fach a thorrid sleisen ohonynt fel y byddai eisiau.

Mae lladd mochyn yn y dull yma yn awr yn anghyfreithlon, ond cadwai bron pob tŷ fochyn ac arferai fy nhad fynd o amgylch i'w lladd. Ni feddyliwn innau ddim am roddi pen ar fywyd anifail; cefais fy nghodi i ladd anifail heb feddwl ddwywaith oherwydd dyna oedd y pryd nesaf, yn aml iawn. Yn ifanc iawn dywedai fy mam wrthyf, 'Cer i ddala'r iâr 'na a thor 'i phen hi off i fi gael 'i phlufio hi'. Ni fyddwn fawr o dro cyn y byddai'r iâr yn fy nwylo, ei dal wrth ei choesau a'u hadenydd yr un pryd mewn un llaw a'i phen yn gorwedd ar y plocyn pren lle cedwid y bilwg ar gyfer torri coed tân. Un ergyd â'r 'gilotîn' a dyna'r pen yn disgyn yr ochr arall i'r plocyn yn hollol lonydd tra oedd y corpws yn dirgrynu am rai eiliadau. Ni fyddai hyd yn oed eisiau gwaredu pen yr iâr; cyn pen dim byddai rhyw bioden neu guryll wedi ei gyrchu o'r lle.

Mae'r trapiau croglath (gintraps), hefyd, yn anghyfreithlon erbyn heddiw, ond roedd degau o'r trapiau yma ymhob fferm. Dysgais osod y trapiau yn ieuanc iawn; yr oeddwn mor ifanc fel nad oeddwn yn ddigon cryf i ladd ambell i gwningen trwy ddatgymalu'r pen. Roedd yn rhaid i mi roi pen y gwningen ar y llawr, fy nhroed ar ei phen a'i thynnu gerfydd ei thraed ôl nes teimlwn y pen yn rhyddhau. Agorwn y cwningod i waredu'r perfedd a'r bledren ac yna dorri croen un goes ôl a rhyddhau'r gïau a gwthio'r goes arall i mewn dan y gïau fel bod y ddwy goes yn croesi (eu 'sbredo'). Gwnawn yr un peth â chwningen arall ond rhoddwn un goes o'r ail gwningen i mewn rhwng coesau'r un gyntaf cyn eu sbredo. Wrth wneud hyn medrwn gario sawl pâr o gwningod wrth eu gosod ar far fy meic, un yn hongian bob ochr, wrth fynd â hwy at wahanol fasnachwyr. Arferwn ar y dechrau werthu cwningod i Emrys Lewis, bwtshwr Llandysul; awn yno ar y bws â llond sach o gwningod. Wrth ddod allan o'r bws yn Llandysul un tro daeth rhyw fachgen o'r pentref ataf, cydiodd yn fy sach ac arllwys y cwningod ar y palmant gan wneud sbort am fy mhen. Bûm bron â llefain wrth feddwl bod pawb yn edrych arnaf wrth i mi gasglu'r cwningod – fy enillion.

Bu gennym ffured hefyd am gyfnod ond ni fûm i yn un am ffureta; gwell o lawer oedd gennyf osod y trapiau a mynd o'u hamgylch y peth cyntaf y bore a'r peth diwethaf y nos. Mynd yn y tywyllwch â lamp wynt wrth fy ochr, a chan fy mod yn cario'r lamp yn dynn wrth fy ochr, taflai'r golau gysgodion hir, ac wrth edrych ar gysgod fy nghoesau gallai rhywun feddwl fod yna gawr yn cerdded ar y cae.

'Bil *Mount*' o Gapel Iwan oedd yn rhoi'r pris gorau am y cwningod. Gofynnai i mi faint roedd y lleill yn ei dalu, a pha beth bynnag a ddywedwn, rhoddai geiniog yr un yn fwy i mi. Heb yn wybod i mi, gwnaeth Bil ffafr fawr â mi yn ddiweddarach ond ni ddeuthum i wybod am hyn hyd nes i fy Mhrif Gwnstabl cyntaf, wedi iddo ymddeol, ddweud wrthyf. Roedd siop fwtshwr gan Bil *Mount* ym Marchnad Caerfyrddin, a'r Prif Gwnstabl yn gwsmer iddo. Cyn i mi gael fy nerbyn i'r heddlu, awgrymodd Bil wrtho fy mod 'yn foi bach da i'r heddlu'. Gresyn na chefais y cyfle i ddiolch iddo, gan fod Bil wedi ein gadael erbyn i mi gael gwybod.

Ar gyfartaledd cawn hanner coron yr un am y cwningod, a gyda'r arian yma agorais fy nghownt cyntaf ym Manc Lloyds, Castellnewydd Emlyn – gyda £10.

Dyddiau Ysgol

Roedd tri dosbarth yn ystafell Miss Jenkins – y *Babies, Second Class* a'r *First Class*. Rhyfedd mai yn Saesneg y cyfeiriwn at y dosbarthiadau hyn; hefyd wrth symud ymlaen at Miss Jones, Tŷ Hwnt, hi oedd â gofal *Standard One* a *Standard Two*, ac felly yn y blaen. Miss Ifans oedd athrawes *Standards Three* a *Four*, a'r Prifathro, D. Llewelyn Jenkins, neu 'Mistir', gyda'r plant mawr yn *Standards Five, Six* a *Seven*.

Y camgymeriad mwyaf a wnes yn fy mywyd erioed oedd hwnnw pan oeddwn yn dair blwydd oed. Rwy'n cofio'r bore fel petai ddoe pan redais i lawr y staer ac i'r gegin fach. Yno yr oedd Megan yn barod i fynd i'r ysgol ond gwelodd fy mam fod botwm ei chot wedi dod yn rhydd ac aeth ati i'w wnïo. Yn ystod y munudau hynny cefais yr amser i wisgo ac i fynnu fy mod 'yn mynd i Ysgol Miss Jinkins heddi', a chan nad oedd taw arnaf, ildiodd fy mam. Ac felly, yn llaw fy chwaer, cerddais ychydig dros filltir a hanner i Ysgol Aberbanc am y tro cyntaf.

A cherdded i'r ysgol a wnawn bob dydd, Megan a minnau, yn ein clocs o waith Evan Jones, Llwyn-gwyn. Roedd Evan Jones yn athro Ysgol Sul a diacon yng Nghapel Gwernllwyn, yn ddyn diwylliedig iawn ac yn gryn ysgolhaig. Crydd ydoedd wrth ei alwedigaeth ac yr oedd yn wneuthurwr clocs penigamp. Ond druan o Megan, roedd cywilydd arni hi wisgo clocs, a chware teg, nid oedd y fath esgidiau yn gweddu i ferch fach. Rwy'n cofio amdani'n cerdded yng nghlais y clawdd fel na fyddai sŵn y pedolau'n cyhoeddi mai clocs oedd am ei thraed.

Plant Ysgol Aberbanc ym 1939 (fi yw'r ail o'r dde yn y drydedd res o'r ffrynt)

Roedd tua 10 yn nosbarth y 'babanod'. Rwy'n cofio am Timmy Alltfawr yn iawn er iddo gael ei ladd mewn damwain yn ei gartref yn bump oed, a dyna'r angladd gyntaf i mi fod ynddi, gyda holl blant yr ysgol yn cerdded i Gapel Gwernllwyn.

Elwyn Penralltfern; Wyn Maengwyn; Nic Blaenpant; Gwynfor Felin; Ben Penbeili Bach, a gafodd ei ladd mewn damwain tractor yn 36 oed; Dew Bach Parc-hadau, neu 'Parc-hate' ar lafar, a Dew gydiodd yn fy llaw yn y cyntedd i fynd â mi i mewn at Miss Jenkins. Dyma'm cyfaill oesol, ac yr oedd Dew yn tyngu fy mod yn copïo ei holl waith dosbarth. Pe câi ef bedair o'r syms yn gywir allan o ddeg cawn innau'r union rai yn iawn. Ond taeraf, ar fy llw, mai fi gafodd y marciau uchaf erioed mewn arholiadau rhifyddeg yn Ysgol Aberbanc; cawn 102 y cant yn rheolaidd – 51 o farciau i mi a 51 i Dew Bach! Mair Penralltreffwrn, Rosalind Penrhiw a Jill Cwrt oedd y merched. Dyna'r gang, ac ymunodd un o'r faciwîs â'r dosbarth ar ddechrau'r rhyfel. Chwyddwyd nifer y plant i 94 yr adeg honno a chyfrifid 'Ysgol Capel', fel y'i gelwid gan rai, yn ysgol fawr. Fi oedd yr ieuengaf yn y dosbarth; roedd y gweddill o'r plant naill ai flwyddyn neu'n agos i ddwy flynedd yn hŷn na mi. Er hynny, ni ddioddefais unrhyw anfantais yn ysgol Aberbanc. Stori wahanol oedd hi yn yr ysgol uwchradd.

Roedd Megan a minnau'n wahanol iawn i'n gilydd; clywais fy mam yn dweud bŵer fod 'digon o le i gant o blant rhyngom'. Ond, fel y dywedodd R. J. Rowlands y Bala:

> . . . yng nghilfach yr achau
> Yr un ffeil a'n deil ein dau.

Llechen mewn ffrâm bren oedd ein 'papur ysgrifennu' cyntaf, a darn o sialc oedd y 'pensel'. Wedi llenwi'r llechen mewn un wers rhaid oedd dileu'r cyfan ar gyfer y wers nesaf. A beth oedd y *cleaning agent*? Ychydig o boer ar y sialc a sychu'r llechen â llawes fy siersi!

Roedd yn rhaid bod y ddisgyblaeth yn un lem oherwydd crynwn o ofn Miss Jenkins a 'Mistir'. Cefais y gansen gan Miss

25

Megan a minnau yn yr ysgol

Jones nifer o weithiau hefyd, ond Miss Ifans oedd fy ffefryn – ni chefais glatsien ganddi hi o gwbl.

Wrth gwrs, y gansen oedd y dull arferol o ddisgyblu a dioddefai ambell i fachgen, fel Geraint 'r Efel a Danny Lleine, nerth y wialen yn aml. Geraint oedd 'Twm Nansi' yr ardal, ac er i mi gael fy rhybuddio fwy nag unwaith i gadw draw oddi wrtho, at Geraint y cawn fy nenu, a'i gwmni ef yr oeddwn yn ei fwynhau fwyaf. Roedd rhywun wedi dweud pe rhown ddimai ar reilen ddur y rheilffordd i olwyn trên fynd drosti, y câi'r ddimai ei gwasgu a'i hymestyn i faint ceiniog. Hynny yw, mewn gwirionedd, gwneud *counterfeit coin*. Roedd yn rhaid i Geraint dreio'r tric hwnnw ac aeth y ddau ohonom â dimai yr un i ddisgwyl y trên ger Trebedw. Ond druan ohonom, gwerth dim fu'r ddwy ddimai wedyn. Cafodd y ddwy eu gwasgu mas o siâp yn rhyfedd ond, er hynny, cedwais y ddimai ddiwerth am rai blynyddoedd rwy'n siŵr fel rhyw fath o *souvenir*.

Golau carbid (asetylen) oedd yng Nghapel Gwernllwyn, ac yr oedd yna domen o'r carbid oedd wedi ei ddefnyddio o hyd ym mhen ucha'r fynwent. Ond roedd digon o nerth yn yr ychydig o'r carbid oedd ar ôl i achosi ffrwydriad bychan wrth arllwys dŵr arno a rhoi matsien iddo. Lwc yn unig a'n harbedodd rhag unrhyw ddamwain. Treuliodd Geraint a minnau oriau lawer ar lan afon Cwerchyr, hefyd, yn dal brithyllod â'n dwylo a mynd adre'n aml iawn â thraed gwlyb.

Cwmni Geraint roeddwn am gael i fynd i'r ysgol; pe byddai ef wedi dechrau'r ffordd o fy mlaen, gosodai garreg ar y glwyd ar waelod ein 'Cae-dan-tŷ' ac yn absenoldeb y garreg, safwn yno i'w ddisgwyl. Dyna ddull cyfathrebu'r cyfnod.

Roedd Danny Lleine yn byw gryn bellter oddi wrthym; roedd yntau, hefyd, yn fachgen drygionus. Cafodd ei ddal yn ysmygu gan Mistir ger hen ffatri Aberbanc un prynhawn, mewn lle o'r enw Pandy. Fel cosb, derbyniodd sawl ergyd o'r wialen, ar ei ben-ôl ac ar ei gefn, ac yntau yn ceisio amddiffyn ei hun a cheisio osgoi rhai o'r ergydion. Erbyn iddo lwyddo i ddianc roedd ei siaced a'i grys mor anniben amdano, ond roedd Danny yn

27

fachgen gwddyn, doedd dim llefain yn agos ato, a'r unig beth a ddywedodd wedi'r grasfa oedd, 'Iysu, 'na reidad bois'.

Roedd Danny yn ddoniol hefyd. Roedd fferm Pencnwcau, neu 'Penice' ar lafar, ar bwys yr ysgol ac un diwrnod roedd ceiliog yn sathru iâr ar y clos. Dyma ninnau'n tynnu sylw'r merched at y weithred a'r rheiny yn edrych i ffwrdd mewn swildod. Ac yng nghlyw'r merched dyma Danny'n gweiddi ar y ceiliog, 'Licen i fod yn dy bluf di boi'.

Flynyddoedd wedi hyn bu Gareth, mab Danny, a finne'n gweithio gyda'n gilydd yn Llanelli.

Dwy ddamwain rwy'n cofio i mi gael yn yr ysgol. Arferem fynd am *ramble* fel dosbarth yn awr ac yn y man i dir Plas y Bronwydd lle roedd llawer o flodau a choed rhododendron yn harddu'r lle. Roedd dynion wrthi'n torri coed y gelltydd ac yr oedd rhyw offer yno gyda phwli a rhaffau dur. Yr oeddwn am gael fy nghodi a swingio wrth y pwli ond yn lle cydio yn y bachyn, fe gydiais yn y rhaffau dur, un ymhob llaw, ac wrth i Elwyn Penralltfern dynnu rhyw raff, fe'm codwyd i'r awyr ac fe aeth fy mysedd yn sownd yn y pwli. Yno y bûm yn hongian wrth flaen fy mysedd am rai eiliadau, ond ymddangosai fel oriau ar y pryd. Ar ben hynny, aeth darnau o'r gwifrau i mewn i'm dwy law a'm bysedd. Rhwng y gwaed a'r rhwd roedd fy nwy law, yn wir, i'w gweld yn 'rhacs'.

'Nôl yn yr ysgol, aeth Miss Jones â mi i Rock Villa at Mrs Jenkins, gwraig y prifathro, a hi fu'n golchi fy nwylo a rhoi rhwymyn amdanynt, gan fy nhrin yn dyner ac yn dosturiol iawn. Pan gafodd Mistir wybod daeth i'r tŷ, a heb ddangos unrhyw deimlad o gwbl, meddai, 'Chi'n gweld, 'na beth sy'n dod o wneud drygioni'. Ond roedd Mrs Jenkins yn gweld fy mod wedi cael digon o gosb ac meddai wrtho trwy gil ei cheg, fel pe na bai am i mi glywed, 'Hisht nawr', a dyna'r unig dro i mi weld Mistir yn cael ei roi yn ei le.

Roedd dwy iard yn Ysgol Aberbanc, y 'banc ucha' a'r 'banc isha' a'r anaf arall a gefais, ond nid un mor ddifrifol â'r gyntaf, oedd pan oedd Ben Penbeili Bach yn naddu pren ar y banc isha.

Roedd cap ar ei ben ac wrth i mi redeg heibio iddo, mewn direidi, ceisiais daro ei gap i'r llawr. Yn naturiol, cododd yntau ei law i arbed ei gap, a daeth llafn y gyllell ac un o'm bysedd i gwrdd â'i gilydd. Ar ôl mynd adref, aeth fy mam â mi at Doctor Jenkins yn Henllan gan fod archoll ddofn yn y bys. Gan geisio tynnu fy meddwl oddi ar yr hyn oedd ar ddigwydd, gofynnodd Doctor Jenkins i mi, 'Oes fferet 'da ti nawr?' a chyn i mi gael amser i'w ateb, gwthiodd y nodwydd i'r croen a minnau bron â sgrechain. Nid rhyfedd fod y graith i'w gweld heddiw oherwydd roedd y nodwydd yn gywir fel nodwydd cywiro sachau, un drwchus, ac mae olion y tyllau lle yr aeth y nodwydd i mewn ac allan drwy'r croen i'w gweld heddiw.

Roedd Doctor Jenkins yn un o gymeriadau'r ardal; dywed rhai iddo wella mwy o gleifion trwy ei ddoniolwch na thrwy ei dabledi a'i foddion! Roedd e'n ffrindiau mawr â phlismon Castell-newydd Emlyn, PC *'Speedy'* Beynon, y ddau yn hoff o'r dablen ac yn llymeitian yn aml iawn yng nghwmni ei gilydd wedi 'amser cau'.

Un nos roedd y doctor, wedi cael diferyn yn ormod, yn cydio'n dynn yn y *railings* y tu fas i'r Emlyn Arms pan ddaeth Beynon ar ei draws. Roedd car Ford, rhif BWN 419, gan Doctor Jenkins a gofynnodd Beynon iddo:

'Shwt 'ych chi'n mynd gatre heno doctor? 'Sdim car 'da chi gobeitho.'

'Na, dim *home by road* heno,' a chan gydio'n dynnach yn y rheilen, meddai'r Doctor, *'Home by rail.'*

Yn nyddiau Ysgol Aberbanc pan oeddwn tua saith mlwydd oed y clywais yr englyn cyntaf ac rwy'n cofio'n iawn lle roeddwn. Clywed Wyn Maengwyn yn adrodd englyn i 'Annibendod' o waith Isfoel, neu 'Dai Cilie', fel yr adwaenwn ef:

> Iet y clos heb ei gosod – tŷ heb dân,
> > Twba dŵr heb waelod,
> Bwrdd hesb a babi ar ddod,
> Bwndel o annibendod.

Mae'n rhaid bod sŵn y gynghanedd wedi taro rhyw nodyn ar fy nghlust gan fod diddordeb mawr gennyf mewn englynion byth oddi ar hynny.

Rwy'n cofio'r *wireless* yn dod i'r tŷ, rywbryd yn nechrau blynyddoedd yr Ail Ryfel Byd, a chofio hefyd sut y rhedai Megan a minnau am y cyntaf i droi'r teclyn ymlaen – wrth gwrs, roedd y diwyfr yn rhywbeth newydd i ni. Rhaid oedd wrth ddau fatri, *dry battery* a *wet battery*, ac er mwyn atgyfnerthu'r olaf awn ag ef i'r ysgol i Mistir gael gwneud hynny. Ei gario i'r ysgol ac yn ôl oedd y gwaith caletaf; roedd pwysau mawr ynddo.

Blynyddoedd hapus iawn fu blynyddoedd yr ysgol gynradd ac rwy'n wirioneddol gredu mai gwell fuasai i mi fod wedi aros yno heb fynd yn agos i'r Ysgol Sir. Rwy'n siŵr y byddwn wedi cyrraedd yr union fan heddiw pe na buaswn wedi derbyn yr un wers o addysg ysgol uwchradd, ac wedi bod yn hapusach o lawer yn blentyn.

Ysgol Sir Llandysul

Er i mi fedru cystadlu â'r plant eraill tra oeddwn yn yr ysgol gynradd, ac er i mi lwyddo yn y *scholarship* i fynd i'r Cownti Sgŵl yn Llandysul yn ddeng mlwydd oed, digon anodd fu'r addysg uwchradd. Brwydr i mi oedd astudio Lladin a Llenyddiaeth Saesneg fel Shakespeare a'i ddramâu – yn bennaf am nad oeddwn ond cyffredin iawn o ran gallu academaidd, ond yn rhannol am fy mod yn rhy ifanc. Hefyd, yn y dyddiau hynny, pedair blynedd oedd cyn sefyll y *Senior* (TGAU), nid pum mlynedd fel sydd heddiw. *Form II* oedd y dosbarth cyntaf (wn i ddim ymhle roedd *Form I*) a phe bawn wedi aros yn *Form II* am flwyddyn arall, rwy'n siŵr y byddwn wedi cael gwell 'gafael' ar bethau. Ond ymlaen yr es i, a'r canlyniad fu i mi deimlo mai'r blynyddoedd hynny yn yr Ysgol Sir oedd y cyfnod mwyaf anhapus yn fy mywyd.

Nid oedd athrawon yr oes honno yn rhy ffein tuag at blant, chwaith. Dywedodd yr athro Lladin, 'Lewis y *Goat*', wrthyf un waith wrth fy ngweld yn stryglan â'r gwaith, *'I don't know what will become of you my boy; you will always be in the lower half of the class.'* Ac un tro, gan nad oeddwn yn deall fawr o'r gwaith cartref a roddwyd i mi, dysgais yr holl beth ar fy nghof, a chefais farciau llawn yn yr arholiad yn yr ysgol drannoeth. Safodd Lewis y *Goat* wrth fy mhen wrth roi fy mhapur yn ôl i mi gan ddweud, a hynny'n fygythiol, *'Have you been cribbing, my boy?'* Nid rhyfedd i mi adael yr ysgol cyn gynted byth ag y medrwn!

Ond roedd mathemateg yn dod yn weddol rwydd i mi, ac mae'r diolch am hynny i'r athro mathemateg, B. J. Thomas. Dyma'r athro gorau a welais i erioed. Llwyddais yn y diwedd i basio'r *Senior*, ond mor falch yr oeddwn i droi fy nghefn ar yr ysgol fel na holais ynglŷn â'r marciau a gefais yn y gwahanol bynciau, ac nid wy'n cofio mynd yno i gasglu'r dystysgrif, chwaith!

Yr unig lwyddiant a gefais ym myd y chwaraeon oedd ennill ar y naid uchel ym mabolgampau'r ysgol. Y wobr oedd llyfr barddoniaeth Saesneg, *Songs for Courage*, a argraffwyd gan J. D. Lewis a'i Feibion, Gwasg Gomer, ym 1940. Hwy hefyd a roddodd y llyfr fel gwobr, a thu fewn y clawr yn ysgrifen y prifathro:

Llandyssul County School.
Annual Sports, 2nd June 1948.
Event:-Junior Boys High Jump.
First Prize Awarded To:- Roy Davies (Tyssul)
Signed:- T. Edgar Davies, M.A. (Headmaster)

Mae'r llyfr mewn cyflwr perffaith o hyd – nid am fy mod yn ei drysori, fel llyfrau'r genhadaeth dramor, ond am nad wyf wedi darllen gair ohono, mae'n gas gennyf gyfaddef.

Ym mis Awst yr un flwyddyn, dathlwyd canmlwyddiant Ysgol Aberbanc. Bu dathliadau yn cynnwys mabolgampau ar ddôl Pencnwcau; yr oedd yno gystadleuaeth naid uchel ac rwy'n cofio'r frwydr rhwng Ifon Llwynonn a minnau. Fi enillodd yn y diwedd ond, yn y broses, fe dorrais asgwrn yn fy arddwrn dde.

Roedd Ysgol Aberbanc yn 150 oed ym 1998 a meddyliais yn siŵr y byddai yno ddathlu. Es ati i gyfansoddi penillion ar gyfer yr achlysur, ond ni fu dathlu hyd y gwn i. Beth bynnag, ar 5 Mawrth, 2004, cynhaliwyd aduniad disgyblion yr ysgol yng Ngwesty Hanner Ffordd, Nantgaredig, a chanwyd y penillion gan un o'r 168 a ddaeth ynghyd – y cyfaill annwyl Vernon Maher. Digon cyffredin oedd fy mhenillion ond, yn wir, rhwng arddull ddihafal Vernon a'i lais soniarus, teimlwn eu bod wedi codi i lefel uwch o lawer wrth iddo ef eu canu!

Vernon Maher a minnau yn Aduniad Ysgol Aberbanc, 5 Mawrth, 2004

Gadewais yr Ysgol Sir wedi llwyddo yn arholiad y *Senior*, ac yn falch iawn o gael gwneud hynny. Roeddwn am fynd i weithio i Aberporth ond ofnai fy rhieni fy ngweld yn mynd, a pham na wnes ryw ymdrech i gael gwaith yn nes, wn i ddim. Ond roedd digon o waith gartref. Roedd rownd laeth gan fy nhad, a dyma fy ngwaith i yn awr – mynd â'r *governess trap* a'r poni o amgylch yn y boreau yn dosbarthu'r llaeth i 25 o dai. Roedd y poni bach yn gwybod am bob stop ar y daith a gwyddai hefyd ymhle oedd troi 'nôl ar ddiwedd y siwrnai. Ni chawn gyflog o gwbl, arian poced yn unig, ond fi oedd biau'r cwningod ac, yn wir, gwnes dipyn o arian wrth ddal a gwerthu'r rheiny. Rwy'n cofio prynu beic am arian mawr – £22 – yn Siop Gwalia, Castell-newydd Emlyn, a bu'r ceffyl haearn hwn yn was da a ffyddlon i mi. Teithiais filltiroedd ar ei gefn, i Ffeiriau Castell Newy' ac Aberteifi, ond i eisteddfodau'n bennaf, ac yr oedd digonedd o'r rheiny bron ymhob neuadd a chapel. Euthum ar fy meic i eisteddfodau mor bell ag Aberporth, Brynrhiwgaled a Phonthirwaun.

EISTEDDFOFAU

Rwy'n falch iawn fy mod wedi cael fy ngeni a'm magu mewn ardal fel Penrhiwllan, a 'nghodi mewn cyfnod pan oedd yr eisteddfodau mewn bri. Bu yna ychydig o drai yn ystod blynyddoedd y rhyfel ond wedi i'r rhyfel ddod i ben fe ailgydiodd y tân eisteddfodol yn y capeli a'r pentrefi ac yr oedd safonau rhai o'r eisteddfodau yma yn uchel iawn. Roedd Eisteddfod Nos Calan Rhydlewis yn agos iawn at safon y Genedlaethol, yn enwedig yn yr adran lenyddiaeth, gyda bois y Cilie, T. Llew Jones a John Lloyd Jones, Llwyndafydd, yn cystadlu. Ni fynnwn golli Eisteddfod Rhydlewis am ffortiwn.

Un o'r atgofion clir sydd gen i yw gweld Isfoel ac Alun Cilie â'r darnau lleiaf posibl o bapur, dim ond pwt o bensel gan y ddau, yn llunio englyn dan olau lamp y tu fas. Testun yr englyn ar y pryd un flwyddyn oedd 'Winc', a'r Prifardd Gwilym Ceri Jones yn beirniadu. John Lloyd Jones, Llwyndafydd, oedd yr enillydd ond nid wyf wedi gweld ei englyn mewn print erioed, ac nid yw wedi ei gynnwys yn ei gyfrol *Grawn y Grynnau*, chwaith. Felly, gan fod John Lloyd Jones yn dipyn o arwr gennyf, rhoddaf ef mewn print yn awr:

Rhyw wibiol nod ddirybudd – o waelod
    Calon yr edmygydd,
    Ac wele, at ei gilydd
    Denir dau yn hwyr y dydd.

Mae nifer yn cofio Cadair Ddu Eisteddfod Aberporth ym 1951, gyda Dewi Emrys yn beirniadu. Y dasg yng nghystadleuaeth y Gadair oedd llunio telyneg i'r 'Llwybr Unig' ac rwy'n ei chofio'n dda am mai ewythr i mi oedd yr enillydd – Johnny Jones, Perthygopa, Brynhoffnant. Roedd yr eisteddfod i'w chynnal ym mis Chwefror ond oherwydd eira mawr gohiriwyd hi hyd nos Wener, 13 Ebrill. Yn y cyfamser bu farw'r bardd cadeiriol. Ei ffugenw oedd 'Ceredig', a dyma'r delyneg:

Y LLWYBR UNIG

Ar draws y glas diderfyn
Fe'i gwelwn gyda'r hwyr,
A thangnef y pellterau
Yn cau amdano'n llwyr.

Roedd hud yr hafnos dawel
Ar daen dros ddôl a bryn,
A deuoedd bro yn chwerthin
Wrth gyrchu coed y glyn.

Ond ni ddaw llanc na morwyn
I dramwy hwn i'r oed,
Dim ond hen ŵr y lleuad
A fentrodd arno erioed.

Cafodd feirniadaeth wych gan Dewi Emrys a'r unig beth rwy'n cofio iddo ddweud oedd, 'Bydd y ddwy linell olaf yna yng nghalon Dewi Emrys hyd nes y rhowch ef o dan y dywarchen.' Gofynnwyd i weddw'r bardd ddod i'r llwyfan i dderbyn y Gadair, ond torrodd i lawr, ac yna dechreuodd rhai pobl o'i chwmpas ganu hoff emyn ei gŵr (ar y dôn 'Crimond'):

Ar fôr tymhestlog teithio'r wyf
I fyd sydd well i fyw . . .

Anodd fyddai gennyf gredu'r hyn ddigwyddodd yn Eisteddfod Horeb, Llandysul, tua 1951, oni bai fy mod i yno. W.R. Evans, Bwlchygroes, Penfro, oedd yn arwain, ac roedd y capel yn orlawn. Cystadleuaeth y ddeuawd oedd ymlaen ar y pryd, a'r ddau gantor, Edward Davies, Henllys (Ned Siop) a Dai Griffiths, Llain, yn canu *'Watchman, what of the Night'*. Ted Morgan, Llandysul, oedd yn cyfeilio a chyn gynted ag y daeth geiriau'r llinell gyntaf o enau'r tenor, *'Say, watchman, what of the night?'* fe ddiffoddodd y golau. Ond roedd Ted Morgan gymaint o gyfeilydd, fe gadwodd ymlaen i chwarae a'r ddau'n canu yn y tywyllwch hyd nes daeth W.R. o hyd i fflachlamp a goleuo copi'r cyfeilydd.

Roedd y gynulleidfa'n chwerthin yn uwch ac yn uwch wrth glywed geiriau fel, *'Have the orient skies a border of light?'* a *'The night is fast waning on high . . . and bright shall its glories be'* a *'And soon shall the darkness flee'*. Cynyddai'r chwerthin ar ddechrau pob pennill pan ganai'r tenor, *'But watchman, what of the night?'* yn gywir fel pe bai'r geiriau wedi eu cyfansoddi ar gyfer y noson.

Fe aeth Willie George, codwr canu'r Capel, i geisio cael y golau i weithio ac, yn wir, fe lwyddodd ar yr union eiliad pan oedd y bariton yn canu'r ddwy linell olaf:

'Till the morn of eternity rise on the gloom
And night shall be no more.'

A'r ddau yn ailganu'r llinell olaf gyda'i gilydd i sŵn byddarol curo dwylo. Fe gofnododd W.R. yr hanes yma yn ei gyfrol *Fi yw Hwn*, a dywedodd mai dyna'r cyd-ddigwyddiad mwyaf rhyfedd a welodd erioed. Mae'r digwyddiad erbyn heddiw yn rhan o chwedloniaeth cefn gwlad a chyfansoddwyd llawer o benillion am yr achlysur.

Fe ddaeth trydan o'r *mains* i Gapel Horeb gydag amser, ac un noson roedd y BBC yn recordio Côr Gwynionydd yn canu yno, ac arweinydd y côr oedd Willie George – yr un a fu'n gyfrifol am ailgynnau'r golau yn yr eisteddfod. Ond, noson y recordio, cafwyd *power cut*, a bu'n rhaid gohirio'r recordio, a dyma un o'r penillion a gyfansoddwyd ar y pryd.

Ac er i'r golau fethu yn Horeb wedi hyn,
Nac wyled neb oherwydd mae Lamp y Ffydd ynghyn;
Pob clod fo i'r ffyddloniaid a'r cerddor Wili Siôr,
A thra deil Wil i ganu – *the night shall be no more*.

Roedd cymeriadau'n dilyn eisteddfodau, a phobl ffraeth iawn yn cael eu dewis i arwain, fel y Parch. Evan Davies, Rheithor Llanfair Orllwyn, neu 'Ffeirad Llanfer', fel yr oedd i bawb. Edrychai'n debyg iawn i'r dyn hwnnw â'r whisgers gwyn sydd â'i lun ar focs *porridge*, ac fel *Quaker Oats* y câi ei adnabod drwy'r holl ardaloedd. Roedd e'n ddoniol iawn, gan gadw hwyl mewn pob eisteddfod wrth geisio cadw trefn ar y gynulleidfa. Pe byddai rhyw ŵr ifanc yn cadw ychydig o sŵn yng nghefn y neuadd byddai'n ei enwi a bygwth ei daflu allan. Un tro pan ddywedodd wrth Wil Trapwr y câi fynd mas os na thawelai, atebodd Wil ef, 'Wy wedi talu am ddod miwn gw boi'. A dyma'r ffeirad fel fflach yn ei ateb, 'Falle bo' ti Wil, ond gei di fynd mas am ddim.'

Roedd fy ewythr, Oliver Mock, Ffostrasol, yn eisteddfodwr brwd ac mewn un eisteddfod, â '*Quaker Oats*' yn arwain, Oliver oedd enillydd yr unawd bariton, a chafodd ruban glas i'w binio yn llabed ei siaced. Cafodd yr ail wobr yng nghystadleuaeth yr her unawd, a phiniwyd rhuban coch o dan yr un glas. Yna cafodd Gwyn Reed ac yntau'r wobr gyntaf am ganu'r ddeuawd, a chafodd ruban melyn o dan yr un glas. Meddai'r ffeirad wrtho, ''Na fe, Mock, paid dod lan i ganu 'to, wyt ti'n mynd yn rhy debyg i farch Llwyncadfor.' Mae'n debyg bod march Llwyncadfor yn dod adref o bob sioe yn rhubanau i gyd.

Roedd Ifan Pantgwyn, neu Ianto Nantypopty, yn ganwr penillion da iawn – cerdd dant heddiw, ond roedd yn gollwr gwael. Gwelai wrth i'r feirniadaeth gael ei thraddodi p'un ai oedd y wobr yn dod iddo neu beidio, a phan gâi feirniadaeth wael dechreuai Ifan siarad yn uchel yng nghefn y neuadd neu lobi'r capel gan ddifrïo'r beirniad gydag ymadroddion megis, 'Pwy goleg fuodd hwn te?', 'Dyw hwn ddim yn diall rhyw lawer odi e?', a hynny'n ddigon uchel i'r beirniad ei glywed.

Bai Ifan oedd yfed cyn cystadlu ac wedi iddo yfed ychydig yn ormod un tro cafodd ychydig bach o drafferth i ynganu'r geiriau, ac meddai'r beirniad, 'Teimlo wyf fi fod y canwr yma yn cydio gormod yn y geiriau', ac meddai Ifan yn uchel o'r cefn, 'Buse hwn yn gwbod y cwbwl, ffeulu gillwn nhw'n rhydd o'n i,' a phawb o'i amgylch yn chwerthin yn uchel.

John Brynawel oedd y bachgen doniolaf yn yr ardal. Yn ystod Eisteddfod Gwernllwyn, a gynhelid yn y Capel, roedd John a minnau'n gwerthu tocynnau mewn rhyw fath o sièd fach iawn fel *sentry-box* ac yr oedd bwndel o raglenni'r eisteddfod yn sbâr gyda ni i'w gwerthu am dair ceiniog yr un. Ond gan fod gormod wedi eu hargraffu, dywedodd Dafi Nantgaran wrthym am roi rhaglenni am ddim i gystadleuwyr. Gwnaethom felly, ond roedd Jac Penwern, Rhydlewis, wedi sylwi ein bod yn rhoi rhaglenni am ddim, ar y slei, i bobol Penrhiw-llan p'un ai oeddent yn cystadlu ai peidio, a dyma fe'n dweud, pan ofynnais iddo am dair ceiniog am raglen, 'Dere nawr, Pwllcornol, ma' bois Penrhiw-llan yn ca'l programs am ddim.' Cyn i mi gael cyfle i wadu hynny, meddai John wrtho, 'Ie, ond boi o Rydlewis wyt ti ontefe?' Bu Jac bron â ffrwydro, a chredais ei fod yn mynd i foelyd y sièd!

Roeddwn yn ffrindiau mawr ag Eric Tŷ Hen, Penboyr. Roedd Eric â'i fri ar fod yn blismon ond gwisgai sbectol ac felly, yn y dyddiau hynny, ni châi ei dderbyn. Roedd Eric yn rigymwr eithriadol o dda ac yn bencampwr ar limrigau a chaneuon ysgafn. Byddai'r ddau ohonom yn cystadlu, a hynny'n fwy aml na pheidio er mwyn cynhyrfu'r beirniaid trwy anfon caneuon maswedd i'r gystadleuaeth. Rwy'n cofio beirniad mewn un eisteddfod yn difrïo'r cystadleuydd gan ddweud mai adloniant i deuluoedd oedd yr eisteddfod, ac nad oedd lle ynddi i'r math yma o sothach. Cymeradwyodd y dorf ef, ac yn ddigon rhagrithiol, synnai Eric a minnau hefyd at ffolineb y limrigwr, gan ymuno yn y curo dwylo, ond gan chwerthin yn llechwraidd yr un pryd!

Ailgodwyd Eisteddfod Gwernllwyn wedi dyddiau'r rhyfel a chafwyd cryn drafferth i drefnu dyddiad gan fod cynifer o eisteddfodau dros yr holl ardaloedd. Pedwar gair a welid yn aml yng ngholofn y *Coming Events* yn y Teifi Seid oedd: *'Please do not clash'*, a gwae yr hwn a gynhaliai eisteddfod ar yr un noson ag eisteddfod arall, neu unrhyw weithgaredd ardal. Diystyrwyd un dyddiad am fod Bois y Frenni'n perfformio'r Gomedi Gerdd Newydd, *Twll o Le*, yng Nghastell-newydd Emlyn. Pan awgrymwyd dyddiad arall, tynnodd rhywun sylw'r cadeirydd fod yna eisteddfod yn Philadelphia (gerllaw Caerfyrddin) y noson honno. Un person yn y cyfarfod oedd Emlyn Llwynbedw – morwr adref am ysbaid, a gofynnodd Jimmy Glanrhyd iddo ymhle roedd Philadelphia. Ag yntau'n fwy cyfarwydd â phorthladdoedd gwledydd tramor nag â chapeli Nantycaws, meddai Emlyn, 'Ar bwys New York'. A dyna fu'r sbri am beth amser – dyna fesur maint Eisteddfod Gwernllwyn; roedd hi mor fawreddog fel na ellid bod wedi ei chynnal ar ddyddiad arbennig am fod yna eisteddfod yr un noson gerllaw New York!

Ar wahân i eisteddfodau, roedd cystadlaethau o fathau eraill yn cyfoethogi bywyd yr ardal. Roedd fy nhad, Megan a minnau'n aelodau o Glwb Ffermwyr Ifanc Henllan. Pam ei enwi'n Glwb Henllan, wn i ddim! Er mai yn Henllan yr oedd y neuadd yr adeg honno, nid wy'n cofio cwrdd yno o gwbl; neuadd Eglwys Llanfair Orllwyn oedd y man cyfarfod. Bu'r clwb yn llwyddiannus trwy ennill y darian yn Rali'r Clybiau Ffermwyr Ifanc yn Llanddewi Brefi ym 1946 a'r enillwyr bob tro fyddai'n trefnu rali'r flwyddyn ganlynol. Cynhaliwyd hwnnw ar gaeau Dolifor ar y 7fed o Fehefin, 1947.

Sefydlwyd tîm pêl-droed mewn nifer o bentrefi yn union wedi'r rhyfel, y gêmau i'w chwarae wedi oriau gwaith yn yr haf. Sefydlwyd un ym Menrhiw-llan a bu yna gêmau cyffrous iawn rhyngom a chlybiau Tregroes, Waungilwen, Pontshaen, Pontweli, Ponthirwaun a Rhydlewis, yn enwedig yn erbyn Rhydlewis –

Clwb Ffermwyr Ifanc Henllan 1946 (fi yw'r cyntaf ar y chwith ar y llawr)

dyma'r *local derby*, a brwd iawn oedd y chwarae. Un tro, pan gurwyd Rhydlewis gan Benrhiw-llan, ysgrifennodd Twm Porthgwyn, Rhydlewis, grynodeb o'r gêm i'r Teifi Seid. Rwy'n cofio o hyd un frawddeg yn yr adroddiad: *'The best player for Penrhiw-llan was the referee'*.

Roedd yna dri chwpan i chwarae amdanynt – Cwpan John Lewis Jones, Llandysul; Cwpan Griffiths y Glyn, Drefach Felindre, a Chwpan Ceri – ardal Ponthirwaun. Rwy'n cofio i dîm Penrhiw-llan, cyn i mi gael fy newis i chwarae, ennill Cwpan John Lewis Jones ddwy waith ac yna diddymwyd y gystadleuaeth. Rwy'n cofio hefyd ennill Cwpan Ceri a Chwpan Griffiths y Glyn.

Mor frwd oedd Evan Jones, Pryan, fel cefnogwr Penrhiw-llan nes iddo ddweud wrthym cyn gêm rownd derfynol Cwpan Griffiths y Glyn y rhoddai hanner coron i sgoriwr pob gôl yn y gêm. Cadwodd at ei air a chefais ddau ddarn hanner coron ganddo; felly gallaf ddweud mai fi oedd chwaraewr pêl-droed proffesiynol cyntaf Penrhiw-llan. Cawsom bob un fedal am ennill Cwpan Griffiths y Glyn ond bu fy medal i 'ar goll' am flynyddoedd. Wedi i 'nhad a'm mam ymddeol, deuthum o hyd i'r fedal mewn bocs oedd yn dal hoelion yn yr ystabl. Synnais pan welais fod dilysnod arian *(silver hallmark)* arni ac es ati i'w glanhau. Mae bellach mewn lle parchus ac yn amlwg ar y seld. Ymhle mae'r deg medal arall 'sgwn i?

Roedd tîm Ponthirwaun yn chwarae'r gêmau ar gae Penrallt Tybïe, a dau fab y fferm honno, Wil a Iori, yn chwarae i'r tîm. Ronnie Williams, barbwr Castellnewy' oedd y reffarî ac yr oedd Wil wedi mynd i chwarae ychydig bach yn rwff, a chafodd ei rybuddio gan y reff. Yn y diwedd, dyma chwib uchel yn dod â'r gêm i stop a'r barbwr yn dweud wrth Wil, 'Reit. Off y ca!' a Wil yn gwrthod gadael. 'Off y ca!' meddai'r reff ddwy neu dair o weithiau, a meddai Wil wrtho, 'Bachan, alli di ddim hala fi off y ca. Diawl fi sy bia fe!'

CAPEL GWERNLLWYN A'R YSGOL SUL

Mae braidd yn amhosibl i rywun o fy oedran i, a gafodd ei eni a'i fagu mewn ardal wledig, ysgrifennu ei hunangofiant heb sôn am y capel, yr Ysgol Sul, y Cwrdd Gweddi a'r Gymanfa Ganu, gan iddynt ffurfio rhan mor amlwg a phwysig yn ein bywydau. Mae'n anghredadwy bod gweithgaredd y capel wedi mynd o'r fath gryfder i'r sefyllfa druenus heddiw, a hynny o fewn fy oes i; yr Ysgol Sul a'r Cwrdd Gweddi wedi marw ers rhai blynyddoedd a'r Gymanfa Ganu ar ei gwely angau. Lle roedd y capel yn orlawn ar ddydd y Gymanfa ddeng mlynedd ar hugain yn ôl, gyda ffwrmau o'r festri yn cael eu gosod ar yr eiliau ar gyfer y 'gorlifiad', erbyn heddiw mae'r llawr yn unig yn fwy na digon ar gyfer y gynulleidfa, a'r oriel yn wag.

Roedd y capel a'r festri yn ganolfan gymdeithasol ar wahân i'r Suliau. Roedd rhyw weithgaredd yn y festri y rhan fwyaf o nosweithiau; y Cwrdd Gweddi, *Band of Hope*, Dosbarth Beiblaidd; ymarferion a pherfformiadau dramâu, heb sôn am fwrlwm y Nadolig. Yn y festri y cefais fy medyddio, a hynny yng nghwrdd gweddi nos Iau, yn Awst 1934. Bwriadwyd mai adeilad dros dro fyddai'r festri, gyda'i tho a'i hochrau o sinc, ond mae'n

Capel Gwernllwyn   Ken Pratt a minnau ar y ffordd adref
o'r Ysgol Sul

dal ar ei thraed er gwaethaf stormydd a thywydd garw'r blynyddoedd. Fe'i hadeiladwyd mewn pythefnos o amser, ar ôl tynnu'r hen gapel i lawr er mwyn adeiladu capel newydd ar yr un safle. Nid adeilad cyffredin yw Capel Gwernllwyn o'i gymharu â chapeli ardaloedd gwledig; mae'r cyfan o goed *pitch pine* gyda phulpud hardd a'r gwaith i gyd yn gelfydd iawn. Gosodwyd gwres canolog ynddo mor bell yn ôl â 1915.

Casglwn at y genhadaeth dramor yn rheolaidd a chawn lyfrau yn wobr – llyfrau fel *Affrica* gan Robert Griffiths am gasglu tri swllt a naw ceiniog (3/9c), a *Y Gwron a Gollwyd* gan J. Rees Jones am gasglu deg swllt a phum ceiniog (10/5c). Hyn yn nechrau'r pedwar degau. Mae'r llyfrau yma gennyf o hyd a byddaf yn eu trysori am byth.

Afraid dweud ein bod yn y Gwernllwyn deirgwaith bob Sul, a phe digwyddem golli oedfa neu ddwy, byddai'r Parch. D. A. Williams, y Gweinidog, yn galw i'n gweld. Ac yr oedd ganddo'r dull mwyaf effeithiol, 'Roy bach, roeddwn yn ofni eich bod yn dost.' Teimlwn gywilydd ar unwaith ac nid oes eisiau dweud y byddwn yng nghôr y teulu yn brydlon y Sul canlynol.

41

Roedd disgyblaeth go lem hyd yn oed yn Ysgol Sul y plant. Roedd chwibanu yn dabŵ ar y Sul; rwy'n cofio i un bachgen gael cerydd am wneud hynny. Roedd yno lyfrgell, a chaem ein hannog i fynd â llyfr adref bob wythnos; ond pe na dychwelid y llyfr erbyn y Sul penodol, byddai dirwy o un geiniog. Rwy'n cofio cael 'clipsen' gan May Brynawel, un o'r athrawon, un tro am wneud parodi 'anweddus' ar emyn. Felly roedd yna gosbi, a hyd yn oed *corporal punishment*, yn Festri Gwernllwyn ym mhedwar degau'r ganrif ddiwethaf!

Roedd Cymanfa'r Llungwyn yn un o uchafbwyntiau'r flwyddyn gyda phum capel yn y cylch. Deuai arweinyddion o fri i arwain, ac rwy'n cofio'n dda am un ohonynt, sef Matthew Williams o Fae Colwyn. Yn yr Ysgol Sul ddiwrnod y Sulgwyn, gofynnodd Dafi Nantgaran i ni:

'Beth yw enw'r arweinydd fory?'

'Stanley Matthews,' meddai Lynn Orllwyn Teras!

Pan gawn ddillad newydd, erbyn Cymanfa'r Llungwyn oedd hynny yn ddieithriad; dyna oedd yr arferiad gan y byddai'r plant i gyd yn amlwg yn oriel y capeli. Wn i ddim pam, ond nid wy'n cofio bod cymaint â hynny o bwysigrwydd ynglŷn â'n diwyg pan gynhelid y Gymanfa Ddirwestol. Efallai am mai ar lawr y capel y byddem yn adrodd y pwnc ac nid ar y galeri. Cynhelid y Gymanfa tua chanol Mehefin a chynhelid y rihyrsals ar nos Suliau, ar wahân i un – y rihyrsal olaf; cynhelid honno ar y nos Sadwrn cyn y Gymanfa.

Y Gymanfa Bwnc olaf i mi fod ynddi fel plentyn oedd yr un a gynhaliwyd yng Ngwernllwyn pan fu'r Parch. Oswald Davies, Garnant, yn ein holi. Rhywbeth fel hyn oedd yr holi a'r ateb:

C: Enwch rai o'r drygau sy'n temtio rhai heddiw rhag byw yn dda.

A: Y ddiod feddwol a betio.

C: A wna diod feddwol unrhyw les i ddyn?

A: Na wna, yn hytrach gwna niwed mawr iddo.

C: Pa fodd y gwna niwed?

A: Y mae yr hyn sydd yn feddwol yn y ddiod yn wenwyn i bob rhan o fywyd.

Er nad wyf yn cofio'r bregeth yn oedfa'r hwyr, rwy'n cofio'r testun: 'A phan ballodd y gwin . . .' gan i mi feddwl, ar y pryd beth bynnag, ei fod yn destun rhyfedd mewn Gŵyl Ddirwestol. Mae'r Gymanfa Ddirwestol wedi hen farw yn y cylch, ond mae problemau alcohol yn cynyddu, er gwaethaf y rhybuddion yn erbyn goryfed.

Sefwn arholiad sol-ffa yn y Festri ar ddydd Sadwrn yn achlysurol. Pedair oed oeddwn pan sefais yr arholiad cyntaf, a chael canmoliaeth uchel. Ond roeddwn wedi dysgu'r llinellau i gyd ar fy nghof, a phe byddai'r archwilydd, May Thomas, Alltgoch, Rhydlewis, wedi gofyn i mi ddechrau yn yr ail linell, mae'n debyg mai'r llinell gyntaf fyddwn wedi ei hadrodd! Flynyddoedd lawer wedi hyn, pan oeddwn yn annerch Cymdeithas yng Nghydweli, pwy oedd yn fy nghyflwyno ond May Thomas, Mrs White erbyn hynny, ac wedi byw yng Nghydweli am flynyddoedd. Un o'r pethau cyntaf a ddywedodd wrth fy nghyflwyno oedd ei bod wedi fy 'egsamino' pan oeddwn yn grwt bach!

Ardal amaethyddol oedd Penrhiw-llan ac, wrth gwrs, doedd dim gwaith ar y Sul hyd yn oed pe byddai'r gwair yn barod i'w gywain i'r ydlan a hithau'n bygwth glaw trwm drannoeth.

Mae cymeriadau'r ardal yn rhy niferus i sôn amdanynt, ond mae yna un sydd yn rhaid i mi ddweud ychydig amdani – Ann Slibwrt. Efallai y gellir dweud mai Ann oedd y Gymraes uniaith olaf i fyw yn y fro; ni fedrai ond ychydig iawn o Saesneg. Ychydig iawn o addysg gafodd hi ond, er hynny, roedd hi'n ffraeth iawn ei thafod a medrai droi ei llaw at bopeth, bron. Dywedais eisoes mai hi oedd y fydwraig answyddogol, ac Ann hefyd a gâi'r gwaith o 'droi heibio', hynny yw, golchi'r corff a'i wisgo pan ddôi angau i aelwyd. Wedi iddi droi un dyn 'heibio' rywdro, dywedodd:

'Wedd e'n drychyd lot yn well wedi i fi fennu ag e na pan wedd e byw.'

Hi fu'n gofalu am ei brawd-yng-nghyfraith gweddw, ac ar ôl iddo farw safodd Ann yn y tŷ a chysgu'r nos yno.

'Wel Ann,' gofynnodd rhywun iddi y bore Sul wedyn y tu allan i'r Capel, 'gysgoch chi ddim yn yr un tŷ â dyn marw?'

'Fuse'n well 'da fi gysgu mewn tŷ gyda whech dyn marw na gyda un dyn byw.'

Roedd gan Ann y ddawn o fedru dweud unrhyw beth wrth unrhyw un heb ei ddigio. A hithau'n methu cysgu'r nos, dywedodd wrth y Parch. D. A. Williams un tro:

'Wy'n cael gwaith cysgu bob nos, a 'na beth od, 'da bo chi'n dechre gweddïo, wy'n mynd i gysgu'n streit. Fuodd whant arna i hala'ch hôl chi neithwr.'

Roedd Ann yn cysgu yn y parlwr, neu'r 'pen isha', fel y dywedai. Un nos roedd hi'n teimlo'n oer iawn yn y gwely, ond yna'n sydyn, clywodd sŵn rhywun y tu allan wrth y ffenest:

'Es i'n dwym, dwym ar unwaith,' meddai. 'Treni na fuse fe'n dod bob nos.'

Un bore Sul ar ei ffordd i'r cwrdd, cafodd Ann ei dal mewn cawod sydyn o law nes iddi wlychu ei sane. Wedi cyrraedd y lobi a heb feddwl ddwywaith, aeth i'r cwtsh o dan y staer a thynnodd ei dwy hosan. Rhoddodd y sane ar y gwresogydd yn y lobi i sychu a cherddodd i mewn i'r Capel yn goesnoeth, gyda'i llyfr emynau mewn un llaw a'r gardyson yn y llaw arall! Yn wir gellid adrodd cyfrolau am Ann Slibwrt.

Roeddwn i yn un o'r rheiny a gafodd wersi piano, ond ni fu llawer o lewyrch ar hynny, chwaith. Nos Wener arferwn fynd o Ysgol Aberbanc i Flaengwenllan i dŷ fy modryb ger Capel Bryngwenith i gael gwersi gan 'Megan Top' – Miss Megan James, L.R.A.M. Cerdded o'r ysgol i gyfeiriad arall o'm cartref, pellter o ddwy filltir union, ac erbyn cyrraedd adref, ar ôl cael awr o wers byddai tua saith o'r gloch. Roedd man unig iawn o Gapel Bryngwenith tuag at Henllan ac un tro cefais ofn dychrynllyd pan glywais filwyr yn gorymdeithio tuag ataf yn y man unig hwn.

Roedd gwersyll milwyr Americanaidd yn Nrefach Felindre ac wrth iddynt nesu ataf ciliais i glais y clawdd a sefais yno. Mae'n rhaid eu bod i gyd yn gwenu arnaf ond roedd yna un milwr du ei groen yn eu plith, a'i wên ef yn unig rwy'n ei chofio. Teimlais ryddhad, ac mae gennyf deimlad cynnes tuag at bobol groenddu byth oddi ar hynny.

Felly, gan fy mod yn medru chwarae'r piano, gorfod i mi wneud hynny yn Ysgol Sul y plant, ond anfynych iawn y bûm wrthi; roedd yn well gennyf beidio. Yr emyn-donau hawsaf i'w chwarae oeddent i gyd, ac rwy'n cofio enwau'r tonau a'r rhifau o'r *Caniedydd Cynulleidfaol Newydd* hyd heddiw: 'French' (rhif 54); 'Yr Hen Ganfed' (rhif 69) a 'Hursley' (rhif 280). Rwy'n cofio geiriau y rhan fwyaf o'r emynau yma hefyd.

Wedi gadael yr ysgol gynradd euthum i Faesllyn i gwrdd â Miss Megan James, a chael gwersi yn y Garth. Roedd Maesllyn dipyn yn nes, rhyw filltir o'm cartref, ac yn hawdd iawn mynd yno ar fy meic. Nos Fercher fyddai noson y gwersi ac yn y gaeaf, yn y tywyllwch, byddwn yn seiclo yno ac yn ôl heb ddim golau ar y beic; nid oedd ei angen oherwydd gwyddwn am bob pant a thwll yn yr heol.

DYLANWAD Y CARTREF

Roedd fy mam yn un go arbennig ar y piano. Pan oedd yn ifanc iawn arferai gyfeilio mewn eisteddfodau ac mewn cyngherddau *welcome home* milwyr a morwyr y Rhyfel Byd Cyntaf. Roedd ganddi'r ddawn o chwarae wrth y glust a gostwng neu godi'r cywair fel y byddai eisiau ac nid rhyfedd, felly, mai canu a chwarae'r piano oedd yn cael y flaenoriaeth ym Mhwllcornol. Roedd nifer o ddynion yn dod i'r tŷ i ymarfer eu caneuon ac wrth eu clywed yn canu ac ailganu deuthum i wybod y caneuon bron i gyd – 'Y Marchog', 'Y Dymestl', 'Brad Dynrafon', 'Arafa Don', 'Llam y Cariadau', 'Y Golomen Wen', a llu o ganeuon a deuawdau eraill. Gadawai'r cantorion eu caneuon gyda fy mam ac fel yr aeth y blynyddoedd heibio, a'r rheiny'n rhoi'r gorau iddi, erbyn i fy mam farw roedd y stôl biano yn llawn caneuon ag enwau'r cantorion arnynt, a hwythau, hefyd, erbyn hynny wedi mynd.

Mam fyddai'n cyfeilio i Ianto Nantypopty; ef oedd un o ffrindiau pennaf Isfoel, a chyfansoddodd Isfoel lu o benillion iddo. Gan fod cynifer o filwyr wedi colli eu bywydau yn y Rhyfel Byd Cyntaf dywedodd rhywun y byddai deg menyw ar gyfer pob dyn yr adeg honno. Cyfansoddodd Isfoel y penillion, 'Cadw Deg o Wragedd' i Ianto eu canu. Dyma'r cyntaf ohonynt:

> Bendigedig fore ddydd
> Pan basir yn y Senedd
> Fod yn rhaid i mi fy hun
> I gadw deg o wragedd,
> Canaf 'Haleliwia' mwy,
> Daeth *holidays* o'r diwedd!

Byddwn wrth fy modd yn clywed Ianto'n canu penillion, yn arbennig 'Enwau Lleoedd' ar yr hen alaw 'Pen Rhaw':

> Pantgwyn, Pantygene, Tŷ'r Pobi, Trepibe,
> Y Ddôl, Gellïe, y Panne, Parcpwll,
> Cwmdu a Cwmduad, Tŷ Llwyd, Lôn a'r Lluest,
> Cilast, Mock, y Brebast a'r Bribwll.

> Glancraig a Trecregin, Bronorwen, Bryneirin,
> Cwmceiliog, Blaencelyn, Llaindelyn, Glandŵr,
> Y Foelallt a'r Felin, Bryn Noeth a Bryneithin,
> Clawddmelyn, Trefigin a'r Fagwr.

> Llanon a Llanina, Tŷ'r Elmen, Tŷ'r Alma,
> Cwmsgwt a Ffosgota, Disgwylfa a'r Garth,
> Dolifor, Rhydhalen, Brynderw a'r Darren,
> Tŷ Hen, Gellionnen a Llanarth.

Mor hyfryd fyddai clywed cerdd dant ar yr hen alaw boblogaidd 'Pen Rhaw' unwaith eto.

Llyfrau fel *Sŵn y Jiwbilî*, *Aelwyd y Delyn*, *Y Tant Aur* a *Perorydd yr Ysgol Sul* oedd y llyfrau a gâi eu defnyddio fwyaf yn y cartref, ac rwy'n cofio am Dafi Slibwrt, gŵr Ann, yn dysgu Megan a minnau i ganu o'r llyfrau yma. Canu oedd holl fyd Dafi ac roedd yn arweinydd côr arbennig o dda; mewn gwirionedd roedd yn dipyn o berffeithydd – roedd yn rhaid iddo gael pob nodyn a phob gair yn iawn. Wrth ddysgu Megan un tro, fe'i gorfododd i ganu ac ail-ganu'r nodau, a hynny am awr neu ddwy, a phan gododd Megan o'i gwely fore trannoeth roedd chwarennau ei gwddf wedi chwyddo.

Canai Megan a minnau ddeuawdau fel 'Arfer Mam', Ymdeithgan yr Urdd – 'Dathlwn Glod Ein Cyndadau', ac 'Un Frân Ddu Daw Anlwc Eto'. Canai Megan benillion o waith fy mam, hefyd, mewn cyngherddau *welcome home*.

Dafi oedd arweinydd y côr yn y Gwernllwyn, a chanai gydag ymroddiad llwyr ymhob oedfa, ysgol gân a chymanfa oddi gerth y Gymanfa Ddirwestol. Nid oedd yn llwyr ymwrthodwr, ac felly rhyw *pianissimo* a *largo* fyddai'r gân o enau Dafi Slibwrt mewn cymanfa ddirwestol. Ar un adeg tua chanol y 1930au, dechreuodd fusnes bwtshwria; adeiladodd garej a phrynodd lorri ar gyfer dosbarthu'r cig. Roedd ei fam yn ei henaint pan ddaeth y lorri i Slibwrt, a hithau heb weld lorri na char modur erioed, feddyliwn. Pan welodd hi Dafi yn gyrru'r lorri i'r garej, meddai mewn syndod, 'Wel wel, fe hwpodd hi miwn a ynte yndi'.

Y cof cyntaf sydd gennyf am waith Dafi oedd dosbarthu cig; arferwn fynd gydag ef yn y lorri ac rwy'n cofio eistedd mewn rhyw ystafell, ni wyddwn y pryd hwnnw ymhle ond mae'n debyg mai yn Nhafarn Ffostrasol yr oeddem. Rwy'n cofio'n glir iawn amdanaf yn cael glasaid o laeth i'w yfed, a gwydraid o rywbeth o flaen Dafi â ffroth ar ei wyneb. Ar ôl mynd adref, gofynnwyd i mi ble roedden ni wedi bod, ac un o'r pethau ddywedais oedd ein bod wedi bod yn rhywle ac i mi gael llaeth i'w yfed a bod 'Dafi yn hyfed lla'th coch'.

Gan fod Dafi â'i holl fryd ar ganu, bûm yn cystadlu mewn ambell eisteddfod wledig pan oeddwn yn blentyn; canu o dan 8 neu 10 oed ond, ar wahân i ail wobr a gefais mewn cystadleuaeth o dan 14 oed yn eisteddfod Henllan am ganu 'Tros y Garreg', ni chefais fawr o lwyddiant. Ond er fy aflwyddiant roeddwn yn cael fy ngorfodi i gystadlu, fel llawer o blant eraill, mae'n siŵr.

Un peth na sylweddolodd fy rhieni oedd mai clywed ac adrodd englynion oedd fy niddordeb, ac nid cerddoriaeth. Fe geisiodd Ianto Nantypopty fy nysgu i ganu caneuon fel 'Y Teithiwr a'i Gi' a 'Bryniau Aur Fy Ngwlad', ac er i mi lwyddo mewn cystadleuaeth y 'solo twps', neu i rai 'heb ennill o'r blaen', i roi enw mwy parchus i'r gystadleuaeth, methiant fu fy hanes. Rwy'n dal i ofyn pam O! pam na fuasai Ianto Nantypopty, cyfaill mawr Isfoel, wedi trefnu i Isfoel ddod i Bwllcornol i ddysgu cynghanedd i mi yn lle dod â Jack Fronlas i ddysgu i mi ganu – er cystal cerddor oedd Jack!

Roedd parodïau ac englynion Aelwyd y Delyn yn fy swyno:

> Twm Ty'n Mynydd, hogyn hoyw,
> Mewn het Ianci wrth y nant,
> 'Rhyd y stryd yn sgwario cerdded,
> O! na chawn i het â phant.

A'r englynion i Gymru:

> O wlad fach, cofleidiaf hi – angoraf
> Long fy nghariad wrthi,
> Boed i fôr bywyd ferwi,
> Nefoedd o'i mewn fydd i mi.

Ond y 'Y Tant Aur' oedd fy ffefryn, gyda'i englynion, ei benillion tri thrawiad a'r odlau mewnol. Rwy'n cofio mai englyn o waith W. Llyfni Hughes oedd ar glawr y llyfr:

> Hwn gyfranna gyfrinion – y delyn
> Hudoliaeth ei swynion,
> A phob sill o'i phenillion
> Y Tant Aur edwyn eu tôn.

Cofiaf 'Interliwd y Celfyddydau', a Ianto Nantypopty'n eu canu yn gyflym:

Chwarelwr, cyrchwr, calchwr certh, a'r ceuwr perth a'r porthwr,
Exciseman, supervisor quick ŵyr byrbwyll dric â'r barbwr,
Brazier, cutler, pedlar pydlwr, colier, miner, paenter, printiwr,
Lliwydd, cribydd, pibydd, pobwr, cariwr potiau, cweiriwr pwti,
A physgota a gwneud basgedi – pob taladaeth rhag tylodi.

Yr englynion i 'Mary Ann a'r Piano':

> Diddan yw sain piano – dan fysedd
> Dynn fiwsig ohono,
> O! hoffaf po bellaf bo
> Caniedydd fel ci'n udo.

A'r odlau mewnol:

> Alawon Cymru dery dôn
> I'r dirion delyn deires,
> Cymreig o reddf yn lleddf a llon
> Benillion ceinion cynnes
> Ac o'i heilio Cymro ga
> Yn fanna pêr i'w fynwes.

> Pont yr Arran – dyna'r fan
> Bûm ganwaith gyda Gwenno
> Ar ôl noswylio fin nos haf
> Hyfrydaf yn cyd rodio.
> O! mor felys i fy min
> Oedd gwin gwefusau Gwenno.

Roeddwn wrth fy modd yn blentyn yn eu clywed, ac yr wyf wrth fy modd o hyd wrth adrodd y penillion yma.

Nid wy'n cofio darllen un llyfr Saesneg, yn wir os oedd un i'w gael yn y cartref o gwbl, ond rwy'n cofio hen argraffiad o *Gwen Tomos* yno. Darllenais ef, do, nifer o weithiau, a'i fwynhau gymaint os nad yn fwy bob tro gan fod rhywbeth newydd yn apelio ataf o hyd. Roeddwn yn medru uniaethu â'r cymeriadau ynddo, Twm Nansi oedd Geraint 'r Efel, yn ddiddadl; Nansi'r Nant oedd Ann Slibwrt, ond o ran disgrifiad corfforol yn unig ac nid o ran cymeriad, a minnau oedd Rheinallt. Y Wernddu oedd Felin Pwllcornol, y Penty oedd Llety Pwllcornol, a Choed y Plas oedd gelltydd y Bronwydd, lle roedd ein tirfeddiannwr yn byw.

Dyddiau dedwydd, yn wir, oedd y rheiny ac edrychaf yn ôl â diolch am gael plentyndod mor llawn o atgofion melys.

Y Lluoedd Arfog

Roedd y Gwasanaeth Cenedlaethol mewn bod yr adeg yma, gyda gorfodaeth ar bob llanc ifanc i gofrestru yn 18 oed. Câi gweithwyr amaethyddol a glowyr eu hesgusodi pe baent yn gwneud cais am ohiriad. Pan ddaeth fy amser i, gan fy mod wedi penderfynu'n ifanc iawn mai plismon oeddwn am fod, ni wneuthum y cais, a phan ofynnwyd i mi i ba adain o'r Lluoedd yr oeddwn am fynd, atebais, 'Y Llynges', gan fod fy nhad wedi bod yn y Llynges yn ystod y Rhyfel Mawr.

Ond i'r Llu Awyr y galwyd fi, a threuliais dair wythnos yn R.A.F. Padgate, nid nepell o Warrington, lle rhoddais gais am swydd gyda'r criw awyr. Pwyslais ar fathemateg, yn arbennig geometrig, oedd yn yr arholiadau a theimlwn yn ddigon cyfforddus wrth fynd drwy'r papurau – ond methais y prawf llygaid. Fy ail ddewis oedd Heddlu'r Llu Awyr ond rhaid oedd cwblhau'r hyfforddiant sylfaenol o dri mis yn R.A.F. Hednesford yn Swydd Stafford, ar *Cannock Chase*, yn gyntaf. Ni chefais fy ffordd i ymuno â Heddlu'r Llu Awyr, chwaith, a phan ofynnwyd i mi a garwn fynd dramor atebais fy mod yn awyddus iawn i fynd, i gael gweld y byd yn fwy na dim, ond danfonwyd fi i wneud gwaith gweinyddol yn yr Adran Gyfarpar, a threuliais y rhan fwyaf o'r ddwy flynedd yn R.A.F. Upwood ger Peterborough – dros y ffin yn Swydd Huntingdon. Erbyn hynny roeddwn wedi dod i ddeall fod dyn yn cael ei ddanfon i unrhyw le ond y lle yr oedd am fynd iddo. Rhan o'r ddisgyblaeth efallai!

Y Sul cyntaf yn y gwersyll yn Padgate gofynnwyd i ni pwy oedd am fynd i oedfa yn y gwersyll. Rhoddodd nifer eu dwylo i fyny ond gan mai Saesneg oedd y gwasanaeth ni freuddwydiais

51

am fynd. '*Good,*' meddai'r rhingyll, '*to the cookhouse!*' Ac yn y gegin y bûm drwy'r bore'n crafu tatws a golchi'r cabej.

Bu'n arferiad yn y Gwernllwyn i gyflwyno dwy gini (£2. 2s. 0d.) i bob aelod a gawsai ei alw i'r lluoedd arfog, ac yr oedd dwy gini yn fwy na chyflog wythnos i mi ar y pryd. Ar y dydd Sul cyntaf yn Awst, penwythnos Gŵyl y Banc, cyflwynwyd siec o ddwy gini i minnau gan y Gweinidog.

Ar y dechrau, £1.8s.0d. oedd ein tâl wythnosol a thynnid 4/- yn ôl ar gyfer Treth Incwm ac Yswiriant Cenedlaethol, ond roedd y bwyd, y llety a'r golch yn rhad ac am ddim – nid bod y bwyd yn arbennig iawn. Weithiau byddai yna falwoden fach ymhlith y llysiau ond nid gwiw oedd i neb gwyno; dôi'r *Orderly Officer* o amgylch adeg y prydau bwyd gan weiddi, '*Any complaints?*' Yr un fyddai'n cwyno fyddai yn y gegin yn crafu tatws hyd nes y cwynai'r person nesaf.

Yn naturiol, gofidiai fy rhieni wrth fy ngweld yn mynd oddi cartref ac un rhybudd rwy'n cofio ei gael gan fy mam, 'Cofia di nawr, Roy, bydd merched pert yn dod i'r camp.' Teimlwn fel dweud, 'Bydd gobeithio!' ond mae'n amlwg na wyddai fy mam eu bod yn rhoi dogn mawr o *bromide* yn ein te!

Felly yn R.A.F. Upwood gyda'r *Bomber Command* y treuliais y rhan fwyaf o'r amser; erodrom mawr ydoedd, yn hedfan *Lancaster Bombers* ac o bryd i'w gilydd byddai'r criw awyr yn ymarfer trwy fomio targedau oddi ar arfordir *East Anglia*. Ond fy sort i fyddai'n cael y gwaith o lwytho'r bomiau i'r awyrennau ac yr oedd y *bombing-up excercises* hyn yn waith go galed.

Yn ystod llifogydd mawr ym 1953, bu raid i ni i gyd fynd o'r gwersyll i arfordir *East Anglia* mewn wagenni â miloedd o fagiau swnd i geisio atal y llanw. Bûm yno am dridiau yn gweithio ar *Operation King Canute.*

Roeddem i gyd yn cael y Nadolig yn rhydd ond dewis pob Albanwr oedd aros yn y gwersyll dros y Nadolig a chael y Dydd Calan yn rhydd. Roeddwn i am fynd i Eisteddfod Rhydlewis ac felly 'Albanwr' oeddwn am ddau Ddydd Calan tra bûm yn y Llu Awyr! Roedd hi'n draddodiad yn y Llu Awyr i'r swyddogion uwch weini arnom ni ar gyfer ein cinio Dydd Nadolig, a dyna fantais arall o aros yn y gwersyll dros yr ŵyl.

Roedd 25 ohonom yn cysgu mewn bilet ac anodd weithiau oedd cysgu gan gymaint oedd y sbort a'r sbri. Ni oedd yn gyfrifol am gadw'r bilet yn lân ac nid yn unig yn lân, ond roedd yn rhaid i bob peth sgleinio, hyd yn oed y llawr pren, a deuai'r *Flight Sergeant* o amgylch i archwilio'r ystafell heb unrhyw rybudd. Er i mi gwrdd â phob math o lanciau yn y Llu Awyr, yn cynnwys ambell i gymeriad amheus, tyngaf mai'r peth gorau a ddigwyddodd i mi

Yn y Llu Awyr, 1952

erioed oedd gwneud y Gwasanaeth Cenedlaethol ac ni allaf ddeall y ddadl yn ei erbyn. Roeddwn yn 'fachgen' yn ymuno, ac yn rhywbeth tebyg i 'ddyn' yn dod oddi yno. Fy ffrind gorau yn y Llu Awyr oedd John Boyton o Braintree yn Essex, ac yr ydym yn cysylltu o hyd ar ddydd pen-blwydd, y Nadolig a'r flwyddyn newydd, a hynny ers dros 50 mlynedd.

Cawn 48 awr o wyliau'n achlysurol ond roedd Penrhiw-llan yn rhy bell i mi fynd adref am yr ychydig oriau. Felly, treuliais sawl penwythnos yn Llundain yn aros gyda Jack Walters, brodor o Benrhiw-llan a gafodd ei godi yn y Gwernllwyn. Cadwai siop groser yn Edgeware Road, ac yr oedd ganddo rownd laeth hefyd. Gŵr gweddw oedd Jack a rhoddai gartref i nifer o blant Gwernllwyn a fyddai gerllaw Llundain. Roedd caredigrwydd Jack yn anfesuradwy; cyrhaeddwn ei siop ychydig cyn amser cinio ar ddydd Sadwrn, llond y siop o gwsmeriaid a Jack yn brysur y tu ôl i'r cownter. Weithiau safwn yno am rai munudau ymhlith y cwsmeriaid ond yr eiliad y gwelai fi, cydiai mewn bocs o ffrwythau, taflai ef ataf a dweud, 'Cer lawr, byt hwnna. Ma digon o de a bara yn y cwpwrt', ac awn innau i'r gegin o dan y siop i fwyta beth a fynnwn. Roedd fy nghyfaill, John Brynawel, erbyn hyn yn Heddlu'r Metropolis a Mari ei chwaer yn nyrs yn Watford, ac weithiau byddai'r tri ohonom yn bwyta bwyd Jack Walters gyda'n gilydd. Roedd Mair Hopkins o Benrhiw-llan yn gweithio yn y siop gyda Jack hefyd, ac ar ddydd coroni'r Frenhines Elisabeth rwy'n cofio am Mari, Mair a minnau'n mynd i weld y Frenhines ar ei ffordd i'r coroniad. Nid wy'n cofio ymhle roeddwn yn sefyll ond roedd hi'n arllwys y glaw.

Bûm yn oedfaon yr hwyr yng Nghapel Kings Cross fwy nag unwaith gyda Jack Walters cyn mynd i Hyde Park Corner at dorf o Gymry i ganu emynau wedi'r oedfa.

Galwyd fi i'r Llu Awyr ar 15 Gorffennaf 1952 a rhyddhawyd fi ar 14 Gorffennaf 1954, a'r dyddiad hwn oedd diwrnod Adolygu'r Heddlu yn Hyde Park, Llundain. Wrth deithio am adref trwy Lundain gwelais benawdau am yr achlysur ar blacard ar Stesion Paddington, a da o beth oedd i mi sylwi arno.

Yn dilyn dyddiad fy rhyddhad cefais 25 niwrnod o *demob leave*. Yr oeddwn eisoes wedi ceisio am swydd yn Heddlu Sir Aberteifi ond cefais ateb oddi wrth y Prif Gwnstabl yn dweud nad oedd ganddo le gwag. Felly anfonais at Brif Gwnstabl Sir Gaerfyrddin a gwahoddwyd fi i gael cyfweliad pan fyddwn gartref ar wyliau. Roedd John Brynawel a Lynn Orllwyn Teras wedi ymuno â'r heddlu ychydig o fy mlaen; John i Lundain a Lynn i Heddlu Sir Gaerfyrddin. Roedd fy mryd innau cyn hyn ar fynd i Lundain ond wedi treulio dwy flynedd yn Lloegr newidiais fy meddwl.

Pan oeddwn gartref ar *leave* yn niwedd mis Mai, teithiais i Gaerfyrddin a chael cyfweliad gan y Prif Gwnstabl. Bu Pencadlys Heddlu Sir Gaerfyrddin yn Llandeilo am flynyddoedd ond wedi i Mr T. H. Lewis gael ei benodi'n Brif Gwnstabl ym 1940, symudwyd ei swyddfa i Gaerfyrddin. Roedd hi'n ddyddiau cynnar yr Ail Ryfel Byd a'r adnoddau'n brin iawn, ac anodd credu mai swyddfeydd uwchben swyddfa un o bapurau wythnosol Caerfyrddin, y *Carmarthen Journal*, yn Stryd y Brenin oedd Pencadlys Heddlu Sirol Caerfyrddin am 17 o flynyddoedd. Pan dderbyniais y gwahoddiad i fynd am gyfweliad, cefais ychydig bach o drafferth i ddod o hyd i'r lle. Drws bach gwyrdd oedd yn arwain iddo a'r geiriau *CARMARTHENSHIRE CONSTABULARY* wedi eu paentio arno, a gan fod y drws ar agor, hefyd, nid oedd yr enw'n amlwg wrth gerdded heibio i'r fynedfa.

Y swyddog cyntaf a welais yn y Pencadlys oedd Inspector Caleb Thomas; ef oedd â gofal y recriwtio a'r Adran Hyfforddi. Un o'r pethau rwy'n cofio iddo ddweud wrthyf oedd mor lwcus yr oeddwn fy mod yn ymuno ar yr amser iawn oherwydd ar ddiwedd y mis byddai cyflog plismon yn codi o £400 y flwyddyn i £440. Bu Caleb Thomas yn help mawr i mi'r bore hwnnw cyn mynd o flaen y Prif Gwnstabl, a bu hefyd yn fwy o help i mi ymhen blynyddoedd.

Roedd Heddlu Bwrdeistref Caerfyrddin a'r Heddlu Sirol wedi uno er 1 Ebrill 1947. Deuddeg plismon *(12 coppers)* oedd cynnwys Heddlu'r Bwrdeistref ac fel y *Carmarthen Shilling* y cyfeiriai pawb ato. Pan ymunais i â'r Heddlu Sirol, ac er bod dyddiau'r *Shilling* wedi dod i ben ers dros saith mlynedd, dywedodd Dafi Nantgaran wrthyf, 'Wy'n gweld bo ti'n joino'r *Shilling* 'te?' *Old habits die hard.* Gyda llaw, brodor o Benrhiw-llan oedd Inspector cyntaf y *Shilling* – David Samuel Jones (Dai Sami), Lonfawr. Mae'n debyg iddo fod yn botsiar da iawn; roedd yn herwhela ar dir Plas y Bronwydd a'r ciperiaid yn methu â'i ddal gan ei fod yn rhedwr cyflym. Roedd Barwn y Bronwydd, Syr Marteine Lloyd, yn Gadeirydd Mainc Ynadon Penrhiw-pâl, ac er mwyn cael gwared ar Dai Sami o'r ardal, rhoddodd gymeradwyaeth uchel iawn iddo i ymuno â'r heddlu!

Ymddeolodd Dai Sami ym 1929; adeiladodd fyngalo ym Mhenrhiw-llan a'i enwi'n 'Brynmyrddin' a daeth yn ôl i fyw yno. Rwy'n cofio amdano yn niwedd tri degau'r ganrif ddiwethaf – roedd bob amser yn ei drywsus *plus fours* ac fel 'Inpector Jones' y cyfeiriwn ato.

Ar ôl fy holi am fy nghefndir ac ati, a gofyn a oeddwn yn aelod mewn capel, gofynnodd y Prif Gwnstabl i mi pryd y cawn fy rhyddhau o'r Llu Awyr, a phan atebais mai 14 Gorffennaf oedd y dyddiad, gofynnodd beth oedd yn digwydd ar y dyddiad hwnnw. Da o beth oedd i mi sylwi ar y placard yn Paddington. 'Beth arall ddigwyddodd ar y dyddiad hwn flynyddoedd maith yn ôl?' gofynnodd ac, yn rhyfedd iawn, cofiais am yr ymosodiad ar y Bastille yn Ffrainc yn ystod y Chwyldro. Nid wyf yn cofio'r cwestiynau eraill. Deuthum i wybod yn ddiweddarach mai steil T. H. Lewis oedd gofyn cwestiynau hyd nes y methai'r person ateb, ac yna rhoddai'r gorau iddi.

Cefais dysteb gan y Parchedig D. Jones, Rheithor Eglwys Llanfair Orllwyn, gan fod y Parch. D. A. Williams wedi ymddeol a mynd i fyw i Aberystwyth. Y Dirprwy Brif Gwnstabl oedd Nathaniel Davies, brodor o Landdewi Brefi, a phan ddywedais wrtho fy mod wedi cael fy medyddio a chael fy nerbyn yn aelod o gapel gan y Parch. D. A. Williams, rwy'n cofio iddo ddweud, 'Wel os cawsoch chi eich bedyddio gan y Parch. D. A. Williams a'ch derbyn yn aelod eglwys gan D. A. Williams, does dim llawer o angen tysteb arnoch chi.' Dyna ddweud y cyfan am y Parch. D. A. Williams.

Cefais wybod bron ar unwaith fy mod wedi cael fy nerbyn ac y cawn fynd am hyfforddiant i Ysgol yr Heddlu ym Mhen-y-bont ar Ogwr cyn gynted ag y cawn fy rhyddhau o'r Llu Awyr.

Roedd tîm pêl-droed Penrhiw-llan yn dal i fynd, ac yng Ngorffennaf 1954 cawsom wahoddiad i chwarae yn erbyn tîm Aberaeron. Roedd Penrhiw-llan wedi chwarae dros yr haf a'r tymor yn dod i ben, ond gêm baratoi ar gyfer Cynghrair Sir Aberteifi oedd hon i Aberaeron gan fod eu tymor hwy heb ddechrau. Efallai mai anodd yw i rai gredu hyn ond cafodd Aberaeron grasfa 7–3. A dyna'r gêm olaf i mi chwarae i dîm Penrhiw-llan.

Yr Heddlu

Y SWYDD GYNTAF YN LLANELLI

Dau ohonom a ymunodd â Heddlu Sir Gaerfyrddin yn Awst 1954; Eric Morgan o Bont-iets deithiodd gyda mi i dreulio 13 wythnos yn Ysgol yr Heddlu ym Mhen-y-bont ar Ogwr. Dechreuodd y ddau ohonom yno ddydd Llun, 9fed Awst, gan alw yn Llys Ynadon Llanelli ar y ffordd i dyngu llw. Yno y cefais fy ngherdyn gwarant wedi ei arwyddo gan y Cyrnol W. T. Woods, Cadeirydd y Fainc. Arfbais Sir Gaerfyrddin oedd ar y cerdyn gwarant gyda'r geiriau 'Rhyddid Gwerin, Ffyniant Gwlad' arni.

Ymfalchïaf mewn un peth a hwnnw yw na fûm erioed allan o waith ers gadael yr ysgol. Daeth y *demob leave* i ben ddydd Sul 8fed Awst, 1954 (cawn fy nhalu hyd hynny) ac yr oeddwn yn yr heddlu drannoeth.

Tipyn haws oedd bywyd yn Ysgol yr Heddlu nag yn y Llu Awyr er bod y ddisgyblaeth yn llym o hyd. Roedd deuddeg ohonom yn cysgu yn yr un bilet ond nid oedd eisiau i ni lanhau'r lle fel yn y Llu Awyr; deuai dynes o amgylch i wneud hynny ac i daenu'r gwelyau.

Y gyfraith droseddol oedd ein bara beunyddiol, canolbwyntio ar ein pwerau i arestio o dan wahanol ddeddfau, a dysgu'r ffordd i roi lladron ac ysbeilwyr yn y carchar – dyna oedd yn bwysig y dyddiau hynny, nid gofidio pa liw croen oedd unrhyw ddyn neu beth oedd ei rywioldeb. Rhoddwyd profion ymarferol i ni a chawn brofion ysgrifenedig bob bore Sadwrn.

Roedd y ffaith nad oeddwn wedi gwneud yn dda yn y County School yn fy nghylla o hyd ac es ati i ymroi fy holl oriau hamdden i astudio, ac i ddysgu llawer ar fy nghof. Fe dalodd hynny'r ffordd, oherwydd ar ddiwedd y cwrs o 13 wythnos,

Yn yr heddlu ym Mhen-y-bont ar Ogwr, 1954.
Rhes gefn: Eric Morgan a minnau (Sir Gaerfyrddin), Vivian Martin
(Bwrdeistref Abertawe) a Tom Evans (Morgannwg)
Rhes ganol: Hari Hughes a Meirion Roberts (Sir Ddinbych), John Lewis
(Sir Fflint), Dai Nicholas (Gwynedd), Donald Owen (Sir Ddinbych)
a Jim Jones (Sir Benfro)
Yn eistedd: Cecil Bowen (Morgannwg), Roy Jenkins (Bwrdeistref
Casnewydd), Sarjant Bill Ware (Morgannwg), Mal Harris (Morgannwg)
a Marc Jones (Bwrdeistref Merthyr Tudful)

cyflwynwyd rhodd i mi – Geiriadur Oxford ar ran y Pwyllgor
Lles am ddod yn gyntaf. Cyflwynwyd y geiriadur i mi gan Brif
Gwnstabl Bwrdeistref Merthyr Tudful, Mr Melbourne Thomas.

Wedi gorffen y cwrs cafodd Eric Morgan a minnau ein danfon
i Lanelli. Noson y tân gwyllt ydoedd a chlywn y *fireworks* yn
ffrwydro o bob cyfeiriad wrth i'r ddau ohonom gerdded o Orsaf y
Rheilffordd i Orsaf yr Heddlu yn Stryd y Farchnad. Gwyddai Eric
am y dref yn iawn a bu o help mawr i mi ddod i adnabod y lle.
Roedd Eric yn berson o gymeriad glân; datblygodd yn blismon
hynod o effeithiol ac, iddo ef, roedd enw da yn fwy pwysig na
chael ei ddyrchafu i safle da. Dysgodd y gwerthoedd yn blentyn
ym Mhont-iets ac nid anghofiodd ymarfer y rhinweddau hynny o
ddiffuantrwydd, cyfeillgarwch a theyrngarwch. Un gwir gyfaill a

58

fu gennyf yn yr heddlu; roedd hi'n bleser cael ei adnabod, roedd hi'n fraint i weithio gydag ef ond roedd cael bod yn gyfaill iddo'n hyfrydwch. Bu'n help mawr i mi ar y dechrau; roeddwn i braidd yn fyr fy nhymer yr adeg honno wrth drafod yr *yobs* ar y stryd, a sawl tro bu raid i Eric fy nal yn ôl, a diolch iddo am hynny. Buom yn gyfeillion hyd ei farw.

Tref hollol ddieithr i mi oedd Llanelli; nid oeddwn wedi rhoi fy nhraed ar ei strydoedd erioed cyn hyn. Roedd fy Nghymraeg i ychydig yn wahanol i Gymraeg Llanelli, gyda rhai geiriau nad oeddwn wedi eu clywed erioed. 'Rhiw' fyddwn i'n ddweud yn lle 'tyle', 'claw' yn lle 'clawdd', 'iet' yn lle 'gât', 'mwt' yn lle 'mwd', ac 'afol' yn lle 'afal', ac arferai un neu ddau dynnu fy nghoes trwy fy ngalw'n 'lan-rhiw-ben-claw-ar-bwys-y-iet-yn-y-mwt-yn-byta-afol'.

Davies *Hundred and Fourteen*, 1954

Tref ddiwydiannol o dros 34,000 o boblogaeth oedd Llanelli bryd hynny, a'r gweithfeydd dur ac alcam yn britho'r lle, a'r cynnyrch yn cael ei allforio dros y byd i gyd. Roedd y mwg i'w weld yn codi'n dorchau i'r awyr o simneiau'r gwahanol weithfeydd dros y dref i gyd, yn enwedig yn ardal y dociau. Roedd pedwar doc yno, Doc Nevill, Doc y *Great Western*, Doc y Gogledd ac un llai o faint wrth ochr Doc y Gogledd na wyddai llawer amdano – *Carmarthenshire Dock*. Erbyn dechrau'r pum degau, cychod pysgota'n unig a ddefnyddiai'r dociau, ar wahân i Ddoc y Gogledd. Wedi trafodaeth rhwng Ymddiriedolaeth yr Harbwr a'r Morlys, defnyddiwyd y doc i gadw 21 o fadau glanio'r Cefnlu *(Landing Crafts of the Reserve Fleet)* am dair blynedd. Yn Hydref 1956, gydag argyfwng Suez yn ei anterth, gadawodd y llongau a daeth diwedd ar brysurdeb Doc y Gogledd, harbwr a fu am dros 100 mlynedd yn fan allforio glo caled o'r cymoedd cyfagos i bob rhan o'r byd.

Pan gaewyd y diwydiannau trymion fel y South Wales Steel Works, Ffowndri Machynys a gwaith haearn bwrw *(cast iron)* Thomas & Clements, a phan agorwyd ffordd newydd yr arfordir, caewyd Dociau Nevill a'r Great Western gan eu llenwi â phob math o rwbel.

Yn ystod y flwyddyn 1954 cynhyrchodd gwaith alcam y Trostre dros 9,000 o dunelli ac yr oedd y cwmni Almaenig, Thysen, yn agor pwll glo caled yng Nghynheidre ar y pryd – gwaith a fyddai'n cynhyrchu glo am flynyddoedd, a bu'n fywoliaeth i gannoedd o lowyr am dros 40 mlynedd.

Roedd dau fragdy, Bwcle a Felinfoel, yn Llanelli pan euthum i yno, a 113 o dafarndai. Roedd yna gapeli mawr, hefyd, gyda thorfeydd yn mynychu'r oedfaon, a phleser oedd sefyll y tu allan i rai o'r capeli ar nos Sul a chlywed y canu godidog. Ymhlith Gweinidogion yr Annibynwyr roedd Esgair James yn Lloyd Street, Dewi Davies ym Moriah, y Prifeirdd Gwyndaf Evans yn y Tabernacl a D.J. Davies yng Nghapel Als, ac yr oedd yr enwog Jubilee Young gyda'r Bedyddwyr yn Seion. Roedd y Parch. David Bowen (Myfyr Hefin) hefyd yn byw yn y dref ond bu farw rai misoedd wedi i mi ddechrau yno. Un o'r pethau cyntaf a wnes yn Llanelli oedd mynd i oedfa yn Seion i glywed y Parch. Jubilee Young yn pregethu, a gwir oedd un disgrifiad ohono a ddarllenais – fod y geiriau'n arllwys o'i enau fel dur tawdd.

Adeiladwyd Eglwys Genhadol ar ddechrau'r ugeinfed ganrif yn Lôn y Felin *(Mill Lane)* – eglwys a godwyd ar gyfer crwydriaid a thlodion tai lojin yr ardal. Rhyfedd oedd gweld crwydriaid, heb fod yn amharchus ohonynt, yn mynd i'r cwrdd.

Er nad oedd yr adeilad yn hen iawn, dechreuodd ddirywio yn y pum degau ond bu'r drysau ar agor hyd 1984; dymchwelwyd ef bryd hynny am ei fod yn beryglus. Pan fu'r Parch. Anthony Williams yno'n pregethu un tro, rhoddodd ystyllod y pulpud oddi tano a disgynnodd rai troedfeddi.

Roedd chwe sinema yn y dref, y *Palace, Hippodrome, Regal, Llanelly Cinema* a'r *Odeon*, a'r *Astoria* yn ardal y dociau, yn Heol Doc Newydd, ac ar nos Sadwrn byddai yna giwiau yn sefyll iddyn nhw agor.

Aeth Eric Morgan a minnau i letya yn Rhif 4 Stryd y Deml. Ychydig feddyliais y pryd hwnnw mai y tu cefn i Stryd y Deml y byddwn yn ymdrin â llofruddiaeth erchyll ymhen blynyddoedd – llofruddiaeth a ddisgrifiwyd i mi gan y bargyfreithiwr enwog, Aubrey Myerson, C.F., fel '*the best Who Dunnit Murder I was ever involved in*'.

Fy nghyflog wythnosol, wedi talu'r Dreth Incwm, Yswiriant Cenedlaethol, a Chronfa'r Gweddwon a Phlant Amddifad, oedd £6. 16s. 10d., a thalwn £3 yr wythnos am lety. Felly, chwilio am lety rhatach oedd y peth cyntaf, a chawsom le am £2.10s.0d. yn y Ffwrnais gan Ernie a Phyllis Bennett. Roedd dyn yn medru gwneud llawer â 10 swllt yr adeg honno, pan oedd pris mynediad i'r sinema ond yn swllt.

Iwnifform ail-law a gefais, ac yr oedd y lifrai yn ffitio'n weddol ar wahân i'r got fawr. Roedd honno'n llawer rhy hir i mi; yn wir roedd hi'n cyrraedd bron at fy nhraed, a cheisiwn osgoi ei gwisgo gan ddewis gwisgo'r clogyn byth a beunydd. Rhaid oedd wrth esgidiau trwm a chawn lwfans esgidiau o 2/6d. yr wythnos. Prynais fflach lamp, a chawn 6d. yr wythnos i brynu batris.

Pedair shifft oedd y drefn yn Llanelli; gweithiem wythnos o shifft nos 10pm–6am; wythnos o shifft 6pm–2am; wythnos o shifft brynhawn 2pm–10pm ac wythnos o shift fore 6am–2am. Roedd y dref yn cael gwasanaeth da iawn yn ystod oriau'r hwyr, felly ond un wythnos yn unig, wythnos y shifft fore, oedd gennym ni i fod yn rhydd i fwynhau'r nosweithiau. Cyn mynd allan ar y bît, gwaeddai'r Inspector '*Parade*' a neidiem ninnau, naw neu ddeg ohonom, a sefyll mewn llinell yn y corridor cyn ymdeithio allan i'r strydoedd.

Roedd gan bob plismon rif ar goler ei diwnic; tiwnic yn botymu lan i'r gwddf oedd gennym i ddechrau, nid siaced a choler a thei. Rhinwedd yr un oedd yn botymu i'r gwddf oedd y medrem wisgo unrhyw bilyn oddi tani. Rwy'n cofio un plismon, ar y shifft nos, yn gwisgo'i byjamas o dan ei iwnifform; dim ond tynnu ei iwnifform oedd eisiau iddo'i wneud cyn neidio i'r gwely ar ddiwedd ei shifft. Ond y cwnstabliaid a'r Sarjants oedd yr unig rai â rhif; pan gâi'r plismon ei ddyrchafu'n Inspector, collai ei rif. Roedd ambell i rif 'lwcus' i'w gael, a phe cawsai rhywun rif a oedd unwaith ar goler Inspector neu Siwper (Arolygydd neu Uwch Arolygydd), ystyrid hwnnw'n rhif lwcus. Cefais i rif ar ôl y Siwper Watcyn John – '114', ac fel *'Hundred and Fourteen'* y cyfeirid ataf. Wrth ei rif yr adwaenid pob plismon ag enw cyffredin fel Davies neu Jones, yn wahanol i'r rhai ag enwau anarferol fel Dunbar, McLean, Nurton, Prytherch, Sherwood neu Skidmore. Felly pan ddechreuais fel PC Davies, Rhif 114, yn Llanelli yn Nhachwedd 1954, cyfrifid fy mod wedi cael 'rhif lwcus iawn'.

Pennaeth Rhanbarth Heddlu Llanelli ar y pryd oedd y Siwper David John Jones, neu 'D.J.' fel yr adwaenid ef. Plismon o'r radd flaenaf; disgyblwr llym a dyn seriws iawn, wedi gweithio ei hun i ben yr ysgol trwy waith caled yn hytrach na thrwy ei allu academaidd. Rwy'n cofio mynd o'i flaen ar ôl dod o Ben-y-bont ar Ogwr, ac er ei bod hi'n rheidrwydd i bob plismon Sir Gaerfyrddin fedru'r Gymraeg yr adeg honno, Saesneg fyddai D. J. yn siarad bob amser. Ni fu'n hir iawn cyn dweud wrthyf ei fod yn ddisgyblwr: *'I am not a man to be trifled with'* oedd ei eiriau. Nid oedd sôn fod ganddo ffefrynnau o gwbl; tueddai fod yn dipyn o deirant ac yn gas tuag at bawb a weithiai iddo, ac ofnid ef gan bob plismon, hyd yn oed yr Inspectors. Ond, am ryw reswm, cymerodd ataf o'r diwrnod cyntaf. Cawn fy nghanmol ganddo bron yn feunyddiol, ac oherwydd fy mod yn ffefryn ganddo ef, y pennaeth, cawn wedyn fy nghanmol hefyd gan bob Inspector a

Sarjant. Yn wir cawn wneud bron fel y mynnwn a pharai hyn ychydig o embaras i mi.

Felly roedd fy nghyflwyniad i'r Heddlu yn un digon dymunol – cael y wobr yn ysgol yr Heddlu am ddod yn gyntaf; cael rhif lwcus ar fy ngholer, ac yn ffefryn mawr gan bennaeth y rhanbarth. Teimlwn fel dweud, 'Os aeth unrhyw un i'r gwaith iawn erioed, fi oedd hwnnw, heb amheuaeth'. Ond ni fu pawb mor garedig ataf yn y blynyddoedd oedd i ddilyn; ni fu fy ngyrfa'n fêl i gyd.

Roedd rheolaeth lwyr gan yr uwch swyddogion arnom fel plismyn. Cyn y medrem adael Llanelli dros nos, i dreulio 24 awr yn ein cartrefi, er enghraifft, rhaid oedd cyflwyno cais mewn ysgrifen. Dechreuai pob adroddiad gyda'r geiriau 'At yr Uwch Arolygydd, Syr', a gorffen gyda'r geiriau 'Ydwyf Syr, eich ufudd was'. Rhaid hefyd oedd aros i gael yr ateb cyn gadael y stesion. Weithiau, 'atal caniatâd' fyddai'r ateb, a hynny heb unrhyw esboniad. Rhaid oedd cael caniatâd cyn newid llety a gwneid ymholiadau i weld a oedd pobl y llety'n addas i gadw plismyn. Rai blynyddoedd cyn i mi ymuno, rhaid oedd cael caniatâd i briodi, hefyd, ac os na fyddai'r ddarpar wraig o safon neilltuol neu wrth fodd yr uwch swyddogion, câi'r plismon ddewis rhwng y fenyw neu ymddiswyddo!

Hen adeilad oedd Gorsaf yr Heddlu yn Stryd y Farchnad, Llanelli; adeiladwyd ef ym 1887. Ar y llawr roedd ei swyddfa ei hun gan y Siwper, ond un ystafell oedd swyddfa'r Inspector a'r dderbynfa. Tu cefn roedd yr ystafell gyhuddo lle dôi'r carcharorion i mewn, a'r ystafell honno hefyd oedd y cantîn, a'r unig le i ysgrifennu adroddiadau. Yn aml iawn, byddai plismon yno yn ysgrifennu adroddiad a dau arall ohonom yn bwyta brechdanau pan gâi meddwyn 15 stôn ei arestio, hwnnw'n stryglan â phlismon arall a bocs bwyd un ohonom yn disgyn i'r llawr. Sut ar y ddaear y daethom i ben â'r gwaith o dan y fath amgylchiadau, wn i ddim!

Yng nghefn yr adeilad roedd y celloedd, pedair ohonynt, yn cynnwys un ar gyfer menywod. Meinciau pren oedd y gwelyau, a matras, gobennydd a phlancedi ar bob un, gyda'r muriau wedi eu gwyngalchu.

Ar y llofft roedd yr adran weinyddol o dan ofal Inspector, gydag un Sarjant a dau Gwnstabl. Dyma lle yr awn i gasglu'r cyflog – y pecyn pae – bob pythefnos. Un swrth iawn oedd yr Inspector a thaflai'r pecyn ar draws y swyddfa nes disgyn ar y cownter lle safwn, yn gywir fel pe bai am ddweud, 'Wyt ti ddim yn ei haeddu e'. Arferem ninnau ei saliwtio cyn diolch am y £13.13s. 8d. Ie, cyflog pythefnos. Ond rwy'n prysuro i ddweud bod yr Inspector hwnnw, Llanfair Williams, yn un teg iawn, a phleser oedd gweithio iddo flynyddoedd yn ddiweddarach pan gafodd ei drosglwyddo i'r C.I.D.

Roedd adran y ditectifs (C.I.D.) wedi ei sefydlu yn Llanelli rai blynyddoedd cyn i mi ddechrau yno, a chan nad oedd lle yn y Polis Stesion, prynwyd yr adeilad oedd ynghlwm wrtho, tafarndy o'r enw Bird-in-Hand. Felly y Bird-in-Hand, Stryd y Farchnad, oedd cartref cyntaf y C.I.D. yn Llanelli, ac yno y dechreuais innau fy ngyrfa fel ditectif maes o law.

Roedd yna bump Sarjant ar y stryd yn Llanelli a bûm yn ffodus iawn i weithio o dan adain dau neilltuol o dda. Percy Rees oedd un ohonynt, mab i gyn-blismon; cafodd Percy addysg dda iawn, yn dra gwahanol i'w gyfoedion, ac yr oedd ei dad am iddo fynd i'r Eglwys. Aeth i Goleg Llanbedr Pont Steffan, neu'r 'College School' fel y dywedai, ond wedi cwblhau'r cwrs mynnodd ymuno â'r Heddlu.

Roedd gan Percy Rees reolaeth lwyr ar y Gymraeg a'r Saesneg, mwy efallai ar yr iaith fain, ac iddo ef mae'r diolch am wella fy Saesneg. Roedd ei adroddiadau'n bleser i'w darllen a dysgais fwy ganddo ef am ramadeg Saesneg nag a ddysgais yn ystod fy nyddiau ysgol – ond prysuraf i ddweud nad bai'r athrawon oedd hynny; fy mai i ydoedd am beidio cymryd diddordeb. Ond yn awr roedd gennyf ddiddordeb. Un peth oedd dal troseddwyr ond peth arall oedd cwblhau'r gwaith papur – cymryd datganiadau oddi wrth dystion a chyflwyno fy adroddiadau mewn Saesneg graenus.

Y Sarjant arall oedd Llewellyn Davies, Llew *Forty Six*; rhagorai Llew ar Percy Rees cyn belled ag yr oedd y gwaith ymarferol yn y cwestiwn. Un o'r cynghorion cyntaf a gefais ganddo oedd gofalu peidio â meddwl fel plismon am o leiaf chwe mis, 'Os ei di i feddwl fel plisman ar unwaith, byddi di'n ddrwgdybus o bawb a phopeth, wedyn ei di ddim i unman ond i drwbwl,' meddai. Cofiais ei eiriau tra bûm yn yr heddlu, a gwelais fwy nag un ditectif yn mynd i drwbwl ofnadwy trwy fod yn ddrwgdybus o bawb.

Rhingyll arall oedd Sarjant Tom Jones – *Big Tom*, cawr o ddyn tua chwech a phedair, ac yn gyn-filwr gyda'r Gwarchodlu Cymreig.

'O ba bart o'r Shir wyt ti'n dod?' gofynnodd pan gwrddais ag ef gyntaf.

'O Shir Aberteifi, Sarj.'

'O diawl, blydi Cardi arall, ma'r ffors yn llawn ohonyn nhw.'

'Pwy *regiment* fuest ti ynddi?'

'Yn yr R.A.F.'

'O! 'Da'r *Brylcreme boys*, iefe?'

Dyna'r croeso a gefais gan *Big Tom*.

Nid gwaith papur oedd cryfder *Big Tom* ond doedd neb yn well mewn cythrwfl ar y stryd. Pan ddangosai Tom ei wyneb, sgathru i bob cyfeiriad a wnâi'r aflonyddwyr, oherwydd yn hytrach nag ysgrifennu adroddiad am y troseddau, gwell oedd ganddo roi crasfa dda.

Roedd tri brawd i 'nhad yn yr heddlu, a'u dylanwad hwy a'm hysgogodd i fynd yn blismon. Roedd un yn Heddlu Sir Aberteifi a'r ddau arall yn dditectifs, un yn Scotland Yard a'r llall yn Portsmouth; roedd brawd arall yn swyddog carchar yng Nghaerdydd. Ond hanesion y ddau dditectif a'm diddorai fwyaf, a dyna'r gwaith yr oeddwn i am ei wneud ryw ddiwrnod.

Am y tro, beth bynnag, roeddwn yn ddigon hapus i fod yn blismon ar y bît. Roedd yna ddigon o amrywiaeth yn y gwaith; roedd fy myd yn llenwi â phob math o ddigwyddiadau o'r cyffredin i'r rhyfeddol. Roedd rhywun newydd i'w weld, rhywbeth newydd i'w wneud, a rhywbeth i'w ddysgu wrth droi cornel pob stryd, hyd yn oed ar y bît dawelaf. Sylweddolais ei bod yn rhaid i mi fod yn rhywun gwahanol i bob un, dysgu darllen cymeriadau, i adnabod y drwg a'r da ac i wahaniaethu rhwng yr aur a'r peth melyn. Anodd iawn i mi oedd y tro cyntaf y bu'n rhaid i mi dorri newydd i wraig am farwolaeth ei gŵr mewn damwain ffordd. Nid wyf yn siŵr iawn hyd heddiw sut yr euthum ati – beth yn union a ddywedais wrth iddi ateb y drws. Ond y peth rwyf yn ei gofio yw iddi hi roi ychydig o help i mi trwy ddweud, 'Gwyddwn ar unwaith; roedd eich wyneb yn dweud y cyfan.'

Roedd yn rhaid dod i wybod enw pob stryd ac ymhle yr oedd pob tŷ bwyta, pob siop a thafarndy; syrjeri pob meddyg a swyddfeydd cyfreithwyr; lle roedd dal bws i fynd i wahanol leoedd; lle roedd y gweithfeydd i gyd a lle roedd pob ciosg teliffon, oherwydd sarhad fyddai i blismon ddweud wrth ymwelydd na wyddai ymhle roedd y lle a'r lle. Roedd enw'r tafarnwr uwchben drws pob tafarndy ac yn ystod yr wythnosau cyntaf ar y shifft nos, yn oriau mân y bore a'r dref yn cysgu, byddwn yn mynd o amgylch y tafarndai a chymryd sylw o'r enwau. Yna, wrth weithio'r shifft brynhawn, a phe byddai amser yn caniatáu, byddwn yn ymweld â'r tafarndai a dod i weld y tafarnwr yn y cnawd. Fel hyn y deuthum i adnabod y dref a'i phobl.

Er fy mod yn casáu'r gwaith o gosbi modurwyr, roeddwn yn mwynhau rheoli trafnidiaeth ar Sgwâr *Boots* yn Llanelli. Synnwn at y fath awdurdod oedd yn y menig gwynion am fy nwylo; y beiciwr, y gyrrwr bws deulawr a'r gŵr goludog yn ei gar Daimler, yn dod i stop ar fy ngorchymyn i! Roedd gweld plismon yn rheoli'r traffig, am ryw reswm, yn ennyn diddordeb rhai pobl; yn aml iawn byddai pedwar neu bump yn sefyll ar gornel y stryd yn gwylio'r plismon fel pe baent yn rhyfeddu at y rheolaeth oedd ganddo. Roedd nifer o siopau o amgylch Sgwâr *Boots* lle gweithiai llawer o ferched ieuanc, a gwn am fwy nag un ohonynt a ddaliodd lygad y plismon ar y *point duty*, a dechrau carwriaeth a barodd am oes gyfan.

Ail-law, hefyd, oedd y pâr menig gwynion a gefais; roedd un bys mewn un faneg wedi treulio a bron â mynd yn dwll. Un dydd yn ystod yr awr ginio, wrth i mi reoli traffig ar y sgwâr, gwelais fod y man gwan wedi mynd yn dwll crwn ar flaen y bys a dangosais ef i un o ferched Siop Paige – siop ddillad menywod. Gan fy mod wedi dod i adnabod y merched ac yn gwybod bod yna wniyddes yn y siop, gofynnais i un ohonynt a fyddai'r wniyddes yn barod i'w gywiro. Bodlonodd ar unwaith; aeth â'r faneg at y wniyddes a chyn pen dim cefais hi yn ôl. Wrth fynd i wisgo'r faneg, yn ôl ar y sgwâr, methais yn lân â chael fy llaw iddi, ac yna gwelais y merched i gyd yn chwerthin yn ffenest y siop wrth i mi stryglan. Roedd y bys â'r twll wedi ei wnïo yn y bôn! Ni allwn wneud dim ond codi fy nwrn ac edrych yn fygythiol tuag atynt!

Nid dyna'r unig dric a chwaraeodd merched y siop honno arnaf. Daeth un ataf ryw ddiwrnod â neges oddi wrth ei ffrind yn dweud ei bod yn fy ffansïo ac yn gofyn i mi fynd â hi allan am dro neu i'r sinema; ychwanegodd ei bod ar ei gwyliau ar y foment ond roeddent yn ei disgwyl yn ôl ymhen tridiau. Gan fod y ferch yn un ddymunol iawn yr olwg, cytunais a gelwais yn y siop yr wythnos ganlynol gan ofyn am 'Gloria'. Wedi i mi ofyn a oedd hi wedi mwynhau'r gwyliau teimlais yn ffŵl perffaith – nid ar ei gwyliau y bu ond ar ei mis mêl! Es 'nôl i reoli'r traffig a holl ferched y siop unwaith eto yn chwerthin ar fy mhen. Ond rhyw dynnu coes digon diniwed oedd hyn i gyd, wrth gwrs.

Deuai cyfle arall yn flynyddol i gymysgu â'r rhyw deg. Ychydig iawn o ddawnsfeydd y bûm ynddynt cyn hyn, nac wedyn o ran hynny, ac nid rhyfedd yw hynny gyda'r 'ddwy droed chwith' sydd gennyf. Ond pan gâi dawns Ysbyty Llanelli ei chynnal yn Neuadd Ddawns y *Ritz*, cawn orchymyn i fynd iddi – nid gwahoddiad ond gorchymyn. Arferai Matron David – un o Ffostrasol oedd Matron David gyda llaw – roi galwad i'r Inspector ar ddyletswydd yn y Polis Stesion yn dweud ei bod am i blismyn ifanc hebrwng ei nyrsys hi i'r ddawns. A dyma orchymyn un diwrnod pan oeddwn ar y parêd gan Inspector Jack Lloyd Morgan: '*One Two One, Hundred and Fourteen* a *Sixteen*, chi'n newid eich shifft fory i 'ddeg i whech', a'r tri ohonoch chi i fynd i Westy'r Stepney erbyn wyth o'r gloch i hebrwng y nyrsys i'r ddawns a mynd â nhw sha thre.' Doedd dim dadlau.

Roedd rhai cyfnodau heb un foment ddiflas ynddynt ond rhaid oedd cymryd y garw gyda'r llyfn. Bu yna adegau pan fûm ar fin ymddiswyddo, ac rwy'n cofio'r tro cyntaf i mi deimlo fel gwneud hynny. Un noson, pan oeddwn ar y shifft nos, clywais sŵn gwydr yn torri'n deilchion. Rhedais i gyfeiriad y lle a gwelais ddyn yn rhedeg tuag ataf ond pan welodd mai plismon oeddwn, trodd ar ei sawdl a gollyngodd ei het i gwympo. Rhedais ar ei ôl a'i weld yn mynd i mewn i dŷ mewn stryd gyfagos a chau'r drws yn glep. Ofer fu fy ymgais i'w gael i ateb y drws ac euthum yn ôl i ganol y dref lle gwelais y Sarjant yn sefyll y tu allan i siop ddillad dynion. Roedd ffenest y siop wedi'i thorri a het *trilby* wedi ei dwyn ond roedd rhywun wedi dod o hyd i'r het yn y fan lle gwelais y lleidr yn ei gollwng.

Aeth y Sarjant a minnau i dŷ'r dyn a redodd ymaith; atebodd y drws yn foesgar iawn y tro hwn, ac adnabyddais ef yn hawdd, ond roedd yn amlwg ei fod wedi cael ei wynt ato. Gwadodd y cyfan, arestiwyd ef, ac ymddangosodd yn y llys. Fy ngair i yn erbyn ei air ef, a meddyliais na allai'r ynadon wneud dim ond derbyn fy ngair i. Ni freuddwydiwn am ddweud celwydd ar lw. Ond daeth un o ffrindiau'r diffynnydd i roi *alibi* iddo, tyngodd lw a dweud ei fod yn ei gwmni ef ac yn ddigon pell o'r siop ar yr adeg o dan sylw. Dieuog oedd dyfarniad yr ynadon a cherddodd y dyn yn rhydd o'r llys. Teimlwn yn isel iawn wrth feddwl i'r ynadon wrthod credu'r gwir a chredu celwydd.

Digwyddodd rhywbeth tebyg i mi eto mewn achosion o yfed a gyrru. Y drosedd yr adeg honno, cyn gwawrio dydd yr anadlydd, oedd 'bod â gofal cerbyd tra o dan ddylanwad y ddiod', a barn y plismon fyddai'n cyfiawnhau'r arestio. Yna, gelwid ar feddyg yr heddlu i archwilio'r diffynnydd ac os dywedai hwnnw fod y dyn y feddw, yna dygid achos yn ei erbyn. Ond yn unol â hawliau'r diffynnydd câi alw ar ei feddyg ei hun i'w archwilio, a bron yn ddieithriad, byddai barn hwnnw'n hollol wahanol. Felly, tystiolaeth un meddyg yn erbyn y llall oedd hi yn y llys yn aml iawn. Dau achos o'r fath a gefais erioed, a phrofwyd y ddau ddiffynnydd yn ddieuog.

Oni bai am gyngor Sarjant Llewelyn Davies buaswn wedi ymddiswyddo ar ôl yr achosion yma. Nid gwaith yr heddlu yw dyfarnu person yn euog neu'n ddieuog, meddai; roeddwn i wedi gwneud fy ngwaith hyd eithaf fy ngallu, ond teimlai'r ynadon fod yna amheuaeth, ac yn unol â'r gyfraith, rhaid oedd i'r diffynnydd gael y fantais o'r amheuaeth. Flynyddoedd yn ddiweddarach rhoddais innau'r union gyngor i blismyn ieuanc a gafodd yr un profiad.

Roedd yna adegau pryd y cawn amser i sefyll ac i syllu, gweld y ffrwd o bobl yn gwau trwy ei gilydd, a dyfalu i ble roedd pawb yn mynd. Wrth sefyll yn yr unfan mae gweld mwy, ac yn aml iawn gwelwn groestoriad diddorol o bobl i siarad â hwy – glanhawr ffenestri, llyfrgellydd, cyfreithiwr, pysgotwr a chasglwr cocos, offeiriad Catholig a dyn yr hewl, a hynny o fewn cyfnod o awr neu ddwy. Ac wrth ddilyn fy nyletswyddau cawn gyfle i drafod rhai pethau'n fanylach gyda phobl fel doctoriaid, patholegwyr, swyddogion prawf, gweithwyr cymdeithasol a chyfreithwyr, wrth gwrs, a dysgu rhywbeth newydd bob dydd.

Ymdrin â rhyw fân droseddau oedd fy ngwaith ar y dechrau ac rwy'n cofio'r achos cyntaf, achos pitw iawn, i gael sylw gan y wasg. Tua deg o'r gloch un noson, a minnau ar ddyletswydd yn Stryd y Bont, clywais sŵn gwydr yn torri'n deilchion ger y llyfrgell a rhedais i'r fan. Dyna lle roedd dau ŵr ifanc o wersyll y Llu Awyr ym Mhenbre yn amlwg wedi meddwi; a dweud y gwir roeddent yn union ger y plac ar wal y llyfrgell sy'n dynodi lle bu John Wesley yn pregethu i bobol Llanelli ddwy ganrif cyn hynny. Cydiais yng ngholeri'r ddau, a chwarae teg iddynt, daethant yn weddol dawel ac ymddangosodd y ddau o flaen yr ynadon drannoeth. Gwelodd gohebwyr o'r wasg yn dda i roi'r hanes yn y *Llanelli Star*:

Police Constable Evan Davies said he saw the two airmen staggering, one said: 'We are dashed well OK'. He then saw them put their arms around each other, a struggle ensued, there was the sound of breaking glass and a crowd gathered. Corporal James Field and Corporal Lawrence Morgan were each fined £1 for being drunk and disorderly.

Dyna'r tro cyntaf i mi gael fy enw yn y papur lleol, a chredwn fy mod 'yn dod ymlaen'!

RHAGFLAS O'R C.I.D.

Yr oedd pob plismon ar brawf am ddwy flynedd ac yr oedd gan y Prif Gwnstabl yr awdurdod i ddiswyddo plismon yn ystod y ddwy flynedd gyntaf, a hynny heb roi unrhyw reswm o gwbl.

Cyn pen y flwyddyn gyntaf ar y stryd bu raid i mi, fel pawb arall, fynd yn ôl i Ben-y-bont ar Ogwr am bythefnos o gwrs; cyfnod o astudio eto ac arholiad ar y diwedd. Deuthum yn gyntaf eto. Cyn pen yr ail flwyddyn ar brawf euthum eto ar yr un math o gwrs, a'r tro hwn, allan o 34 ar y cwrs, deuthum yn 27ain – *Lower half of the class*, chwedl Lewis y *Goat*. Wn i ddim beth ddigwyddodd oherwydd teimlwn nad oeddwn wedi gwneud yn wahanol i arfer, ond fy ngofid pennaf oedd wynebu'r Siwper D. J. Jones yn Llanelli.

Y nos Lun ganlynol roeddwn yn gweithio'r shift 6pm–2am ac, fel yr ofnwn, yno roedd D. J. Y cwestiwn cyntaf a gefais oedd sut yr oeddwn wedi gwneud ar y cwrs a phan atebais fy mod wedi dod yn 27ain, 'Beth?' meddai, ac anfonodd fi i'w swyddfa i aros yno hyd nes y deuai i mewn. Meddyliwn yn siŵr y cawn fy niswyddo oherwydd nid oeddwn wedi gorffen y ddwy flynedd ar brawf. Sefais o'i flaen *to attention* fel arfer ac yno y bûm am tua hanner awr. Nid oedd gennyf unrhyw esboniad nac esgus am fy mherfformiad ym Mhen-y-bont. Ond ni ddywedodd D. J. ddim byd bygythiol, ac yn y diwedd cefais fy nhroi allan i fît Heol Stesion.

Am ddeg o'r gloch dychwelais i'r stesion i gael fy mwyd ac yna rhoddwyd fi ar fît yr heol fawr – Stryd Stepney. Roedd y strydoedd yn dechrau gwacáu, pawb yn mynd tua thre, a threuliais innau'r awr nesaf yn gweld bod drysau'r siopau yn ddiogel. Ychydig wedi canol nos cerddais i lôn gefn Stryd Stepney. Nid oeddwn wedi clywed unrhyw sŵn ond, wrth gyfeirio golau fy fflachlamp at ffenestri cefn y siopau, gwelais fod un ar agor a'r gwydr wedi torri, a bin sbwriel yn union o dan y ffenest. Heb feddwl ddwywaith es i ben y bin a dringais drwy'r ffenest gan ddisgyn ar lawr y siop – siop ddillad Bradford House. Sefais am dipyn y tu mewn i'r ffenest gan gyfeirio'r golau i bob cornel. Doedd dim i'w weld nac i'w glywed, heblaw fy nghalon! Roedd rhesi o ddillad yn hongian ar raciau ar lawr y siop a cherddais yn araf gyda'r fflachlamp ynghyn o'm blaen, ac yna sefyll a throi'n sydyn gan gyfeirio'r golau y tu ôl i mi, cyn symud ymlaen eto. Diffoddais y golau nifer o weithiau gan feddwl efallai y rhedai'r ymyrrwr am y drws ffrynt. Ond dim. Tawelwch llwyr.

Wedi archwilio'r llawr yn drwyadl es i fyny'r grisiau gan ddisgwyl rhywbeth trwm i ddisgyn ar fy mhen o'r llofft unrhyw funud. Cyrhaeddais ben y staer a chyfeiriais y golau i bob cornel eto. Pan gyfeiriais ef at gotiau a siacedi dynion yn hongian ar un o'r raciau, ar y llawr y tu ôl i'r siacedi gwelais bâr o draed! Gollyngais un waedd gan obeithio ei ddychryn ond dyma'r byrglar yn rhedeg at ddrws yng nghornel yr ystafell gan gyrraedd yno eiliad o'm blaen; caeodd y drws yn glep yn fy wyneb a'm hatal rhag ei agor. Pe buasai yna ffenest i'r ystafell yma byddwn wedi ei golli, yn sicr, ond ystafell storio ydoedd, wrth lwc. Bûm wrthi am rai munudau yn ceisio gwthio'r drws ar agor ac yntau yn pwyso ar y drws yr ochr arall. Yn y diwedd cymerais sawl cam yn ôl a gyda'm holl nerth rhoddais fy ysgwydd i'r drws nes i ddau banel ohono hollti'n yfflon, gyda'r sŵn mwyaf dychrynllyd. Cyfeiriais fy fflachlamp i mewn drwy'r twll yn y drws a dyna lle roedd dyn ifanc yn sefyll yn stond a'i gefn at y wal. Daliais olau'r lamp yn ei lygaid a dywedais wrtho am droi i wynebu'r wal a rhoi ei ddwylo y tu ôl i'w gefn. Gwnaeth hynny yn ufudd iawn; rhoddais y cyffion am ei arddyrnau a dweud wrtho am ddod yn dawel neu byddai gwaeth yn ei aros. Beth yn union fyddai hynny,

71

nid oedd gennyf syniad, ond, chwarae teg iddo, ni chefais unrhyw drafferth; daeth gyda mi fel oen bach. Fe groesodd ein llwybrau ddwywaith eto ymhen blynyddoedd, a hanes llawer mwy difrifol oedd y trydydd tro, fel y cawn weld.

Beth bynnag, cyn dechrau fy shifft am chwech o'r gloch brynhawn trannoeth cefais neges yn dweud bod D.J., y Siwper, am fy ngweld. Cefais fy nghymeradwyo ganddo am ddal y lleidr y noson cynt a gwnaeth un sylw'n unig ynglŷn â'r cwrs ym Mhen-y-bont ar Ogwr: 'Mae'n rhaid 'u bod nhw wedi cymysgu'r papurau arholiad; peidwch becso, plismona yw'r peth pwysig.' Chwarae teg iddo. Roedd fy lwc innau'n parhau; roeddwn yn dal yn ffefryn ganddo!

Ychydig wedi hyn cefais fynd am fis o brawf yn y C.I.D. gan ddechrau ar 31 Rhagfyr 1956. Dydd Llun ydoedd, a rhoddwyd fi i weithio o bump y prynhawn hyd un yn y bore am yr wythnos gyntaf – a gwelwn fy mod yn mynd i golli Eisteddfod Rhydlewis a hynny am y tro cyntaf ers i mi ddechrau mynd iddi. Ond nid oedd eisiau meddwl ddwywaith am y flaenoriaeth – gwelwn fod gennyf gyfle da i gael fy newis i'r Adran C.I.D. yn barhaol a minnau ond wedi bod ddwy flynedd a hanner yn yr heddlu.

Y gwaith cyntaf a gefais oedd gwneud ymholiadau mewn siopau ail-law, masnachwyr, a hefyd gyda'r unig wystl-fasnachwr *(pawnbroker)* yn y dref, un o'r enw Wherle, a deuthum yn ffrindiau ag ef. O bryd i'w gilydd adroddai storïau diddorol iawn, fel yr un am y fenyw honno a arferai roi cymorth i deuluoedd mewn profedigaeth. Hi fyddai'r un oedd yn 'troi'r corff heibio' cyn ei osod mewn arch. Bron bob tro, wedi marwolaeth, rhoddai'r fenyw wlân cotwm yng ngheg y trancedig a mynd â'r dannedd gosod i'r *pawnbroker* i'w gwystlo. Roedd yna ychydig o blatinwm mewn rhai dannedd gosod a châi hithau ryw chwe cheiniog neu swllt am hynny. Afraid yw dweud na fyddai'n prynu'r dannedd yn ôl!

Un fenyw a oedd yn prynu a gwerthu hen bethau oedd Mrs Violet Jenkins, Stryd Fawr, a'i 'siop barlwr' yn yr ystafell ffrynt. Deuthum i adnabod Mrs Jenkins yn dda wrth ymweld â hi yn achlysurol i roi manylion o eiddo wedi ei ddwyn iddi. Ond, fel y cawn weld, flynyddoedd wedi hyn roeddwn yn ei chartref ar berwyl llawer mwy difrifol na chwilio am eiddo wedi ei ddwyn.

Gweithiais yn galetach y mis hwnnw nag erioed, ond druan ohonof, ni chefais lawer o lwc. Ar ôl mis ar brawf, dywedodd Glynne Jones, Pennaeth y C.I.D., wrthyf y byddwn yn gadael, ac yn ôl yn fy iwnifform y cefais fy hun, gan deimlo braidd yn ddigalon.

Rhyw brynhawn yn yr haf, a hithau'n ddiwrnod clòs iawn, roeddwn ar ddyletswydd ger yr Eglwys Gatholig yng nghanol y dref; gwelais fod drws yr Eglwys ar agor a cherddais i mewn. Ni welwn unrhyw un yn y lle a cherddais o amgylch, ond wrth i mi fynd i ffrynt yr adeilad gwelais ddyn yn codi oddi ar ei liniau ger yr allor. Ymddiheurais am fy mod wedi tarfu arno ond daeth yn amlwg mai tramorwr ydoedd; ychydig iawn o Saesneg a siaradai.

Wedi ceisio cael gwybod mwy amdano, credais iddo ddweud mai morwr o'r Iseldiroedd ydoedd ac wedi dianc oddi ar ei long yn Abertawe. Euthum ag ef i'r polîs stesion, a dyna'r olwg olaf a gefais arno. Bachwyd yr achos gan y C.I.D., cyhuddwyd ef gan un o'r ditectifs, dygwyd ef o flaen yr Ynadon a chafodd ei alltudio. Teimlwn braidd yn annifyr na chefais fynd â'r achos ymlaen gan ei fod yn achos anghyffredin yr adeg honno. Dywedais y pryd hwnnw os byth y byddwn mewn sefyllfa uwch yn yr heddlu na oddefwn i unrhyw dditectif 'ddwyn' achos oddi wrth blismon ifanc.

Er i mi dreulio dwy flynedd yn y Lluoedd Arfog, roeddwn o hyd yn bur naïf a braidd yn ddibrofiad o'r byd y tu allan. Tri pheth a oedd yn help mawr i lwyddo yn yr heddlu oedd – bod yn hollol groendew, bod yn uchelgeisiol, a bod yn aelod o'r Seiri Rhyddion. Roedd fy rhieni'n fy adnabod yn well na mi fy hun canys llawer i dro dywedodd y ddau wrthyf na wnawn byth blismon. Roeddwn yn groendenau iawn – nodwedd na fu'n help i mi o gwbl ymhlith ditectifs calon-galed a dideimlad; nid oeddwn yn uchelgeisiol, chwaith, ac ni fûm erioed yn un o'r Seiri, er i nifer o bobl fy ngwahodd i ymuno. Ond pan roddid rhyw achos i mi i'w ddatrys, awn ati gyda'm holl allu ac yn ddi-ildio er mwyn cael canlyniad boddhaol.

Roeddwn yn dal yn ffefryn mawr gan y Siwper David John Jones. Gofynnodd i mi a oedd gennyf ddiddordeb yn yr Adran Drafnidiaeth. Bûm yn hollol onest ag ef, er y buasai gyrru car patrôl yn well statws na cherdded y bît, a diolchais iddo ond gan ddweud mai yn y C.I.D. yr oeddwn am fod. Cefais gynnig ganddo hefyd i symud i Borth Tywyn, ond golygai hynny i mi weithio *split-shifts* yn lle gweithio wyth awr yn ddi-dor a gorffen am y dydd. Dywedais ei bod yn well gennyf aros yn y dref.

Ymhen ychydig fisoedd cefais fy nhrosglwyddo i'r dociau, a symudais o'm llety yn y Ffwrnais i Stryd Westbury, Doc Newydd, gyda phâr mewn oed. Di-blant oedd Dai a Sarah Edwards; Dai yn hanu o Gaerfyrddin a Sarah o Dre-fach Felindre. Fe welodd Dai amser caled yn y Rhyfel Mawr; cafodd ei glwyfo yn y Dardanelles a dioddefodd oddi wrth nwyon gwenwynig, hefyd; câi drafferth i anadlu. Ni fedrai wneud gwaith trwm, a'r gwaith a gafodd oedd edrych ar ôl y toiledau cyhoeddus ar Sgwâr Neuadd y Dref. Druan ohono, cerddai at ei waith gan sefyll a phwyso ar silff ffenest ambell i siop neu dŷ i gael ei anadl ato bob canllath. Dyna'r wobr am ymladd dros ei wlad.

Roedd y Dirprwy Brif Gwnstabl, Nathaniel Davies, wedi priodi menyw o Lanelli ac yr oedd ei chwaer hi yn byw yn ardal y Doc Newydd. Brodor o Lanelli oedd y Siwper William Lloyd, pennaeth Rhanbarth Caerfyrddin, ac yr oedd ganddo yntau berthnasau agos yn y Doc Newydd.

Yn ddieithriad, bob penwythnos, byddai'r ddau uwch swyddog hyn yn ymweld â'u perthnasau, a byddai'r Dirprwy yn galw yn Stesion y Doc yn aml. Roedd presenoldeb y ddau hyn ar y penwythnosau'n ddigon i bob plismon fod ar wyliadwriaeth ac ar flaen ei draed yn gyson. Pe byddai unrhyw un ohonom yn camymddwyn, rwy'n siŵr y câi'r Dirprwy neu'r Siwper Lloyd wybod ar unwaith.

Adeiladwyd Gorsaf Heddlu'r Dociau ym 1886, flwyddyn o flaen yr Orsaf Ganolog yn Stryd y Farchnad. Roedd ardal y dociau yn brysur iawn yr adeg honno gyda'r holl weithfeydd, fel y South Wales Steel Works, lle gweithiai dros bum cant o ddynion; Ffowndri Machynys; gwaith haearn bwrw Thomas & Clements; gwaith trwsio wagenni yn Noc Nevill; gwaith copr, ynghyd â dwy iard metal sgrap – Myer Davies a'i Fab, yn Noc Nevill a iard 'Jac y Jiw', yn Heol yr Embankment. Iddew Rwsiaidd oedd 'Jac y Jiw' ac wedi newid ei enw i 'John Davies', ond fedra i ddim yn fy myw gofio ei enw gwreiddiol. Ato ef y dôi'r holl sipsiwn â'u metel sgrap. O! na bawn yn ysgrifennwr o fri – i ddisgrifio'r olygfa pan fyddai'r sipsiwn yn gofyn i Jac am eu tâl.

Roedd Jac y Jiw yn graig o arian, ond gwisgai fel trempyn; ni thalai'r sipsiwn am eu sgrap ar unwaith yn ei iard ond, yn hytrach, yn y Biddulph Arms yn Stryd Newydd, lle treuliai Jac lawer o'i amser. Yno roedd y 'banc', ac yno roedd y *pay parade*. Byddai ciw o sipsiwn yn ymestyn o'r bar lle yfai Jac, ac allan drwy'r drws ac i'r palmant, gyda cheirt gwag y sipsiwn yn rhes ar y stryd a ffrwynau'r ceffylau wedi eu clymu wrth y pibellau dŵr a oedd yn sownd wrth furiau'r tai. Weithiau byddai'r gwragedd a'r plant yno hefyd.

Byddai'n rhaid i'r sipsiwn, druain, ymbilio am eu harian, a byddai yno ffrae bob tro – y sipsi'n taeru bod y sgrap yn pwyso hyn a hyn, a Jac yn dadlau. Ffarweliai ag ond ychydig o arian ar y tro. Deuai'r sipsiwn ataf gan gwyno'n ofnadwy, ond nid mater i'r heddlu oedd setlo cownt neb. Fy ngwaith i oedd ceisio cadw'r heddwch, a chymerai gymaint ag awr a hanner i'r holl sipsiwn gael ychydig o arian o bocedi Jac y Jiw.

Un Sarjant, D. T. Morgan *(Twm One Two Two)*, a phump cwnstabl oedd gweithlu Gorsaf Heddlu'r Doc, ac yno ar y pryd roedd y cwnstabl gorau y cefais y pleser o weithio gydag ef erioed, sef Talfryn Rees. Yn wahanol i'r arfer, fel 'Tal' y cyfeirid ato, nid wrth ei rif (32), oherwydd dim ond un Tal oedd. Ni welais erioed unrhyw un â'r fath lygad am leidr, a dysgodd lawer i mi. Roedd un fantais fawr ganddo, sef iddo gael ei eni a'i godi yn ardal y dociau.

Rhyw brynhawn Sul, es i'r gwaith erbyn dau o'r gloch. Tal oedd yn gweithio shifft y bore, ac am ddau o'r gloch aeth Tal adref a cherddais innau gydag ef gan ei hebrwng ran o'r ffordd. Wrth wneud hyn medrwn drafod y sefyllfa heb aros yn y swyddfa. Roedd yna reilffyrdd yn gwau drwy ardal y dociau'r pryd hwnnw, llawer ohonynt yn arwain i iard nwyddau'r stesion.

Gan gymryd llwybr tarw ar hyd un o'r rheilffyrdd yma, roeddem yn edrych i lawr at gefnau'r tai a'u gerddi, a dyma Tal yn sefyll yn sydyn. Tynnodd fy sylw at lein ddillad yng ngardd un o'r tai â rhes o sanau llwyd, 24 ohonynt. Meddai Tal, yn acen amlwg Llanelli, 'Roy, ma' rheina wedi 'u twgyd, dere', a dilynais ef i'r ardd. Atebwyd y drws cefn gan ddyn a gofynnodd Tal iddo, 'Ble gest ti'r sane 'na?' Llyfodd y dyn ei wefusau a llyncodd ddwy neu dair o weithiau cyn gofyn, 'Pam?'

'Dere,' meddai Tal wrtho, gan fynd ag ef i'r Stesion. 'Tyn y sane 'na, Roy, a dere â nhw 'da ti.'

Casglais y sanau i gyd ac erbyn i mi gyrraedd y Stesion, roedd y dyn wedi cyfaddef iddo eu dwyn. Roedd arhosfan bws yn Heol Doc Newydd – y tu allan i siop y Fyddin a'r Llynges, ac yno y daliai'r dyn y bws i fynd i'w waith. Y bore hwnnw, wrth sefyll am y bws, gwelodd becyn mewn papur brown yn nrws y siop. Torrodd y papur brown a gwelodd mai sanau dynion oeddent – 12 pâr. Aeth adref â hwy, golchodd ei wraig hwynt a'u rhoi i sychu ar y lein.

Gofynnais i Tal sut oedd e'n gwybod bod y sanau wedi eu dwyn. Ei ateb oedd, 'Bydde dy fam ddim yn prynu duddeg pâr o sane o'r un lliw i ti, Roy, na 'ngwraig inne!'

Roedd bît y Doc yn cyrraedd hyd y rheilffordd a redai o Lanelli i Abertawe; dyma lle byddai bît y dref yn gorffen a dyma fan cyfarfod dau blisman yn aml. Nos Galan ydoedd, ychydig cyn i mi symud i'r Doc, pan gwrddais â Tal ger gorsaf y trenau. Roedd y lle yn brysur iawn a phobl yn gwau trwy ei gilydd, ac ymhlith y dorf gwelodd Tal ddyn yn cario cês dillad gweddol fawr. Doedd dim yn ddrwgdybus yn hyn ond dyma Tal yn mynd ato fel saeth, cydiodd yn y cês gan ofyn i'r dyn beth oedd ynddo. Roedd y cês yn llawn o boteli gwin a gwirodydd wedi eu dwyn o westy yn y dref rai oriau'n gynharach.

'Wy'n nabod y twlwth eriôd,' meddai Tal. 'Sdim clincen 'da nhw rhwngddyn nhw i gyd, heb sôn am siwtces.'

Dyna ddwy enghraifft o graffter Tal Rees, ond gallwn adrodd llawer iawn rhagor amdano. Dysgodd lawer i mi, yn enwedig gan nad oedd prinder achosion o ddwyn a bwrgleriaeth yn y dociau.

Am ddeg o'r gloch un nos yn nhafarn y New Inn, galwodd y tafarnwr: *'Time, gentlemen please'*, a dau gwsmer o Bontarddulais yn dal yno'n yfed. Pan welodd nad oedd y ddau'n symud, ychwanegodd, *'Look at the clock'*, ac ar yr un pryd gadawodd y bar am ddwy funud. Pan ddychwelodd roedd y ddau gwsmer a'r cloc wedi diflannu!

Roedd yna un tafarnwr a oedd yn torri'r gyfraith yn rheolaidd ynglŷn ag yfed wedi oriau cau; gofalai gloi'r drysau a thynnu llenni pob ystafell, ac yr oedd nifer o blismyn wedi ceisio ei ddal. Brodor o Abergwaun oedd Inspector G. H. Williams ac yn un dig iawn i dafarndai ac i ddiodydd meddwol, ac yr oedd nifer ohonom wedi cael ein hannog ganddo i ddal y tafarnwr arbennig yma. 'Ar f'ened i,' oedd hoff ddywediad 'G. H.' a dywedai yn ddyddiol fod eisiau disgyblu tafarnwyr. Bûm innau'n treio pob ffordd, aros yng nghefn y dafarn yn hwyr y nos gan feddwl llithro i mewn wrth i gwsmer fynd allan i'r tŷ bach, ond roedd y tafarnwr yn rhy gyfrwys o lawer.

Roedd hi'n arferiad, yn wir yn draddodiad, i yrwyr lorïau'r bragdai, ar ôl dosbarthu'r casgenni i dŷ tafarn, gael peint o gwrw gan y tafarnwr. Un prynhawn, ugain munud cyn amser agor y dafarn, roedd lorri'r bragdy yno'n dosbarthu'r casgenni. Roedd rheilffordd i un o'r gweithfeydd y tu draw i'r dafarn a sefais innau y tu ôl i un o'r tryciau gan gadw llygad ar y gyrrwr. Gorffennodd yntau ei waith a rhoddais innau ddigon o amser i'r tafarnwr roi diod iddo. Es i mewn gan dynnu sylw'r tafarnwr ei bod yn 'amser cau' a'r canlyniad oedd iddo gael dirwy gan yr ynadon – yr unig dro iddo gael ei ddal. Cefais fy nghymeradwyo gan G. H. Williams – am chwarae tric mor frwnt â thafarnwr trwy ei ddal yn rhoi glasied i un o weithwyr y bragdy, rhywbeth y byddai pob tafarnwr yn ei wneud! Enillais i mi fy hun enw gwael iawn gan dafarnwyr y Doc wedi hyn.

Brodor o Aberafan oedd John Josiah Jones ond wedi byw mewn carafán ar ddarn o dir wast ger Stryd y Doc Newydd, Llanelli, ers blynyddoedd. Roedd yn chwaraewr rygbi arbennig yn ei ddydd a chwaraeodd dros Gymru fel mewnwr yn erbyn Lloegr ym 1901. Fel John 'Bala' Jones y câi ei adnabod gan ei gyd-chwaraewyr. Gweithiai yn awr fel gwyliwr nos yn iard Jac y Jiw; cadwai dri cheffyl ac un bore wrth ddod adref o'i waith gwelodd fod un o'i geffylau wedi diflannu. Achwynodd wrthyf fod rhywun wedi dwyn ei geffyl, ond gwaith anodd yw profi bod anifail wedi ei ddwyn gan fod posibilrwydd i anifail grwydro. Gwnes ymholiadau yn Stryd y Doc Newydd ac ymhlith perchnogion ceffylau, a bûm gyda John yn chwilio dros holl ardal y dociau, ond y cyfan yn ofer.

Fis yn ddiweddarach galwodd ffermwr o'r enw Emlyn Evans o Dre-gŵyr i ddweud ei fod wedi prynu ceffyl gan ddyn o'r enw Gwyn Jones. Gofynnodd Jones £22 amdano ond yn y diwedd cytunodd i'w werthu am £17. Dywedodd Jones hefyd fod ganddo ddau geffyl arall ar werth yn Llanelli; daeth Evans i'w gweld, a dyna'r pryd y gwelodd fod y ceffyl a werthwyd iddo wedi ei ddwyn.

Chwiliais am Gwyn Jones ond roedd wedi diflannu o'i gartref. Anfonais gylchlythyr i bob heddlu ac ymhen tipyn cefais alwad oddi wrth Heddlu Sir Ddinbych ei fod wedi ei arestio yn Wrecsam. Edrychwn ymlaen at fynd i'w gyrchu, ond siom a gefais gan i un o fois y C.I.D. gael y trip.

Roedd hyn yn ystod haf 1957, a'r bore Sul cyntaf yn Nhachwedd o'r un flwyddyn, pan oeddwn yn cychwyn y shifft fore, dyma John Josiah Jones yn llusgo ei hun i mewn i'r swyddfa. Roedd gwaed wedi sychu ar ei wyneb; tynnodd ei gap a gwelais archoll ddofn ar ei ben. Sut ar y ddaear y llwyddodd i gerdded yr holl ffordd o iard Jac y Jiw wn i ddim. Cwynodd fod rhywun wedi dod i'r iard tua deg o'r gloch y noson cynt, ymosod arno gan ei daro ar ei ben â bar haearn a dwyn ei waled yn cynnwys £34.10s.0d. Bu'n anymwybodol am beth amser ac ar ôl dod ato'i hun treuliodd y gweddill o'r nos mewn cyflwr gwael cyn ymlusgo i'r stesion. Gelwais ar feddyg ar unwaith cyn galw'r C.I.D., a rhoddais gwpaned o de i'r truan.

Gwyddai pwy oedd yr ymosodwr ond roedd ofn arno ddweud ar y dechrau; yn y diwedd rhoddodd enw'r ysbeiliwr – Gwyn Jones. Chwiliwyd amdano ond unwaith eto roedd wedi dianc o'i gartref. Ymhen rhai wythnosau, beth bynnag, daliwyd ef yn Henffordd.

Ar ôl treulio cyfnod yn yr ysbyty trosglwyddwyd John Jones i Gartref Cilymaenllwyd yn y Pwll. Nid oedd mewn cyflwr digon da i ddod i'r llys; felly aeth Ynadon Llanelli i Gilymaenllwyd a derbyn ei dystiolaeth wrth ochr ei wely.

Ymddangosodd Gwyn Jones ym Mrawdlys Caerfyrddin ar gyhuddiad o ysbeilio'n dreisgar *(robbery with violence)*. Plediodd yn euog, a dywedodd yr Ustus Salmon wrtho mai dyma'r ymosodiad mwyaf ffiaidd a bwystfilaidd a glywodd amdano ers tro byd. Anfonwyd ef i garchar am bum mlynedd ac yntau ond yn 19 oed.

SYMUD I'R PENCADLYS

Erbyn hyn roedd Pencadlys Heddlu'r Sir wedi symud o Stryd y Brenin i adeilad newydd ym Mharc y Brodyr Llwyd yng Nghaerfyrdddin. Dechreuwyd sôn am gael pencadlys newydd ym 1943, ond roedd hi'n 1954 cyn i'r cynlluniau gael eu cymeradwyo gan y Swyddfa Gartref. W. T. Lloyd oedd y pensaer, yr adeiladydd oedd J. M. Evans, a'r gost oedd £75,000. Roedd yna gynllun hefyd i gael *bowling green* ar gost o £3,000 wrth ochr y pencadlys er adloniant i'r plismyn, ond pan ymddangosodd hyn yn y papurau lleol, codwyd gwrychyn sawl cynghorydd. Un ohonynt oedd Brinley Thomas, Cyngor Gwledig Llanelli; dywedodd y byddai cael plismyn Sir Gaerfyrddin yn chwarae 'roll-a-roll-a-penny-a-pitch' ar draul y trethdalwyr, yn debyg i Nero yn ffidlan tra bod Rhufain yn llosgi! Derbyniodd y Prif Gwnstabl, Mr T. H. Lewis, y gwrthwynebiad ar yr amod bod y cynghorwyr yn cytuno mai unig ddefnydd y tir yn y pen draw fyddai er adloniant i'w blismyn. Felly, rhoddwyd y gorau i'r cynllun ac fe agorwyd y pencadlys newydd yn swyddogol yng Ngorffennaf 1957.

Roedd y Prif Gwnstabl wedi dod i oedran ymddeol yn 65, ond cafodd flwyddyn o estyniad gan y Pwyllgor Cyd-Sefydlog (*Standing Joint Committee*), fel yr oedd yr adeg honno.

Yn Ebrill 1958 daeth dwy swydd yn wag yn Swyddfa'r Prif Gwnstabl a chynghorwyd fi gan y Siwper D. J. Jones i wneud cais am un ohonynt. Nid oeddwn yn awyddus iawn i wneud gwaith gweinyddol ond gan fod fy meistr, D. J., yn fy nghymell, rhoddais fy enw ymlaen. Cynghorwyd fi gan eraill hefyd, a dywedodd un Sarjant profiadol wrthyf, 'Ti'n saff nawr boi, ond i ti ga'l job yn HQ, fydd dim isie i ti weitho byth mwy!'

Cefais wybod fy mod yn llwyddiannus yn fy nghais a symudais i Gaerfyrddin. Am ychydig o amser bûm yn lletya yn 39 Teras Fountain Hall. Flynyddoedd cyn hynny bu'r enwog Mari James, Llangeitho, yn lletya yn y tŷ hwn; cysgai yn yr un ystafell wely, a dywedodd Mari ar goedd un tro bod 'Roy a fi wedi cysgu yn yr un gwely!'

Roeddwn yn awr o dan drwyn y Prif Gwnstabl yn feunyddiol ac ni theimlwn yn gysurus iawn, ond nid y fi oedd yr unig un a deimlai'n nerfus ym mhresenoldeb T. H. Lewis. Er ei fod yn fonheddig iawn, wrth ofyn am rywbeth neu roi gorchymyn, tasgai'r geiriau allan o'i enau, braidd yn debyg i gyfarthiad ci. Ac yr oedd ganddo'r arferiad o ofyn cwestiynau'n ddi-baid wrth gerdded heibio. 'Beth oedd enw duwies yr Ephesiaid?' 'Beth yw ystyr *bully-off*?' Pan na chawsai ateb, 'Ffeindiwch mas' oedd ei ddweud bob tro, a rhaid oedd gwneud hynny a mynd ato gyda'r ateb; nid oedd y gair 'anghofio' yn ei eiriadur.

Yn ogystal â gwneud gwaith gweinyddol cyffredinol, roedd gan bob un ei swydd benodol yn y pencadlys. Y gwaith a gefais i oedd derbyn ceisiadau am dystysgrifau drylliau tanio (*firearms*) fel *rifles*, rifolfers a phistols – roedd yn rhaid i'r rheiny gael sêl bendith y Prif Gwnstabl, yn wahanol i ddrylliau dwy faril *(shotguns)*. Yr adeg honno gellid cael trwydded i gadw'r rheiny o Swyddfa'r Post. Un o'm dyletswyddau eraill oedd cofnodi ystadegau ynglŷn â damweiniau ffordd, ac er mai clerc oeddwn i bob pwrpas, roedd hyn yn fodd i mi ddod i wybod enwau y rhan fwyaf o heolydd a strydoedd trefi a phentrefi Sir Gaerfyrddin ac, yn ddiweddarach, Sir Aberteifi hefyd.

Tra oeddwn yn Swyddfa'r Prif Gwnstabl daeth y cyfle cyntaf i sefyll arholiad ar gyfer ennill cymwysterau Sarjant. Roedd Caerfyrddin ryw 18 milltir o'm cartref a threuliwn bob diwrnod rhydd gartref yn helpu ar y fferm. Pan gâi Dewi'r gwas ei wyliau Calan Gaeaf cymerwn innau fy ngwyliau yr un adeg i fod o help gartref. Cynhaliwyd yr arholiadau dyrchafu yn y Pencadlys yn ystod wythnos y Calan Gaeaf, a'r wythnos honno digwyddodd fy nhad fynd yn sâl, a hynny tra oedd Dewi'r gwas ar ei wyliau. Ddiwrnod yr arholiad codais ynghynt nag arfer i odro, dosbarthu'r llaeth, carthu'r beudyau a'r stabl cyn mynd i Gaerfyrddin i sefyll yr arholiad. Mae'n siŵr i'r weithred dda yma ddod â lwc i mi.

Roedd sibrydion ar led erbyn hyn bod Heddluoedd Siroedd Caerfyrddin ac Aberteifi yn mynd i uno; y gwir oedd y byddai'r Swyddfa Gartref yn mynd i orfodi'r uno oherwydd honiadau a wnaed yn erbyn W. J. Jones, Prif Gwnstabl Sir Aberteifi. Yn Ionawr 1957 cynhaliodd Pwyllgor Cyd-Sefydlog Sir Aberteifi gyfarfod preifat am ddau ddiwrnod i ymchwilio i'r ffordd y câi'r Heddlu ei weinyddu. O ganlyniad gofynnwyd i'r Prif Gwnstabl ymddiswyddo, ond wedi iddo apelio i'r Swyddfa Gartref gostyngwyd y gosb i un o 'gerydd'. O dan bwerau eraill, sut bynnag, dywedodd y Pwyllgor y byddai'n rhaid i'r Prif Gwnstabl ymddeol erbyn Tachwedd y flwyddyn honno.

Cynhaliwyd ymchwiliad gan H. J. Phillimore, CF, i rai agweddau ynglŷn â gweinyddu Heddlu Sir Aberteifi ac yn ôl ei adroddiad, roedd diffyg hyder difrifol yn effeithiolrwydd a gweinyddiaeth y llu yng ngolwg y cyhoedd. O ganlyniad argymhelliad yr Ysgrifennydd Cartref oedd uno gyda Heddlu Sir Gaerfyrddin – yn gwbl groes i ddymuniad y ddau Bwyllgor Cyd-Sefydlog, a phob plismon hefyd.

Ni fyddwn i'n derbyn adroddiad H. J. Phillimore o gwbl; roedd Heddlu Sir Aberteifi lawn mor effeithiol, os nad yn fwy effeithiol, na Heddlu Sir Gaerfyrddin – neu yn wir unrhyw heddlu arall y cyfnod. Barn y mwyafrif oedd mai esgus oedd y cyfan er mwyn gostwng nifer yr heddluoedd oedd yng Nghymru a Lloegr ar y pryd. Beth bynnag, er gwaetha'r holl brotestio, y diwedd fu i'r ddau heddlu uno. Enw'r llu newydd oedd Heddlu Caerfyrddin ac Aberteifi, a daeth i fodolaeth ar 1 Gorffennaf, 1958.

O dan Ddeddfau'r Heddlu, pwyllgor yr heddlu sy'n dewis Prif Gwnstabl, ond o dan y rheolau mewn grym ar y pryd, y Swyddfa Gartref oedd â'r awdurdod i ddewis Prif Gwnstabl cyntaf heddlu newydd, a hynny am y ddwy flynedd gyntaf. Felly, yr Ysgrifennydd Cartref a benderfynodd pwy oedd i arwain Heddlu Caerfyrddin ac Aberteifi, a dewiswyd Mr T. H. Lewis, a hynny am ddwy flynedd. Apwyntiwyd Nathaniel Davies yn ddirprwy iddo, a chan fod cyfrifoldeb ychwanegol wedi disgyn ar ei ysgwyddau ef, cafodd ei ddyrchafu yn Brif Uwch Arolygydd.

Er mai 65 oedd oedran ymddeol Prif Gwnstabl, gan fod T. H. Lewis eisoes wedi cael blwyddyn o estyniad gan bwyllgor Sir Gaerfyrddin, a chael dwy flynedd arall gan yr Ysgrifennydd Cartref o dan y drefn newydd, medrai felly ddal wrth ei swydd hyd nes oedd yn 68 oed, ond ymddeol a wnaeth dri mis cyn ei ben blwydd yn 68.

Wedi uno'r ddau heddlu, yr ofn mwyaf ymhlith y plismyn oedd cael eu trosglwyddo o un sir i'r llall, ond ni fu llawer o anawsterau tra bu T. H. Lewis wrth y llyw.

Roedd fy swyddfa i yn y Pencadlys yn digwydd bod y nesaf i swyddfa'r Ditectif Brif Arolygydd Glynne Jones, Pennaeth y C.I.D. Daethom i adnabod ein gilydd yn dda, a chafodd yntau wybod bod fy niddordeb i yn y C.I.D. mor gryf ag erioed.

Er nad oeddwn yn hoffi gweithio mewn swyddfa, mae'n rhaid i mi gyfaddef 'mod i wedi dysgu llawer oddi wrth y Prif Gwnstabl, yn enwedig beth i'w osod mewn ysgrifen. Ni ellir dadlau ynglŷn â rhywbeth mewn du a gwyn, meddai, yn wahanol i'r gair llafar; gellir dadlau bod y gair llafar wedi ei gamddeall.

T.H. a ddysgodd y ffordd i mi ysgrifennu llythyrau. Roedd ganddo'r ddawn i ateb llythyrau cas a bygythiol yn y fath fodd nes, ymhen rhai dyddiau, byddai'r derbynnydd yn anfon llythyr ato yn ymddiheuro.

Wrth fod yn y Pencadlys o dan drwyn y Prif Gwnstabl, roeddwn hefyd yn agos iawn i'r Dirprwy, ond ni fu ef yn hir iawn cyn i'w iechyd ddirywio. Bu farw o gancr, a chefais innau'r anrhydedd o fod yn un o'r arch-gludwyr yn ei angladd. Claddwyd ef ym Mynwent Eglwys Llanddewi Brefi.

Yn dilyn marwolaeth Nathaniel Davies, dewiswyd fy meistr cyntaf, David John Jones, yn Ddirprwy Brif Gwnstabl, a chydddigwyddiad rhyfedd oedd i minnau gael fy nhrosglwyddo i'r C.I.D. yn Llanelli yr un pryd. Meddyliais lawer wedi hyn fy mod wedi gwneud camgymeriad mawr; pe bawn wedi aros yn y Pencadlys, rwy'n siŵr y buasai 'ffefryn' D. J. Jones wedi cael ei ddyrchafu'n fuan iawn. Ond nid oeddwn mor ddigalon â hynny, achos yr un a benodwyd i gymryd lle D. J. Jones yn Llanelli oedd yr un a arferai gario fy rhif i – Watcyn John – a deuthum i wybod yn fuan iawn fod y rhif '114' yn cyfrif tipyn iddo. Dywedodd wrthyf un dydd, a gwên ar ei wyneb, am ofalu am y rhif gan iddo ddod â lwc iddo ef.

CYRRAEDD Y C.I.D. O'R DIWEDD

Felly, ym mis Medi 1959, ar ôl 18 mis yn y Pencadlys, dyma fi 'nôl yn Llanelli ac yn y C.I.D. yn y Bird-in-Hand – yr Adran yr oeddwn am fod ynddi o'r dechrau. Ychydig a feddyliais y pryd hwnnw mai yn Adran y Ditectifs y treuliwn weddill fy ngyrfa. Y Ditectif Arolygydd Douglas Davies oedd y pennaeth, gydag un Ditectif Sarjant a thri Ditectif Gwnstabl, sef Jim Stephens o'r Tymbl, Dai Walters o Bontyberem, a minnau. Elwyn Davies o Lanybydder, neu 'Jet' gan taw ei enw llawn oedd John Elwyn Teifion, oedd Swyddog Man-y-drosedd a'r Ffotograffydd. Ond y pwysicaf i gyd oedd y teipydd – Miss Madge Jenkins o'r Bynea, ac ymhen amser ychwanegwyd un arall o'r Bynea, Jean Jones –

teipydd eithriadol o gyflym ac un a oedd lawn cystal â chyfrifiadur. Bu Jean wrth y gwaith am 40 mlynedd.

Os oedd yna waith dysgu pan ddechreuais ar y bît yn Llanelli, dyma fi nawr yn ailddechrau dysgu – dysgu gwaith newydd i raddau helaeth. Nid oeddwn yn awr yn gyfyng i reolau caeth fel plismyn yr iwnifform; roedd yma fwy o ryddid. Disgwylid i mi gymysgu ag adar brith y dref oherwydd gan y rheiny yr oedd y wybodaeth am weithgareddau a symudiadau lladron yr ardal. Peth naturiol fyddai i mi dreulio amser mewn tafarndai.

Ddydd Mawrth, 7 Ebrill 1959, diflannodd merch fach chwech oed o Stryd Malefant, Cathays, Caerdydd, a thair wythnos yn ddiweddarach cafwyd ei chorff mewn ceunant dwfn yn ymyl pentref Horeb ger Pum Heol, Llanelli. Ei henw oedd Carol Ann Stephens, a diflannodd o dan drwyn pob un wrth chwarae gyda phlant eraill yn y strydoedd ger ei chartref tua chanol dydd. Roedd hi'n ferch gyfeillgar a siaradus iawn; siaradai â phawb, ac un dydd siaradodd â gyrrwr car ac fe'i cipiwyd.

Er bod pum mis wedi mynd oddi ar y llofruddiaeth, roedd yr ymchwiliadau'n dal yn eu hanterth a dyma'r llofruddiaeth gyntaf y bûm yn gweithio arni. Er yr holl waith, ac er i'r heddlu gyfweld y llofrudd, ni chafwyd digon o dystiolaeth i'w ddwyn gerbron y Llys. Ronald Edward Murray oedd y dyn. Trigai gyda'i wraig a'i fab yn Llansamlet; bu'n gweithio i nifer o gwmnïoedd ac o Ionawr 1951 hyd Ebrill 1952 gweithiodd fel *steel erector* i J & P Zammitt, Atgyweiriwr Simneiau a Staciau yn Llanelli.

Un cyd-ddigwyddiad rhyfedd oedd bod gan J & P Zammitt waith brics yn Horeb, a hwnnw 275 llath union o'r lle y canfuwyd corff Carol Ann Stephens.

Pan lofruddiwyd Carol Ann roedd Murray yn gweithio fel cynrychiolydd i Gwmni Carsons Cyf. gwneuthurwyr siocled yn Shortwood, Bryste. Cafodd gar Morris Minor gan y cwmni a theithiai drwy Dde Cymru. Cariai samplau o siocled yn ei gar, ac nid oes dim yn well na siocled i ddenu plant bach.

O'i holi ynglŷn â'i symudiadau ar y diwrnod pan ddiflannodd Carol Ann, roedd yr heddlu wedi gallu profi bod Murray yn yr union le, yn ystod yr union amser y diflannodd Carol Ann. Yr oedd hefyd yn gwybod am y man diarffordd ger gwaith brics J & P Zammitt, dros 60 milltir i ffwrdd lle daethpwyd o hyd i'w chorff. Roedd hyn i gyd yn ormod o gyd-ddigwyddiad, ond nid yw drwgdybiaeth yn ddigon, mae'n rhaid cael tystiolaeth. Ddydd Sadwrn, 6 Mehefin 1964, priododd Terry Otterski, brawd-yng-nghyfraith Murray. Gwahoddwyd Murray a'i wraig, Della, i'r briodas, ond pan wawriodd y diwrnod mawr, a heb unrhyw esboniad, ni ddaeth yr un o'r ddau yno. Yn ddiweddarach dywedodd Murray eu bod wedi cael cweryl; roedd ef, meddai, wedi prynu gŵn drudfawr i'w wraig ar gyfer y briodas ond gan i Della fynd ati â nodwydd ag edau i newid ychydig arno, dwrdiodd hi. Honnodd i Della golli ei thymer a thorri set o lestri cinio, ond ni chredai unrhyw un a oedd yn adnabod Della y stori o gwbl.

Yn anffodus, ni chafodd Della gyfle i ddweud wrth ei brawd ei hochr hi o'r stori. Roedd Terry a'i wraig newydd ar eu mis mêl yn Bournemouth, a phan ddychwelodd y ddau wythnos yn union yn ddiweddarach, roedd Della wedi marw'r bore hwnnw, a hynny o dan amgylchiadau amheus iawn.

Yn ystod oriau mân y bore, dihunodd Murray a gweld nad oedd Della wedi dod i'r gwely. Cododd yntau ac aeth i'r lolfa. Roedd arogl cryf o nwy yn yr ystafell, ac ar ei chefn ar y llawr gwelodd Della gyda'i dwylo'n dal clustog dros ei hwyneb. Gwelodd fod tân nwy'r ystafell wedi diffodd ond y nwy yn arllwys ohono. Aeth i'r toiled a chaeodd y tap lle roedd y cyflenwad nwy yn dod i'r tŷ. Bu Della farw o effeithiau'r nwyon.

Cafodd Murray a'i fab eu cyf-weld gan yr heddlu. Gan mai plentyn oedd y mab bu'n rhaid ei holi ym mhresenoldeb ei dad, a dyma'r hyn a ddywedodd y ddau:

Roedd stof a ffwrn nwy yng nghegin y cartref a thân nwy yn y lolfa ac, yn ôl Murray, bu yna chwarae a thynnu coes rhyngddo ef a'i fab. Gofynnai Murray i'w fab gynnau'r cylch nwy ar y stof a rhoi'r tegell i ferwi. Yna er mwyn ychydig o hwyl yn unig, âi Murray yn ddistaw bach a heb yn wybod i'w fab, i'r toiled a throi'r cyflenwad nwy ymaith. Yna gofynnai i'r plentyn a oedd y tegell wedi berwi a thynnai ei goes am fethu cynnau'r stof yn iawn. Âi Murray allan i'r toiled wedyn, eto heb yn wybod i'w fab, agor y cyflenwad nwy a chynnau'r stof ei hunan gan dynnu coes ei fab unwaith eto.

Cyn hir, dechreuodd y mab chwarae'r un triciau â'i dad. Yna dechreuwyd chwarae'r un triciau â'r fam pan fyddai'n cael ychydig o gwsg o flaen y tân nwy yn y lolfa. Wrth ddiffodd y cyflenwad nwy yn y toiled, diffoddai'r tân yn y lolfa a dihunai Della ymhen amser gan deimlo'n oer drosti. Dim ond ychydig o sbort diniwed. Ond trodd y chwarae'n chwerw.

Y noson cyn iddi farw, roedd Della'n gwnïo yn y lolfa a'r tân nwy ynghyn. Aeth y mab i'r toiled, diffodd y cyflenwad nwy a mynd i'r gwely ond wedi iddo fynd i'w wely cofiodd mai ei fam fyddai'r gyntaf i godi trannoeth. Gan feddwl ei bod wedi mynd i'r gwely, cododd ac aeth i'r toiled a throi'r cyflenwad ymlaen. Ond roedd Della wedi syrthio i gysgu ar y soffa a'r tap nwy ar agor yn y tân. Dihangodd y nwy gan lenwi'r ystafell a bu hithau farw.

Pan glywyd yr hanes yma, roedd y bobl hynny a oedd wedi dod i adnabod Murray yn dda yn drwgdybio ei fod wedi cynllwynio'r holl beth i gael gwared ar Della. Roedd Murray yn ddyn mor gyfrwys â hynny. Yn y cwest ar farwolaeth Della y ddedfryd oedd 'marwolaeth ddamweiniol'. Claddwyd hi ym Mynwent Coedgwilym, Trebannws; mae carreg ar ei bedd â'r geiriau canlynol yn amlwg '. . . who died accidentlly' [sic].

Mae dros ddeugain mlynedd wedi mynd heibio ers marwolaeth Della ond mae ei brawd, Terry, yn dal i gysylltu â mi yn awr ac yn y man. Nid oes unrhyw amheuaeth ganddo pwy oedd yn gyfrifol am farwolaeth ei chwaer na chwaith Carol Ann Stephens.

YSGOL BROFIAD – A THIPYN O LWC

Ym mis Mai 1960 anfonwyd fi am ddeng wythnos ar gwrs C.I.D. i le o'r enw Mill Meece yn Swydd Stafford. Dyma'r cwrs mwyaf cystadleuol y bûm arno erioed; y rhan fwyaf ohonom newydd ddechrau yn y C.I.D. ac yn awyddus i gael canlyniadau da mewn profion a gaem bob wythnos. Roedd hi'n rhy bell i ddod adref dros y penwythnosau, a threuliais bob awr hamdden yn astudio. Talodd hyn y ffordd yn sicr gan i mi ddod yn gydradd ail yn yr arholiadau terfynol.

Yn ystod yr amser y bûm i ffwrdd, cyhoeddodd y Prif Gwnstabl T. H. Lewis ei fod yn ymddeol ddiwedd Mehefin. Rai blynyddoedd cyn hyn cawsai ef a'i wraig ergyd ofnadwy; cymerwyd eu hunig blentyn, eu merch, yn sâl yn sydyn iawn yng Nghaerdydd. Rhuthrwyd hi i'r ysbyty ond bu farw'n fuan iawn. Dywedodd y *Chief* wrth un o'i uwch-swyddogion yn ddiweddarach, ei fod wedi mynd allan i Barc y Rhath, nid nepell o'r ysbyty, pen-glinio wrth sedd, a gweddïo. *'But,'* meddai, *'it was no good.'* Meddyg oedd ei ferch a gadawodd ddau o blant bach ar ei hôl.

Dair wythnos cyn iddo ymddeol bu'r Prif Gwnstabl, ei wraig, ei ŵyr a'i wyres, mewn damwain ddifrifol ar ffordd osgoi Pen-y-bont ar Ogwr pan oeddent ar daith i Gaerdydd. Roedd tri char yn y ddamwain; Victor Capel a'i wraig, Rita, oedd yn un o'r ceir, ac yn drist iawn lladdwyd Rita. Ond er gwaethaf y ddamwain erchyll, ni niweidiwyd T. H. Lewis o gwbl, na chwaith ei wraig na'r ddau blentyn. Roedd hi'n rhyfedd iddo ddioddef dwy ergyd ofnadwy ar ddiwedd gyrfa ddisglair iawn.

Yn y blynyddoedd cynnar hyn yn y C.I.D. dysgais lawer gan y Ditectif Inspector Douglas Davies, a rhoddai ef bwyslais mawr ar feithrin hysbysyddion *(informants)*. Dyma un o'r arfau cryfaf ym meddiant yr heddlu i ymladd troseddau. Ond roedd yna sgiliau i'w dysgu er mwyn trafod hysbysyddion. Heddiw mae yna ganllawiau cyfyng y mae'n rhaid eu dilyn; mae'r hysbysyddion heddiw yn cael eu cofrestru – rhywbeth sy'n anodd i mi ddeall gan fod enwau'r hysbysyddion ar gael, wedyn, i lawer i'w gweld. Yn fy amser i, y rheol euraidd oedd cadw'n gyfrinach hollol pwy oedd yr hysbysydd mewn achos; ni fuaswn yn datgelu fy hysbysydd i neb, nid hyd yn oed i'm cyd-swyddog agosaf, mewn unrhyw achos. Yn wir, cefais fy nysgu gan Douglas Davies i

Ar gwrs hyfforddiant y C.I.D. yn Swydd Stafford. Fi yw'r un ar y dde yn y rhes gefn

beidio datgelu i fy llaw chwith beth oedd fy llaw ddehau yn ei wybod. Rhaid oedd gwarchod yr hysbysydd yn llwyr, a fwy nag unwaith euthum cyn belled â gadael lleidr heb ei arestio er mwyn diogelu bywyd yr hysbysydd. Rheol anysgrifenedig arall oedd mai 'hysbysydd un dyn' oedd pob un ohonynt; unwaith y dechreuai hysybysydd roi gwybodaeth i fwy nag un ditectif, yna dyna fyddai dechrau ei ddirywiad.

Synnwn a rhyfeddwn at wybodaeth eang Doug y D.I. o'r dref a'i chymeriadau. Pan gâi siop neu dŷ ei ysbeilio âi Doug allan o'i swyddfa am awr neu ddwy a dychwelyd gyda'r wybodaeth am y lladron. Ond gwelais, wedi rhai blynyddoedd, fod yr 'arch glecwyr' yn fwy parod i roi'r wybodaeth i'r bòs nag i'r ditectifs a weithiai tano. Talai hyn y ffordd iddynt oherwydd gan y pennaeth fyddai'r awdurdod i wneud 'ffafr' â hwy. Wedi marw hysbysydd pennaf Doug, ac wedi iddo yntau ei hun ymddeol, datgelodd i mi pwy oedd ei hysbysydd gorau. Coeliwch neu beidio – y Tad Catholig!

Felly, gweithiais yn galed iawn o'r dechrau er meithrin hysbysyddion, gan gofio cynghorion y D.I. Gydag amser deuthum innau i adnabod holl ladron Llanelli yn ogystal â nifer o ladron Abertawe a deithiai i Lanelli i gyflawni troseddau. Deuthum i wybod am eu symudiadau, eu harferion a'u ffrindiau. Ac er mai pobl o gymeriad amheus oeddent, gwelais yn fuan iawn ei bod yn talu'r ffordd i fod yn hollol onest â hwy. Oherwydd, os oeddwn i wedi dod i'w hadnabod hwy, roeddent hwythau hefyd wedi dod i'm hadnabod innau.

Proses araf ydoedd ond, wedi rhai blynyddoedd, os oedd gennyf gryfder o gwbl, y cryfder hwnnw oedd y nifer o hysbysyddion oedd gennyf. Ond roedd yna arfau eraill gennym, wrth gwrs, ac roedd adnoddau technolegol yn ddefnyddiol iawn. Dyma un enghraifft.

Cefais gŵyn un tro fod glanhawraig mewn un tŷ crand yn dwyn arian, symiau bychain, fel papur punt neu bapur chweugain o fag llaw gwraig y tŷ. Ond anodd iawn yw adnabod arian wedi ei ddwyn. Arian yw arian, ac anodd yw gwahaniaethu rhwng un darn papur a'r llall, heblaw bod rhif y papur wedi ei nodi.

Ond roedd yna ffordd i drin arian papur er mwyn ei adnabod. Y dull yr adeg honno oedd gosod powdr ar y papur, powdr a ddatblygwyd gan y labordai fforensig o'r enw *malachite green*. O'i osod ar yr arian papur, byddai'n anweledig i'r llygad ond byddai'n glynu wrth y chwys ar ddwylo'r lleidr. Byddai hefyd yn troi'n wyrdd ac yn gwasgaru a lledaenu dros y dwylo i gyd ac ar ddillad. Hefyd, wrth geisio ei olchi o dan tap dŵr, byddai'r gwyrddni'n llifo dros yr holl badell.

Heb ddangos fy hun yn y tŷ, rhoddais gyfarwyddyd i'r wraig sut i drin yr arian papur a hynny heb gyffwrdd â'r powdr ei hun ond arllwys mymryn ohono ar bapur punt a phlygu'r papur fel na ddôi'r powdr i gysylltiad â dim arall.

Gosodwyd y trap ac, yn wir, fe gefais yr alwad ffôn ddisgwyliedig. Dywedais wrth y lladrones am olchi ei dwylo, a dyma'r sinc bron i gyd yn troi'n wyrdd. Cyfaddefiad hawdd.

Roedd y *malachite green* wedi creu argraff dda ar wraig y tŷ a gofynnodd i mi eto am gael ychydig ohono gan fod glanhawraig arall gyda hi yr oedd yn ei drwgdybio. Rhoddais ffiol fechan o'r powdr iddi gyda'r un cyfarwyddiadau. Ond, mewn gwirionedd, nid y lanhawraig oedd ei phroblem y tro hwn; yr hyn roedd hi'n ei ddrwgdybio oedd bod cariad gan ei gŵr!

Un noson, pan oedd ei gŵr yn gwisgo ac yn paratoi i fynd allan, arllwysodd y wraig gynnwys y ffiol i gyd a'i wasgaru ar seddau blaen a seddau cefn ei gar. Safodd ar lawr i ddisgwyl ei gŵr adref, a dyma'r 'dyn gwyrdd' yn cyrraedd; ei wyneb, ei wallt a'i ddillad i gyd yn wyrdd, ac mae'n debyg fod ei wejen, hefyd, wedi troi'n wyrdd ac wedi cadw o olwg pawb am rai wythnosau!

Rhoddais gerydd i wraig y tŷ am gamddefnyddio'r adnodd, ond troi'r cyfan yn jôc a wnaeth hi, a bu raid i minnau chwerthin pan ddywedodd fod pants ei gŵr, hefyd, wedi troi'n wyrdd. Gofynnais innau'n gellweirus, 'Wel sut ar y ddaear aeth y *malachite green* ar ei bants?' A'r ateb, 'Roedd yn rhaid nad oedd ganddo din i'w drowser.'

Ar ysgwyddau'r ditectifs mwyaf profiadol y disgynnai'r cyfrifoldeb o ddelio â materion difrifol yn oriau'r nos pan na fyddai'r D.I. ar gael. Gydag amser, wedi'r 'brentisiaeth', daeth fy nhro innau i fod 'ar gael', a'r tro cyntaf i mi gael fy ngalw o'r gwely oedd tuag un o'r gloch y bore ychydig cyn y Nadolig. Roedd rhywun wedi torri i mewn i gantîn Gwaith Glo'r Morlais yn Llangennech, a theimlwn braidd yn nerfus wrth feddwl y gwnawn gamdrafod yr achos. Ond, sôn am lwc y dechreuwr! Dywedodd y gwyliwr nos wrthyf fod sigaréts a thybaco wedi eu dwyn yn ogystal â nifer fawr o dywelion ar gyfer y *pit-head baths*, a thynnodd fy sylw at dwll mewn siten asbestos yn y nenfwd. Amlwg ydoedd mai drwy'r twll hwnnw y daeth y lleidr i mewn. Yr oedd ffrâm o *angle iron* yn cynnal y to a gwelais fod yna ddarn o ddefnydd yn glynu wrth yr haearn. Dringais ysgol i gyrraedd y defnydd a gwelais mai poced gyfan ydoedd. Roedd rhai o'r siacedi rhrataf yr amser hwnnw heb leinin iddynt ond gyda phoced wedi ei gwnïo y tu mewn i'r siaced. Rywfodd, wrth i'r lleidr ddisgyn, roedd y boced wedi cydio yn yr *angle iron* ac wedi rhwygo'n rhydd. Y tu mewn i'r boced yr oedd llythyr o swyddfa'r *dole* yn Rhydaman ac enw a chyfeiriad ar yr amlen!

Euthum fel saeth am Rydaman ac i dŷ teras ym Mhantyffynnon; deuthum â'r car i stop yr ochr arall i'r heol a cherdded at ddrws ffrynt y tŷ. Wrth i mi roi cnoc ar y drws agorwyd ef; yn wir bûm bron â syrthio i mewn. Roedd y gŵr ifanc wedi synhwyro pwy oeddwn wrth i'r car ddod i stop ac nid oedd am i'w rieni glywed. Cyfaddefodd ar unwaith a dywedodd, ar ôl torri i mewn i'r lle, iddo lapio'r eiddo i gyd mewn un o'r tywelion mawr a cherdded a'r 'sach' fawr ar ei gefn, fel rhyw Siôn Corn, ar hyd y rheilffordd o Langennech, heibio i Bontarddulais a'r holl ffordd i Bantyffynnon, pellter o tua 12 milltir, gan gyrraedd ei gartref funudau yn unig o'm blaen. Roedd y sigaréts, y tybaco a'r tywelion i gyd wedi eu cuddio y tu ôl i setî yn yr ystafell ffrynt, a methai'n lân â deall sut yr oeddwn wedi dod o hyd iddo mor fuan. Ni allai gredu'r fath anlwc pan ddywedais wrtho ei fod wedi gadael ei enw a'i gyfeiriad ar ôl ym man y drosedd!

Erbyn i'r Siwper Watcyn John gyrraedd ei swyddfa'r bore hwnnw roedd adroddiad llawn ar ei ddesg a'r carcharor yn ei gell yn barod i'w ddwyn gerbron yr ynadon. Lwc a ddaeth â llwyddiant i mi yn yr achos hwnnw, nid gallu.

Ymhob heddlu mae yna blismyn 'lwcus' a phlismyn 'anlwcus' cyn belled ag y mae datrys troseddau yn y cwestiwn, a pherthyn i'r dosbarth cyntaf roeddwn i. Nid wyf yn dweud am un funud ein bod yn well plismyn o gwbl, ond chwaraeodd lwc ran fawr yn fy llwyddiant i ddatrys troseddau. Yn wir, trwy lwc a damwain y llwyddwn yn aml iawn, a phan ddeuthum ar draws y gair Saesneg *serendipity* – a deall mai ei ystyr oedd 'y ddawn neu'r gallu i ddarganfod rhywbeth annisgwyl ar ddamwain', sylweddolais i hyn fod yn nodweddiadol o'm gyrfa am gyfnod helaeth. Ond gwelais fod pob achos yn wahanol ac nid oedd diwedd ar ddysgu.

Wedi sôn am hysbysyddion a dyfeisiadau technegol, mae 'na un 'arf' arall defnyddiol iawn i sôn amdano – gwragedd â 'phumed synnwyr'! Mor llygatgraff yw ambell fenyw – yn llawer mwy sylwgar a chraff na dyn. Yn y cyfnod rwy'n sôn amdano nid oedd teledu mewn cartrefi ac nid oedd y gwragedd yn mynd allan i weithio. 'Gwraig tŷ' oedd menyw briod yng ngwir ystyr y geiriau, ac mewn tref fel Llanelli, gwelid nifer o wragedd tai, yn enwedig gwragedd y tai teras, wedi iddynt orffen eu gwaith tŷ, yn eistedd yn yr ystafell ffrynt yn gwylio'r byd yn mynd heibio ac yn sylwi ar bawb a phopeth. Dyma ffynhonnell wybodaeth arbennig o dda.

Un tro cefais gŵyn fod rhywun wedi torri i mewn i dŷ yn weddol agos i stesion y rheilffordd ac wedi dwyn arian a oedd wedi ei guddio o dan fatras gwely. Gwraig weddw oedd yn byw yno gyda'i merch; galwaf i hi'n 'Dilys'. Gweithiai Dilys mewn ffatri yn y dref ac yr oedd newydd briodi â dyn o Southampton. Treuliai hwnnw dri diwrnod yn Llanelli a gweddill yr wythnos yn Southampton gan mai ei waith oedd dosbarthu ceir Renault, ceir a fewnforiwyd o Ffrainc, trwy borthladd Southampton, i orllewin Cymru.

Cnociais ar bob drws yn y stryd am unrhyw wybodaeth, galwyd fi i mewn i ambell gartref; cawn fwy o groeso gan rai menywod na'i gilydd, rhai yn fwy parod i fynegi barn nag eraill.

Wedi siarad am dipyn mewn un tŷ dywedodd y wraig wrthyf, gan gyfeirio at y dosbarthwr ceir o Southampton, 'Rwy'n siŵr bod hwnna'n *bigamist*'. Pan ofynnais iddi pa reswm ar y ddaear oedd ganddi dros feddwl hynny, meddai, 'Sai'n gwbod, jyst meddwl, a wy'n siŵr 'mod i'n iawn, ond peidwch gweud bo fi'n gweud.'

Roeddwn wedi cael profiadau fel hyn o'r blaen, menywod yn dyfalu, heb unrhyw dystiolaeth, dim ond fod ganddynt y 'teimlad' ac yn profi eu hunain yn hollol gywir. Atebodd ditectif gwnstabl profiadol y ffôn ym Mhencadlys Southampton a gofynnais iddo a oedd yn digwydd adnabod dyn o'r enw Raymond George Sharland. Atebodd ar unwaith ei fod yn ei adnabod yn dda a rhoddodd ddisgrifiad ohono. 'Gŵr priod,' meddai, 'ac un ferch ganddo!' Beth sydd gan fenyw nad oes gan ddyn, dywedwch?

Arestiwyd Sharland ac euthum innau i'w gyrchu o Southampton. Cyfaddefodd, nid yn unig ei fod wedi mynd trwy ffurf o briodas gyda Dilys yn Llanelli trwy ddweud mai gŵr gweddw ydoedd, ond cyfaddefodd hefyd iddo ddwyn yr arian a thorri clo drws ffrynt y tŷ er mwyn rhoi'r argraff mai gwaith rhywun o'r tu allan ydoedd.

Sioc ryfeddaf a gefais yn Llys Chwarter Caerfyrddin pan ymddangosodd Sharland o flaen y Barnwr Trevor Morgan. Ni allai Trevor Morgan fod yn llym wrth unrhyw droseddwr; gwelais ef sawl tro yn gosod troseddwr ar brawf gan ei rybuddio mai carchar fyddai ei ffawd y tro nesaf. Ond pan ddôi'r 'tro nesaf' chwiliai am esgus i beidio â'i anfon i garchar, ac fe gâi ei roi ar brawf eto.

Y gosb arferol mewn achosion o ddwywreiciaeth oedd cyfnod hir o garchar, saith mlynedd yn aml iawn. Ond gan nad oedd plant wedi eu geni o'r uniad, meddai'r Barnwr, ni theimlai y dylid ei anfon i garchar. Cafodd Sharland ei ryddhau'n amodol am ddwyn yr arian, ond anodd yw coelio hyn – ei gosb am ddwywreiciaeth oedd dirwy o £30!

Ond fe ddywedodd un wàg fod y gosb yn hen ddigon gan fod dyn sy'n cyflawni'r fath drosedd eisoes wedi cael cosb ddigonol, hynny yw, cael dwy fam-yng-nghyfraith!

TROEON TRWSTAN A PHROFIADAU TRIST

Cymysg yw profiadau pob ditectif, rwy'n siŵr – rhai pethau'n peri chwerthin wrth gofio amdanynt, ac eraill yn achosion trist sy'n aros yn hir yn y cof.

Cawn orchymyn i fynd i gyrchu ambell leidr a fyddai wedi troseddu yn Llanelli ac yna dianc ymhell o'r dref. Bûm ar nifer o'r teithiau yma, a chawn fy rhybuddio, pe dihangai'r carcharor o fy ngafael ar y daith, dyna fyddai fy niwedd yn y C.I.D. Felly euthum i'r eithaf bob tro i atal y carcharor rhag dianc. Un hen dric ganddynt oedd gofyn am fynd i'r toiled pan fyddai'r trên ar stop mewn gorsaf, a bu'n embaras llwyr i lawer plismon wrth iddynt orfod dod yn ôl yn waglaw. Rwy'n cofio'n iawn am un tro gan fy mod wedi fy rhoi mewn cornel nad oeddwn y pryd hwnnw am sôn amdano. Es ar y trên i Bognor Regis i gyrchu carcharor i Lanelli. Ar y ffordd 'nôl, a chyffion amdano – ei arddwrn dde ef ynghlwm wrth fy arddwrn chwith i, bu'n rhaid i ni newid trên yn Reading, ac wrth sefyll am drên Abertawe, dywedodd y carcharor ei fod am fynd i'r tŷ bach. Gwrthodais. Gofynnodd eto, a gwrthodais. Gofynnodd sawl gwaith, a minnau'n gwrthod oherwydd ofnwn ei fod yn mynd i ddianc. Yn y diwedd, bygythiodd lanw ei drywsus, ac ildiais innau. Ond roeddwn yn benderfynol nad oeddwn yn mynd i dynnu'r cyffion yn rhydd.

Hoffwn pe byddai yna ffordd fwy urddasol i adrodd yr hanes, ond beth bynnag am hynny, dyma'r olygfa. Safwn, gyda'm braich chwith ynghlwm wrth ei arddwrn dde, yn estyn i mewn i'r ciwbicl, fy nghorff hanner y tu mewn a hanner y tu allan i'r drws, fy nhrwyn yn sicr y tu allan, ac yntau'n eistedd ar yr orsedd ac yn y diwedd yn fy rhegi wrth iddo gael ei orfodi i gyflawni'r gwaith papur â'i law chwith!

Yn y cyfnod hwn roedd hi'n warth i eni plentyn gordderch, a byddai ambell ferch am guddio'i chyflwr oddi wrth ei rhieni a phawb arall, ac yn chwilio am ffordd i waredu'r baban yn y groth. Roedd rhai menywod ar gael i gyflawni erthyliadau anghyfreithlon; rhai ohonynt â phrofiad nyrsio.

Roeddwn yn swyddfa'r C.I.D. yn hwyr nos Wener, 10 Tachwedd 1961, pan ganodd y teliffon. Neges oddi wrth feddyg o Ysbyty Ganolog Middlesex yn dweud bod menyw 24 oed, cyfeiriaf ati fel 'Eirwen', wedi marw yn yr ysbyty ychydig oriau cyn hynny. Achos y farwolaeth oedd *generalised peritonotis due to septic abortion'*. Dywedodd y meddyg mai *slippery elm bark* a ddefnyddiwyd yn y llawdriniaeth anghyfreithlon. Roedd y ferch yn wreiddiol o ardal Caerfyrddin ond erbyn hyn yn gweithio yn Llundain ac yn byw yn Willesden.

Wedi iddi gael ei derbyn i'r ysbyty, ac ychydig oriau cyn iddi farw, dywedodd ei bod wedi cael ei hun yn feichiog rai wythnosau cyn hynny. Roedd hi am waredu'r baban ac aeth at ffrind iddi yng Nghymru, un a oedd wedi cael erthyliad ei hunan gan fenyw yn Llanelli, a chynghorodd honno iddi fynd at yr un fenyw. Ni wyddai enw'r fenyw a gyflawnodd y weithred arni na'i chyfeiriad. Yr unig wybodaeth a gefais gan y meddyg oedd bod y fenyw a gynghorodd Eirwen yn byw 'naw milltir o Lanelli'.

Gelwais ar Doug Davies gan mai'r Ditectif Inspector fyddai'n ymdrin ag achosion difrifol fel yma; ond nid oedd llawer o wybodaeth ar gael i arwain at y droseddwraig. Roedd 'naw milltir o Lanelli' yn ardal go fawr! Ni wn hyd y dydd heddiw sut y daeth y D.I. i wybod, ond ymhen deuddydd roedd e'n cyf-weld y fenyw, athrawes ysgol gynradd, yn ei swyddfa.

O ganlyniad i'r cyfweliad hir, cafwyd gwarant i archwilio cartref Violet Jenkins yn Stryd Fawr, y tŷ hwnnw lle arferwn fynd â manylion am eiddo wedi ei ddwyn pan ddechreuais yn y C.I.D! Aeth Jim Stephens a minnau yno gyda'r D.I. yng nghwmni Elsie'r blismones, a rhoddwyd y cyhuddiad i Violet Jenkins, ond gwadu'r cyfan a wnaeth.

Wrth archwilio'r tŷ daeth Jim Stephens o hyd i lyfr argyhuddol – *Doctor's Talk To Women*, ac yn y cwtsh dan staer roedd basged yn hongian wrth fachyn o'r nenfwd a phan dynnais y fasged i lawr gwelais rywbeth mewn bag papur ynddo. Roedd cynnwys y bag yn arogli'n rhyfedd, rhywbeth nad oeddwn wedi ei arogli erioed o'r blaen, rhyw arogl siarp, anodd ei ddisgrifio, oedd yn crafu cefn fy ngwddf.

Nid oedd unrhyw syniad gennyf beth ydoedd ond gwyddai'r D.I. yn iawn. Edrychodd Doug ar Violet Jenkins a phan ddywedodd wrthi, 'Slippery elm bark yw hwn,' gwelwodd ei hwyneb ond gwadodd unrhyw beth i'w wneud ag erthylu unrhyw fenyw. Arestiwyd hi ar ddrwgdybiaeth o ddynladdiad.

Ni allai'r athrawes ysgol ddweud bod Eirwen wedi bod yn y tŷ, ei chyfeirio at y lle yn unig wnaeth hi. Felly rhaid oedd profi, rywfodd, bod Eirwen wedi bod yno. Ond sut? Chwiliwyd y lle am olion bysedd gan ganolbwyntio ar y soffa o dan ffenest y gegin. Yno, yn ôl yr athrawes ysgol, y byddai'r lle mwyaf tebygol i Eirwen gael y 'driniaeth', a daeth 'Jet' Davies, Swyddog Man-y-drosedd, o hyd i olion bysedd ar sil y ffenest. Nid olion bysedd Violet Jenkins oeddent na rhai ei gŵr, chwaith, na rhai'r athrawes. Roedd safle'r olion yn dynodi llaw rhywun yn dal wrth sil y ffenest wrth orwedd ar y soffa.

Roedd yn rhaid cael olion bysedd Eirwen a chafwyd caniatâd y Crwner i wneud hynny. Ni wnaf fanylu sut y cymerwyd olion ei bysedd a hithau'n gorwedd mewn arch; ond un o'r gorchwylion gwaethaf a ddaeth i'm rhan erioed oedd cynorthwyo 'Jet' Davies wrth y gwaith. Beth bynnag, profwyd mai olion bysedd Eirwen oedd ar sil y ffenest, ac roedd hynny'n ddigon o dystiolaeth i ddwyn achos yn erbyn Violet Jenkins.

Erbyn iddi gael ei chyhuddo'n ffurfiol, roedd Violet Jenkins wedi cyfaddef y cyfan gan ddweud iddi dderbyn £3.10s.0d gan yr athrawes ysgol am ei gwasanaeth, a £5 gan Eirwen. Roedd tri chyhuddiad yn ei herbyn; lladd Eirwen yn anghyfreithlon; defnyddio offeryn arni gyda'r bwriad o achosi erthyliad a chyhuddiad tebyg ynglŷn â'r athrawes.

Ymddangosodd Violet Jenkins gerbron yr Ustus Howard ym Mrawdlys Caerfyrddin ddydd Gwener, 14 Rhagfyr 1961. Pleidiodd yn ddieuog i'r cyhuddiad o ddynladdiad; Breuan Rees, bargyfreithiwr profiadol a huawdl iawn oedd yn ei chynrychioli a dywedodd ef nad oedd y diffynnydd wedi bwriadu lladd ac yr oedd hi wedi siarsio Eirwen i fynd at feddyg yn union wedi dychwelyd i Lundain. Pe byddai wedi gwneud hynny, byddai popeth yn iawn, meddai. Wedi trafodaeth hir, ac ni allwn ddeall hyn o gwbl, gollyngwyd yr achos o ddynladdiad yn ei herbyn. Plediodd yn euog i'r ddau gyhuddiad arall a dywedodd y Barnwr pe byddai yna dystiolaeth ei bod yn erthylwraig broffesiynol, y cawsai ei charcharu am gyfnod hir. Nid oedd unrhyw dystiolaeth i ddangos hynny; derbyniwyd nad taliadau oedd yr arian a gafodd gan y ddwy fenyw ond 'cydnabyddiaeth'. Felly, ei chosb oedd dirwy o £50, a'r arian i'w dalu fesul £1 yr wythnos, ac os na thalai'r arian, naw mis o garchar fyddai'n dilyn.

Un o'r achosion tristaf erioed i mi oedd achos y ferch ifanc 23 oed a alwaf yn 'Ceri', merch ddeallus a pheniog, oedd yn byw gyda'i rhieni a'i brawd, 16 oed, a'i mab dwy flwydd oed ei hun, mewn tŷ *prefab* ar gyrion tref Llanelli.

Un noson, a'r tad yn y gwaith a'r fam wedi mynd allan, aeth y ferch i'r sinema – y tro cyntaf iddi fynd allan ers peth amser. Gadawyd ei bachgen bach yng ngofal ei brawd ac yr oedd y bychan, fel pob plentyn o'r oedran yma, yn brysur iawn yn chwilio pob man, yn agor cypyrddau ac yn tynnu sosbannau allan ac ati. Câi wneud fel y mynnai, i raddau, gan fod brawd Ceri wrthi yn gwneud ei waith ysgol. Wedi ysbaid o dawelwch, aeth y bachgen ysgol i weld beth oedd yr un bach yn ei wneud yn ystafell wely ei fam. Gwelodd ei fod wedi tynnu bocs *vanity* o dan y gwely ac wedi agor y clawr. Roedd llythyrau a phapurau wedi eu tynnu allan o'r bocs, ac yr oedd ar fin gosod y llythyrau a'r papurau yn ôl i'w lle pan welodd ddilledyn â staen gwaedlyd arno yn y bocs. Ac och! Yr olygfa! Gwelodd fraich baban o dan y dilledyn. Ni fedrai gredu ei lygaid a bu am hir amser yn ceisio darbwyllo ei hun mai doli ydoedd.

Yn y diwedd dyma'r bachgen yn rhedeg nerth ei draed i'r ciosg agosaf ac yn ffonio ei dad. Ni chredodd hwnnw fod y fath beth yn bosib, ac mewn panig llwyr rhoddodd wybod i'r heddlu, ac erbyn i Dai Walters a minnau gyrraedd, roedd y tad wedi cyrraedd adref hefyd. Roedd y bachgen 16 oed yn eistedd wrth fwrdd a'i ben yn ei ddwylo. Aethom i'r ystafell wely a dyna lle roedd bocs *vanity* ar y llawr wrth ochr y gwely, y clawr ar agor a chorff baban y tu mewn.

Es innau ati i gymryd manylion y bobl oedd yn byw yn y tŷ, ac nid gwaith hawdd oedd hynny gyda'r tad yn wylo a'r bachgen ysgol mewn cyflwr ofnadwy. Pan ofynnais i'r bachgen am ei enw a'i ddyddiad geni, atebodd y tad drosto ac ar yr un pryd, bloeddiodd ei dad, 'R'un man iddo gael gwybod, nid fi yw ei dad iawn!' a chan nesu at y bachgen, ychwanegodd yn ei glust, 'Nid fi yw dy dad iawn er dy fod wedi credu hynny erioed.'

Cefais fy syfrdanu, a theimlwn hefyd yn euog gan mai fy nghwestiynau i oedd wedi arwain at y datganiad. Dywedais wrth y tad na ddylai fod wedi dweud y fath beth, ond ei ateb oedd, 'Roeddwn yn mynd i ddweud wrtho pan fyddai'n un ar hugain oed, ond 'run man iddo gael gwybod nawr, iddo gael ei broblemau i gyd gyda'i gilydd.' Ac ailadroddodd hynny mewn llais uchel wrth y bachgen.

Yna gwelsom fws yn aros heb fod ymhell o'r tŷ a Ceri'n dod adref. Croesawodd ni â gwên ond wedi gweld pwy oeddem a beth oedd ein hymchwiliad, gwelwodd ei hwyneb; bu bron iddi lewygu a bu raid i ni ei chynnal pan ddywedwyd wrthi ein bod yn ei harestio ar ddrwgdybiaeth o lofruddio.

Ar ôl galw meddyg i'w harchwilio a chael ei bod yn holliach, cafodd ei chyf-weld. Dywedodd mai hi oedd mam y bachgen dwyflwydd ond gwrthododd ei chariad ei phriodi gan wadu mai ef oedd y tad. Magodd y baban ei hunan a bu'n rhaid iddi weithio i gynnal y plentyn. Yna, cafodd ei hun yn feichiog unwaith yn rhagor. Roedd arni ofn dweud wrth unrhyw un, a gwadodd y cariad yma, hefyd, mai ef oedd y tad. Cadwodd i fynd at ei gwaith yn ddyddiol ac er mwyn peidio 'dangos' gwisgai ddillad â strapen lydan wedi ei thynnu'n dynn am ei chanol, mor dynn fel yr oedd mewn poenau diddiwedd, nid yn unig wrth ei gwaith ond hefyd wedi dod adref tra byddai o fewn golwg ei rhieni. Yr unig ryddhad o'r poenau a gâi oedd yn ei gwely.

Aeth y misoedd yn eu blaen heb unrhyw gyngor na gofal

meddygol iddi. Cadwai'r cyfan iddi ei hun. Yna, un noson, a hithau yn ei gwely a'r amser wedi dod i'r baban ddod i'r byd, teimlodd boenau erchyll tua dau o'r gloch y bore; cododd o'r gwely a mynd i'r tŷ bach, ac yno y ganwyd y baban.

Aeth y cyfweliad ymlaen am oriau tra torrai'r ferch i lawr yn awr ac yn y man cyn ailafael ynddi ei hun wrth i ninnau geisio ei chysuro. Dywedodd iddi ddal y baban wrth iddo gael ei eni ond ei fod yn farw. Ni allai unrhyw un ddychmygu, meddai, sut oedd hi arni'r munudau hynny. Roedd ei thad yn gweithio'i shifft nos, a'i mam yn cysgu, a diolch am hynny; ni fynnai iddynt ddod i wybod, ac ni wyddai beth i'w wneud â'r baban. Rhoddodd ef mewn tywel a'i roi dros dro, fel y bwriadai ar y pryd, mewn *vanity case* a'i osod dan ei gwely.

A hithau'n dioddef gwendid ofnadwy, aeth at ei gwaith drannoeth a'i meddwl drwy'r amser ar sut y gwaredai gorff ei baban. Yr oedd yn mynd i'w gladdu yn rhywle ond ni wyddai ymhle, a meddyliodd am fynd i'r fynwent gyhoeddus ganol nos. Tra oedd wrthi ei hun un noson yn ei chartref, agorodd y *vanity case* ond ni fedrai waredu ei gynnwys; roedd y reddf famol yn ei rhwystro. Felly rhoddodd y corff yn ôl o dan y gwely heb wneud unrhyw benderfyniad.

Ond yr hyn oedd yn ein poeni ni fel ditectifs oedd p'un a oedd y baban yn farw-anedig, ynteu a oedd wedi byw ac yna wedi marw oherwydd esgeulustod – dynladdiad, neu efallai lofruddiaeth, fyddai hynny.

Yn gynnar bore trannoeth cynhaliwyd archwiliad *post mortem* ar gorff y baban. Esboniodd Dr A. L. Wells, y patholegydd, y byddai'n rhoi ysgyfaint y baban mewn dŵr; pe suddai'r ysgyfaint i'r gwaelod, byddai hynny'n brawf nad oedd aer ynddynt a hynny'n profi nad oedd y baban wedi anadlu. Ped arnofient ar wyneb y dŵr, byddai hyn yn dynodi fod y baban wedi byw. Os felly, y cam nesaf fyddai darganfod achos y farwolaeth.

Dyma foment yn fy ngyrfa nas anghofiaf byth. Roedd fy nghalon yn fy ngwddf oherwydd, i fod yn onest, roeddwn wedi dod yn hoff iawn o'r ferch yn yr ychydig oriau y bûm yn ei chyf-weld; roeddwn wedi dod yn 'agos' ati. Gobeithiwn gymaint â hithau y gwnâi'r ysgyfaint bychain suddo i'r gwaelod. Dyma'r patholegydd yn gosod y llestr a'i lenwi â dŵr, ac yna, wedi agor y corff bychan perffaith, yn tynnu'r ysgyfaint. Tynnodd yr un chwith. Tynnodd yr un dde. Yn dra gofalus, gosododd y ddwy ar wyneb y dŵr. Daliwn innau fy anadl. Suddodd yr ysgyfaint i'r gwaelod. Tynnais innau anadl hir. Rhyddhawyd Ceri ar unwaith wedi i feddyg ei harchwilio unwaith eto. Beth bynnag ddigwyddai iddi nawr, ni fyddai perygl iddi wynebu cyhuddiad o lofruddiaeth nac o ddynladdiad.

Ond roedd un peth arall yn aros a fu'n boen ac yn wewyr iddi hi, ac i minnau hefyd. Roedd yn rhaid cynnal cwest, ac y mae'n ofynnol i'r Crwner gael adnabyddiaeth o'r corff. Yn yr achos hwn, yr unig un a allai adnabod y corff oedd ei fam. Dywedais hyn wrthi; torrodd hithau i lawr am y canfed tro cyn mynd ger bron y Crwner. Dangosodd ef y corff iddi. Y fath orchwyl! Bu'r ferch bron â llewygu; rhoddodd Dai Walters a minnau ein breichiau amdani i'w chynnal. Dyna lle roedd y baban wedi ei wisgo mewn gŵn gwyn ar y fainc o flaen y Crwner. Dywedais wrthi am gau ei llygaid hyd nes y clywai'r Crwner yn gofyn, 'Ai dyma'r baban a anwyd i chi?' Agorodd hithau ei llygaid am eiliad ac ateb, 'Ie', a thorrodd allan i wylo'n hidl cyn i ni ei chario i ystafell arall.

Diwedd yr achos oedd i Ceri ymddangos yn Llys Chwarter Caerfyrddin, a phlediodd yn euog i'r drosedd o 'gelu genedigaeth'. Ni chafodd ei chosbi; rhoddwyd hi ar brawf am ddwy flynedd.

Merch hynod o ffein oedd Ceri ac ni ddylai fod wedi wynebu Llys Barn; ni fyddai wedi gorfod gwneud hynny heddiw, ond dyna'r drefn yn y dyddiau hynny. Fel y dywedodd y cyfreithiwr dros yr erlyniad yn y Llys Ynadon – nid oedd unrhyw un yn y llys heb gydymdeimlad mawr â hi, ond roedd yn rhaid i gwrs cyflawn y gyfraith gael ei weinyddu, ac yn y pen draw fe allai'r canlyniad fod o fudd iddi. Bu hi a minnau'n ffrindiau mawr wedi hyn hyd nes y gadawodd yr ardal am un o ddinasoedd de-ddwyrain Lloegr. Hoffwn yn fawr ei gweld unwaith eto.

PENCADLYS RHANBARTHOL NEWYDD
– OND DIM NEWID YN Y GWAITH

Ers rhai blynyddoedd, roedd Awdurdod yr Heddlu wedi clustnodi darn o dir yn Waunlanyrafon, ger neuadd y dref, ar gyfer adeiladu pencadlys newydd i Ranbarth Llanelli. Roedd afon Lliedi yn rhedeg drwy'r darn tir yma a rhaid oedd pontio'r afon cyn dechrau ar y gwaith. Erbyn Gorffennaf 1962 roedd yr adeilad newydd yn barod a bu yna gryn ddyfalu pwy fyddai'r plismon cyntaf i gyf-weld troseddwr yn y lle newydd. Mynnaf mai fi ydoedd. Yn Rhagfyr, 1961, roeddwn wedi gorfod delio ag achos o ymladd ac achosi niwed corfforol. Peintiwr ac addurnwr oedd yr ymosodwr a deuthum o hyd iddo yn paentio'r celloedd yn yr orsaf newydd – a bûm yn ei gyf-weld yno! Felly fi oedd y plismon cyntaf i gyhuddo troseddwr yn yr adeilad newydd, a hynny saith mis cyn i'r lle agor!

Roedd Ysgol Gatholig Llanelli o hyd yn darged gan ladron am ei bod wedi ei lleoli yn lôn gefn Heol Goring ac mor hawdd i dorri ffenest neu ddrws heb i neb sylwi na chlywed. Treuliais oriau, yn wir ddiwrnodau, gyda'r lleianod pan oeddwn yn dditectif gwnstabl ar ôl i rywun dorri i mewn i'w hysgol. Ar wahân i hynny byddwn hefyd yn cael cydweithrediad lleianod y *Little Sisters of Assumption* yn Felinfoel pan redai merched ymaith o gartref. Y lleianod fyddai'n gofalu amdanynt yn aml ac yn trefnu 'cartref' arall iddynt.

Roeddwn o hyd wedi credu mai menywod seriws iawn oedd y lleianod; ni welais wên ar wyneb un ohonynt wrth gerdded strydoedd Llanelli. Ond wedi dod i adnabod nifer ohonynt, cefais lawer iawn o sbort yn eu cwmni. Roeddent yn arfer casglu dillad plant ar gyfer y rheiny fyddai wedi rhedeg oddi cartref, a hefyd i helpu mamau ifanc trwy roi dillad iddynt. Un tro, wrth fynd i mewn i'r lleiandy yn Felinfoel, gwelais res o gewynnau babanod yn sychu ar y lein ddillad. Roedd yn rhaid bod y Chwaer Mary wedi synhwyro fy mod yn edrych ar y cewynnau, ac meddai hi gan chwerthin yn iach, *'I know what you're thinking. You think that Mother Superior has been a naughty girl, don't you!'*

Pwy fyddai'n mynd ar noswyl Nadolig i fwynhau diod mewn lleiandy? Coeliwch neu beidio, bu'r Chwaer Kenneth, dyna oedd ei henw, yn gwahodd Dai Walters a minnau i'r lleiandy yn Nheras Myrtwydd, Llanelli, i ymuno gyda hi a'r Uchel Fam i ddymuno Nadolig Llawen i'n gilydd. Pan ddywedwn yn y stesion ein bod wedi bod yn cael diod gyda'r *Mother Superior*, wrth gwrs, ni chredai neb. Arferwn fynd i'r lleiandy bob Nadolig hyd nes i'r Chwaer Kenneth ymfudo i Dde Affrica.

Dyna un agwedd ddigon dymunol ar waith ditectif. Ond, bob hyn a hyn, digwyddai rhywbeth i ysgwyd pawb.

Dydd Iau, 4 Hydref 1962, oedd y dyddiad, a minnau ar hanner pryd o fwyd yn y llety tua saith o'r gloch y nos pan gefais alwad i fynd yn ôl i'r gwaith yn ddiymdroi. Roedd yna ymosodiad ffyrnig wedi digwydd ar ddyn o'r enw Henry James Noot yng ngwaith y Welsh Metal and Tin Stamping (Cambrian Works) yn ardal Glan-y-Môr. Roedd Noot, o Heol Trallwm, Llwynhendy, wedi gweithio yn y Tin Stamping er pan oedd yn 13 oed ac erbyn hyn roedd yn un o oruchwylwyr y shifftiau.

Gwaith gwneud sosbannau oedd y Tin Stamping; gweithiai 472 o bobol yno, yn cynnwys 227 o ferched. Un o'r rheiny oedd Nancy Cole, 33 oed, ac yr oedd ganddi gariad o'r enw Graham Thomas – ie, y Graham Thomas yr oeddwn wedi ei arestio yn siop Bradford House rai blynyddoedd ynghynt.

Tua chwarter wedi chwech y prynhawn hwn sylwodd un o weithwyr y Tin Stamping fod un o ddrysau cefn yr adeilad ar agor ac wrth iddo fynd i'w gau gwelodd Graham Thomas yn sefyll y tu allan a golwg wyllt a rhyfedd arno, yn amlwg o dan ddylanwad y ddiod; sylwodd hefyd fod morthwyl yn ei law a gwaed ar ei wyneb. Gofynnodd Thomas iddo ddanfon neges at Nancy Cole ei fod ef am siarad â hi y tu allan. Roedd y gweithiwr yn adnabod Graham Thomas yn dda a gwyddai am ei natur wyllt, ac aeth â'r neges i Nancy heb oedi. Aeth hithau allan o'r gwaith ond bu yno cyhyd nes i rywun dynnu sylw'r fforman, Douglas Jones, ac aeth hwnnw a Noot i edrych amdani. Gwelsant Nancy ym mreichiau ei chariad ac yn pwyso ar wal, a phan awgrymodd Noot y dylai

Nancy fynd yn ôl at ei gwaith, gwylltiodd Graham Thomas gan ymosod ar y ddau ddyn ar unwaith. Ciciodd y ddau a tharodd Noot o dan ei ên. Yna tynnodd y morthwyl o dan ei gôt a tharo Jones ar ei ben. Cydiodd Noot mewn darn o bren mewn ymgais i amddiffyn ei gyd-weithiwr a daliodd hwnnw ar y cyfle i redeg gan weiddi ar Noot i wneud yr un peth, ond wrth i Noot geisio dianc, llithrodd i'r llawr ar un o reilffyrdd y gwaith. Pan edrychodd Jones yn ôl gwelodd Graham Thomas yn curo Noot â'r morthwyl yn ddidrugaredd a hwnnw'n gweiddi, '*Get off! Get off!*'

Galwyd ar weithwyr y ffatri i roi help i Noot; anfonwyd am ambiwlans a galwyd ar yr heddlu. Pan gyrhaeddodd y dynion ambiwlans gwelwyd bod Noot wedi ei niweidio'n ddifrifol a'i ben wedi'i ddyrnu'n fflat. Bu farw ar y ffordd i'r ysbyty.

Nid yn aml iawn y ceir llygad-dyst i lofruddiaeth ond yn yr achos hwn roedd y tystion hefyd yn adnabod y llofrudd, a'r unig waith i'r heddlu oedd chwilio amdano. Rhannwyd ni yn dri thîm o bedwar a mynd i chwilio amdano yn nhafarnau'r Doc. Roedd pedwar ohonom yn ei adnabod; roeddwn i yn un o'r rheiny.

Pan gyrhaeddon ni dafarn y Friends, y dyn cyntaf a welais yn eistedd yn y bar cefn oedd Graham Thomas; arestiwyd ef ond gwadodd y cyhuddiad a mynnodd orffen ei ddiod yn gyntaf. Roedd olion gwaed yn amlwg ar ei ddwylo ac ar ei ddillad.

Pan gyhuddwyd ef yn ffurfiol drannoeth gan Doug Davies, y D.I., cyfaddefodd, gan ychwanegu nad oedd wedi bwriadu llofruddio Noot. Roedd crogi'n dal mewn grym ond o dan Gymal 5 o'r Ddeddf Lladdiadau, 1957, pennwyd dau fath o lofruddiaeth, sef llofruddiaeth seml, a phrif lofruddiaeth – yr ail yn denu'r gosb eithaf.

Er mor erchyll oedd y weithred, llofruddiaeth seml oedd y diffiniad o'r hyn a wnaeth Graham Thomas. Aethpwyd ag ef i Frawdlys Caerfyrddin. Tair munud a barodd yr holl achos ac anfonwyd ef i garchar am oes.

Roedd Graham Thomas, fel arfer, o natur ffein iawn ond cyn gynted ag y llifai chwart neu ddau o gwrw i'w gorn gwddw newidiai ei bersonoliaeth yn llwyr. Y ddiod a wnaeth iddo lofruddio Henry Noot, a phe byddai wedi bod yn yfed, ac wedi troi'n ffyrnig tuag ataf i yn nhywyllwch Siop Bradfod House y noson honno yn Stryd Stepney, efallai na fyddwn i yma i adrodd yr hanes. Credaf i mi fod yn lwcus iawn.

Cofiaf am ei fam yn ei dagrau ac yn dweud wrthyf, 'Cofiwch chi, Roy, hen grotyn lyfli yw Graham', a hyn yn peri i mi gofio am englyn T. Llew Jones i 'Gwyn y Gwêl y Frân ei Chyw':

> Er chwerwedd ei garcharu – er i bawb
> Drwy'r byd ei gollfarnu,
> Mae un o hyd yn mynnu
> Mai gwyn yw'r aderyn du.

Ni ddaliodd ei fam unrhyw ddig tuag at yr heddlu; roedd hi'n fenyw arbennig o dda. Bu'n cadw caffi yn Noc y Gogledd am rai blynyddoedd ac mewn gwirionedd derbyniais lawer iawn o wybodaeth ganddi i ddatrys nifer o droseddau o ddwyn.

Rhyddhawyd Graham Thomas ym 1976 a daeth yn ôl i fyw yn Llanelli. Yn fuan wedyn priododd â Nancy Cole a oedd wedi aros yn ffyddlon iddo.

Rai blynyddoedd wedyn, yn ei fedd-dod, fe dorrodd Graham Thomas i mewn i dŷ rhywun yn ardal Glan-y-Môr gan ddefnyddio *chain-saw* i dorri drws y ffrynt yn yfflon. Treuliodd gyfnod arall yn y carchar. Nid wyf wedi ei weld oddi ar hynny.

HYSBYSYDD ARBENNIG

Mae rhai yn dweud nad yw ditectif ond cystal â'i hysbysyddion. Mae rhai yn credu bod yn rhaid i dditectif fod yn 'gymysgwr' da cyn llwyddo er nad wyf fi'n cydsynio. Yn fy mhrofiad i y *'loner'* a gâi'r wybodaeth ddefnyddiol bob tro, yn gywir fel petai'r hysbysydd yn gwybod y byddai'r *'loner'* yn fwy tebygol i gadw ei geg ar gau. Diau y byddai llawer iawn o dditectifs yn dadlau'n groes i hyn.

Y cyfnod mwyaf cynhyrchiol erioed i mi, hynny yw, mewn

cyfnod byr, oedd yn Llanelli yn nechrau'r chwe degau pan oedd gennyf hysbysydd arbennig iawn. Pe gwyddai'r Prif Gwnstabl pwy oedd fy hysbysydd a'r amgylchiadau y derbyniais y wybodaeth, efallai y cawswn fy nisgyblu. Ond ar ôl meddwl a meddwl am y sefyllfa, credwn fy mod o fewn terfynau'r gyfraith.

Roedd rhywun wedi torri i mewn i nifer o ysgolion a bûm wrthi am hydoedd yn gweithio ar yr achosion – allan yn hwyr y nos, yn cuddio yn y cysgodion ac yn mynd o un ysgol i'r llall. Un nos, gwelais LCD yn loetran y tu cefn i un ysgol ac arestiais ef ar ddrwgdybiaeth. Cymraeg oedd iaith gyntaf LCD ac yr oeddwn yn ei adnabod cyn i mi ymuno â'r heddlu. Wrth i mi ei gyrchu i'r Stesion gwelais ef yn gollwng rhywbeth o'i law; llun athrawes ydoedd, athrawes yn un o'r ysgolion hynny y torrwyd i mewn iddi; llun a ddygwyd o'i desg. Cafwyd tystiolaeth mewn dwy ysgol arall i'w gysylltu ef â hwynt, hefyd, ac yn un o'r ysgolion hynny y bu ef ynddi yn blentyn.

Mae rhyw wendid ymhob person ond canfod y man gwan hwnnw yw'r tric. Wedi ychydig o holi teimlais fy mod wedi taro ar fan gwan LCD. Roedd arno gywilydd meddwl amdano'i hun mewn llys ar gyhuddiad o dorri i mewn i'w ysgol elfennol, y lle y dysgodd y gwahaniaeth rhwng y drwg a'r da, y lle y cafodd wersi ysgrythur a'r lle y dysgodd y gorchmynion, efallai. Ofnai y byddai'r hanes mewn papur wythnosol yn ardal ei gartref. Ymbiliodd yn daer arnaf i beidio â'i gyhuddo o'r drosedd honno. Roedd yna ffordd i gofrestru trosedd fel un wedi ei datrys heb gyhuddo'r troseddwr yn ffurfiol. Pan fyddai rhywun wedi cyflawni cant o droseddau tebyg i'w gilydd, gwastraff amser fyddai ei gyhuddo o bob un drosedd; cyhuddid ef o hanner dwsin gyda'r gweddill yn cael eu hystyried gan y llys. Ni fyddai perygl wedyn i'r troseddwr gael ei gyhuddo o'r troseddau yma byth wedyn. Felly, gosodais y drosedd oedd yn gysylltiedig ag ysgol elfennol LCD ar restr 'i'w hystyried gan y Llys', ac ni welwyd unrhyw gyfeiriad at y drosedd honno mewn unrhyw bapur newyddion. Cyfaddefodd LCD i'r holl droseddau eraill. Fe dalodd y 'ffafr' yna ar ei chanfed i mi; rhoddodd LCD ei air i mi y cawn bytiau o wybodaeth ddefnyddiol ganddo 'rywbryd eto'.

Cafodd LCD ei garcharu am dorri i mewn i'r ysgolion. Roedd ef eisoes wedi bod mewn carchar ac wedi dianc ddwy waith. Bu ar ffo am wythnos gyfan cyn cael ei ddal, a'r hanes nesaf a glywais oedd fod LCD wedi dianc unwaith eto o'r carchar, a holl heddluoedd Cymru a De Lloegr yn chwilio amdano. Tua deg o'r gloch un noson, pan oeddwn yn cwblhau ychydig o waith gweinyddol, canodd y teliffon,

'C.I.D. Ditectif Gwnstabl Davies.'

'Shwt wyt ti, Roy?' Llais LCD.

Gan gredu ei fod am ildio i mi, gofynnais, 'Le ddiawl wyt ti? 'Yn ni i gyd yn whilo amdanot ti.' Gwrthododd ddweud, ond dywedodd ei fod wedi cyrraedd Abertawe. 'Ma arna i ffafar i ti,' meddai cyn mynd yn ei flaen i ddweud bod dau neu dri aderyn brith yn ei warchod a'i fod yn aros mewn gwahanol dai yn y dref. Roedd wedi gwneud ffrindiau ag un neu ddau ohonynt tra bu mewn carchar cyn hyn. Roedd y ffaith iddo lwyddo i ddianc o garchar wedi ei ddyrchafu i blith arwyr yr isfyd.

Dywedodd wrthyf fod dau o'r lladron yn mynd i dorri i mewn i siop emau yn Abertawe yn hwyr ar y nos Sadwrn ganlynol. Ffoniais innau'r Ditectif Sarjant Les Rees yn Abertawe â'r wybodaeth; trefnodd yntau dîm o dditectifs i guddio yn y siop, a daliwyd y ddau dderyn.

Nawr mae lladron yn gyfrwys; maent yn aml iawn yn dyfalu'n iawn pwy sy'n eu bradychu, ac mae bywyd y bradwr mewn perygl ar unwaith. Ond y tro hwn nid oedd ganddynt y syniad lleiaf. Carcharor ar ffo o un o garchardai Ei Mawrhydi? Na, dim byth. Cefais dâl o £2 oddi wrth Les Rees i roi i'r hysbysydd; rhoddais innau 5/- o'm poced i fy hun atynt; rhoddais yr arian mewn amlen, rhoi enw LCD arni a mynd â'r amlen i gartref ei fam a'i dad ganol nos a'i rhoi drwy'r blwch llythyrau. Cafodd LCD ei gludo gan ryw leidr o Abertawe, hefyd liw nos, i gartref ei rieni i gasglu'r arian. Credai ei ffrindiau mai ei fam a'i dad oedd yn ei gadw.

Aeth hyn ymlaen am ddeufis cyfan ac weithiau teimlwn yn nerfus iawn – pryd y dyfalai lladron Abertawe pwy oedd y bradwr? Ond rhoddwyd nifer o ladron Abertawe o dan glo. Ni threuliais gymaint o amser mewn swyddfa erioed – i ddisgwyl galwadau ffôn oddi wrth LCD. Ac yr oedd y cyfan yn gweithio mor hwylus, datrys troseddau difrifol wrth eistedd ar fy mhen-ôl! Er mai lladron Abertawe oedd y rhai a gafodd eu rhoi dan glo, roedd hyn er budd Llanelli hefyd, oherwydd 12 milltir oedd rhwng y ddwy dref a gwaith hawdd i ladron Abertawe oedd dod i Lanelli i droseddu.

Ond, yn y diwedd, ac yn anochel, daeth y lladron i wybod pwy oedd y bradwr; roeddent wedi dyfalu'n iawn. Cludwyd ef fel arfer un noson i gartref ei rieni i gasglu ei 'gyflog' ac aethant ag ef yn ôl i Abertawe. Oriau yn ddiweddarach, cafwyd ef y tu cefn i glwb nos yn gorwedd yn ei hyd, ei wyneb yn orchudd o waed a'i bocedi'n wag. Cludwyd ef i'r ysbyty yn dioddef o anafiadau difrifol, a bu yno am dair wythnos cyn iddo gael ei ailgarcharu.

Mewn gwirionedd roeddwn yn falch bod y cyfan wedi dod i ben; roedd y sefyllfa wedi mynd yn rhy beryglus, nid yn unig iddo ef ond i minnau hefyd. Er i nifer ddyfalu pwy oedd fy hysbysydd, ni ddatgelais ei enw o gwbl ac nid wyf hyd yn oed yn awr yn barod i'w enwi, gan ei fod wedi diwygio ac wedi priodi.

Mae hyn yn enghraifft o'r modd mae lladron a ditectifs, heb fod yn ffrindiau, yn medru bod o help i'w gilydd. Roeddwn wedi gwneud cymwynas â LCD, a hynny o fewn terfynau'r gyfraith, ac yr oedd yntau'n awyddus i dalu 'nôl.

Rwy'n siŵr y byddai rhai yn ddigon parod i'm beirniadu am yr hyn a wnes, yn enwedig ambell i gyn-blismon – y rhai hynny mewn swyddi gweinyddol, y *non-combatants*. Rwy'n derbyn efallai nad oeddwn wedi ymddwyn fel angel gwyn, ond gwnes hyn nid er budd personol, ond yn unig er mwyn rhoi mwy o ladron o dan glo.

Ar y 6ed o Dachwedd 1964, ddeng mlynedd yn union i'r wythnos wedi i mi ddechrau yn Llanelli, cefais fy symud i Rydaman. Fis cyn hynny, wedi iddynt ymddeol, symudodd fy rhieni o Bwllcornol i Frynhywel, Coedybryn, a dyna lle bu fy nghartref am y pum mlynedd nesaf.

Nid oeddwn am fynd i Rydaman, ond bu'r cyfnod yno o fudd i mi'n ddiweddarach.

Dau dditectif oedd yn Rhydaman ar y pryd, a phan gyrhaeddais i fore dydd Gwener, 6 Tachwedd 1964, roedd y llall ar ei wyliau y diwrnod hwnnw. Felly, wedi cyfarwyddo ychydig â'r lle a nodi'r troseddau oedd heb eu datrys ac ati, cyfeiriwyd fi at fy llety. Roedd trefniadau wedi eu gwneud i mi rannu fflat yn Bonllwyn gyda Dewi Daniel, un o blismyn y drafnidiaeth. Ond pan gyrhaeddais yno, gwelais fod Dewi wedi cael penwythnos yn rhydd ac wedi mynd i ymweld â'i rieni yn Nhregaron. Felly, roeddwn wedi disgyn yn Rhydaman wrthyf fy hunan nid yn unig yn y swyddfa ond hefyd yn y fflat. Nid y dechreuad delfrydol, ond treuliais weddill y dydd yn dod i adnabod plismyn y dref, a

Arwerthiant Pwllcornol, 3 Hydref 1964

108

phan ymwelais â rhai o dafarndai'r lle, nid oeddwn yn adnabod unrhyw un yno, na neb yn fy adnabod innau chwaith.

Es i'r gwely yn hwyr y noson honno a thua dau o'r gloch y bore, dyma gnoc ar ffenest yr ystafell wely. Un o'r plismyn oedd yno; nid oeddwn yn ei adnabod, ond dywedodd fod rhywun wedi torri i mewn i dŷ yn Stryd Harold. Pan aeth gŵr y tŷ i lawr y grisiau dihangodd y dyn drwy ffenest y gegin gan adael un o'i esgidiau ar ôl y tu fewn i'r ffenest.

'Ble mae Stryd Harold?' gofynnais.

'Yn Tir'dail,' atebodd ar frys, a theimlais yn hollol aneffeithiol wrth ofyn eto:

'Ble mae Tir'dail?'

Pan gyrhaeddais, dywedodd gŵr y tŷ, Bryn Williams, ei fod wedi tarfu ar y lleidr a bod hwnnw wedi dianc drwy'r ffenest gan adael ei esgidiau ar ôl – un yn y tŷ a'r llall yn yr ardd. Felly, roedd y dieithryn wedi dianc yn nhraed ei sanau. 'Tanc' oedd llysenw Bryn Williams gan ei fod yn gawr o ddyn a phe bai ef wedi dal yr ymyrrwr, rwy'n gwybod yn iawn pwy fyddai wedi dod yn ail yn yr ornest!

Nid oedd unrhyw beth wedi ei ddwyn, ond rhaid oedd dod o hyd i'r troseddwr. Roedd yr esgidiau o'r gwneuthuriad 'John White' yn gliw da iawn, meddyliais – hyd nes i mi gael fy ngoleuo gan Bryn Tanc. Roedd ffatri esgidiau John White yn Rhydaman a chanran uchel o'r boblogaeth leol yn gwisgo'r esgidiau!

Yna'n sydyn reit, gofynnodd Tanc i mi, 'Odych chi'n nabod 'y mrawd?'

'Pwy yw'ch brawd?'

'Chief Inspector Edgar Williams, Headquarters.'

'Odw,' a suddodd fy nghalon wrth ateb. Dyma fi, wedi cael achos difrifol ar fy mhlât, mewn lle hollol ddieithr, a minnau wrthyf fy hunan ac yn adnabod neb. Pa obaith oedd gennyf i ddod o hyd i'r dyn? Ar ben hynny i gyd, roedd yn rhaid iddo ddewis tŷ brawd i Uwch Swyddog yn y Pencadlys.

Roeddwn yn ffrindiau ag Edgar Williams; roedd ganddo lais

uchel – 'cloch ymhob dant' – a gwyddwn y byddai ar y ffôn ymhen ychydig oriau, ac yn wir, felly y bu.

'Wyt ti wedi'i ddala fe? Cofia 'wy moyn hwn miwn, ti'n clywed?'

Teimlwn fel bachgen ysgol yn ateb, 'Ocê syr, Ocê, fe wna i bopeth alla i.'

Bûm wrthi drwy'r dydd, yn holi o dŷ i dŷ yn Stryd Harold a phob stryd arall yn Nhir-y-dail, ond heb unrhyw wybodaeth ddefnyddiol. Ond roedd un peth yn sicr, roedd trigolion Tir-y-dail wedi dod i fy adnabod i o fewn 24 awr, a minnau hefyd wedi dod i'w hadnabod hwythau.

Llithrwn yn ôl i'r polîs stesion yn awr ac yn y man, a'r un neges oedd yn fy nisgwyl yno bob tro, 'Ma' Chief Inspector Edgar Williams yn moyn i ti ffono fe.'

Nid oeddwn wedi bwyta llawer drwy'r dydd ac euthum yn ôl i'r fflat tua chwech o'r gloch. Cyn gynted ag y cyrhaeddais yno, daeth dynes tua thrigain oed i'r drws; cyflwynodd ei hun fel Mrs Harries a oedd yn byw yn union gyferbyn â'r fflat. Gwraig weddw oedd Mrs Harries, wedi claddu ei gŵr yn gymharol ddiweddar. Arferai ef redeg busnes glanhau ffenestri, a chadwodd hithau'r gwaith i fynd, gan gyflogi tri neu bedwar dyn. Gofynnodd am Dewi Daniel; dywedais ei fod wedi mynd adref dros y penwythnos a gofynnais beth fedrwn i wneud i'w helpu.

Cefais ychydig bach o syndod pan ddywedodd nad oedd hi'n siŵr a ddylai ddweud (wedi'r cyfan roeddwn i'n ddieithr iddi), ond ar ôl petruso ryw ychydig, meddai, 'Ar ôl i fi godi bore 'ma a mynd mas i'r garej, o'dd gŵr ifanc yn cysgu yn 'y nghar i, a dim sgidie am i drâd e.'

Edrychais yn syn arni. Roedd y dyn wedi treulio'r nos yr ochr draw i 'tŷ ni', a minnau wedi bod yn edrych amdano ymhobman arall! Gofynnais i Mrs Harries a oedd ganddi ryw syniad pwy oedd y dyn. Os cefais syndod wrth gael y wybodaeth gyntaf, cefais fy syfrdanu gan ei hateb nesaf, 'O's, o's, o'dd e'n arfer gwitho i'r gŵr – BIM o Dycroes,' a rhoddodd ei enw llawn a'i gyfeiriad i mi!

Gelwais am PC Prytherch ar y ffordd i Dycroes. BIM oedd yr unig un gartref ac atebodd y drws yn nhraed ei sanau. Roedd ei rieni, ei frodyr a'i chwiorydd wedi mynd allan am y nos; byddai yntau wedi mynd allan hefyd pe bai ganddo bâr o esgidiau. Gofynnais iddo am ei esgidiau ac wedi twrio yn y cwtsh dan y staer am rai munudau, daeth allan â hen bâr o 'slaps' yn orchudd o lwch a blaenau'r ddwy esgid wedi plygu'n blet. Dywedais wrtho fod ei esgidiau gyda mi yn y swyddfa, a chyn cyrraedd y stesion cyfaddefodd y cyfan.

Wedi ei roi o dan glo euthum i weld Bryn Tanc, a phwy oedd yn y tŷ ond Edgar Williams, ei frawd. Neidiodd hwnnw ar ei draed a gofyn, 'Ti 'di ddala fe?' Ni allai gredu am funud, ond yn sicr dyna ddechrau da iawn i mi yn Rhydaman a chlywais wedi hynny fod Edgar Williams yn canu fy nghlodydd yn ddyddiol yn y Pencadlys yng Nghaerfyrddin.

REGIONAL CRIME SQUAD

Yn nechrau chwe degau'r ganrif ddiwethaf dechreuodd y lladron gwaethaf a'r rhai mwyaf peryglus deithio ymhellach ac ymhellach o'u cynefin i gyflawni troseddau. Gyda dyfodiad y traffyrdd a'r ceir modur pwerus, daeth hi'n hawdd i ladron Llundain, er enghraifft, deithio i Birmingham, cyflawni troseddau difrifol yno, a dychwelyd i'w cartrefi cyn bod yr heddlu yn cael amser i ddechrau gwneud ymholiadau, bron.

Gwelwyd bod angen uned arbennig, ar wahân i'r C.I.D., i ddelio â'r troseddwyr hyn. Ac ar ôl Lladrad Mawr y Trên yn Awst 1963, penderfynodd y Swyddfa Gartref sefydlu *Regional Crime Squads,* rhagflaenwyr y *National Crime Squad,* drwy Brydain – wyth yn Lloegr, un yn yr Alban ac un yng Nghymru, gyda'r pencadlys yng Nghaerdydd, a hynny ar 1 Ebrill 1965. Y bwriad oedd canolbwyntio ar y lladron mwyaf anodd i'w dal, ond eto heb ddiystyru'r 'shildots', gan mai'r rheiny fyddai'n arwain at y siarcod yn aml iawn. Wedi pum mis yn unig yn Rhydaman, cefais fy nhrosglwyddo i'r Sgwad fel ditectif gwnstabl, a hynny ar y

R.C.S. 26 Mawrth 1965. Aelodau gwreiddiol *Regional Crime Squad* De Cymru. Fi yw'r ail o'r chwith yn y rhes gefn

diwrnod cyntaf. Ymfalchïwn yn y ffaith fy mod, felly, yn aelod sylfaenol o'r *Regional Crime Squad*. Symbol y *Regional Crime Squads* yw'r blodyn brithlys – ar ôl yr *Elusive Pimpernel* gan y Farwnes Orczy.

Mae plismyn yr iwnifform yn delio gyda'r hyn sydd yn digwydd nawr, yn y fan a'r lle, fel damweiniau ffyrdd, gyrru'n ddi-hid, meddwdod a threfn gyhoeddus. Mae ditectifs y C.I.D. yn delio â'r hyn ddigwyddodd ddoe, fel

Blodyn Brithlys – bathodyn y *Regional Crime Squads*

byrgleriaeth yn ystod y nos, ac mae ditectifs y *Regional Crime Squad*, trwy weithgareddau *intelligence*, yn delio â'r hyn a all ddigwydd yfory. Felly y lladron gwaethaf oedd ein targedau, a chawn ryddid i groesi ffiniau yn awr a heb gael ein cyfyngu i weithio o fewn ardal arbennig, fel ditectifs y C.I.D. Wedi'r cyfan, nid oedd ffiniau'n rhwystr i ladron!

Canolbwyntio ar un troseddwr y byddwn o hyn ymlaen, hyd nes ei ddal. Tîm o dditectifs profiadol a phenderfynol i ddal y troseddwyr mwyaf difrifol oedd ei angen, a dôi'r angen weithiau i wneud gwaith *under cover* – ymdreiddio i mewn i gang o ladron gan gymryd eich bod yn un ohonynt. Dyma waith ac iddo beryglon cynhenid; roeddwn i'n un o'r rhai cyntaf i wneud y gwaith hwn; roeddwn yn ifanc ar y pryd, yn ddyn sengl, heb feddwl llawer am beryglon. Wrth edrych yn ôl, peth ffôl iawn oedd gwirfoddoli, a phe cawn ddoe yn ôl, ni fuaswn wedi breuddwydio am wirfoddoli i wneud y fath waith.

Benthycwyd hen fan a'i hanner llenwi â phob math o eiddo; gyrrais i Gaerdydd a gosodwyd fi yng Nghaffi Fitzallen, yn agos i'r carchar, gan mai yno roedd nifer o ladron Caerdydd yn ymgynnull. Cymerais arnaf fy mod o'r gorllewin, ar fy ffordd i Fryste, ac yn prynu a gwerthu hen bethau.

Tynnwyd fy llun – *mug shot* fel y gwnawn â'r lladron wrth eu harestio – a dangoswyd hwn ymhlith lladron a phuteiniaid Caerdydd gan gymryd bod y Sgwad yno yn chwilio amdanaf.

Ar ôl i mi dreulio mis yng Nghaerdydd yn gwneud y gwaith hwn, gofynnais am gael fy rhyddhau gan i mi gredu bod y lladron yn dechrau fy amau. Ond cyfrifid bod yr ymdrech wedi bod yn llwyddiant gan i ddwsin o droseddwyr gael eu harestio o ganlyniad uniongyrchol i'r gwaith.

Treuliais wythnosau hefyd yn ardaloedd Baglan a Llansawel yn ceisio ymdreiddio i gang o ladron gemau, ac er i mi lwyddo i ennill hyder dau leidr, roeddwn yn gweithio'n rhy agos gartref. Es i gwrdd â thri aelod o'r gang un nos mewn tafarn yng Nghastell-nedd, ac wrth i mi fynd i mewn roedd dyn yn archebu diod wrth y bar. Trodd i edrych arnaf ac adnabyddodd fi; roeddwn wedi ei arestio dair blynedd cyn hynny yn Llanelli ynglŷn â byrgleriaeth yng Nghlwb Rygbi'r Strade. Trois ar fy sawdl ac allan o'r dafarn, a rhedais nerth fy nhraed i Swyddfa'r C.I.D. yn y dref. Cystal i mi gyfaddef, roeddwn yn byw mewn ofn drwy'r amser ac o'r diwedd rhyddhawyd fi o'r dyletswyddau.

Nid oeddwn wedi cael unrhyw hyfforddiant i wneud y gwaith hwn. Wrth i'r Sgwad ddatblygu, cawsom ein hyfforddi i lefel

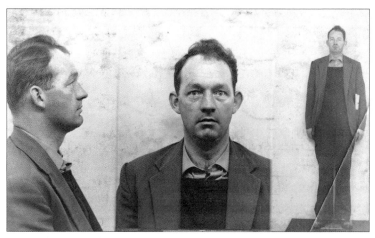

Mugshot ohonof fi pan oeddwn yn gwneud gwaith *under cover*

uchel mewn syrfeilans, gyrru ceir a defnyddio drylliau, ond aeth blynyddoedd heibio cyn cyrraedd unrhyw safon foddhaol. Erbyn heddiw, nid yn unig mae lefel yr hyfforddiant yn uchel iawn, mae'r *Regulation of Investigatory Powers Act 2000* mewn grym, mae canllawiau cyfyng i'w dilyn, ac mae'r *undercover man* yn cael ei warchod yn drylwyr.

Y DYRCHAFIAD CYNTAF

Wedi union flwyddyn ar y Sgwad yn Abertawe, cefais fy ngalw i'r Pencadlys yng Nghaerfyrddin. Roedd y Prif Gwnstabl mewn cynhadledd yn rhywle a dygwyd fi o flaen ei Ddirprwy – D. J. Jones, fy meistr cyntaf. Gan ganu fy nghlodydd i'r uchelderau, meddai, 'Roeddwn yn benderfynol eich gwneud yn Dditectif Sarjant cyn i mi ymddeol; byddaf i'n ymddeol ar 31 Mawrth a byddwch chithau'n dechrau yn Rhydaman ar y cyntaf o Ebrill.' Da o beth oedd i mi dreulio'r ychydig fisoedd hynny yn Rhydaman fel Ditectif Gwnstabl er nad oeddwn am fynd yno yn y lle cyntaf. Nawr, o leiaf, gwyddwn ychydig am y lle! Dymunodd 'D.J.' yn dda i mi; diolchais innau iddo am bopeth a wnaeth drosof o'r cychwyn cyntaf a dymunais ymddeoliad hir a hapus iddo. Tybed a wnaeth ef gofio fy ngeiriau? Cafodd 30 o flynyddoedd fel pensiynwr; bu farw'n 90 oed, a chafodd ei wraig ddegawd arall. Bu hi farw yn 2007 ar ôl iddi ddathlu ei phen-blwydd yn 100 oed.

Yn dilyn ymddeoliad 'D.J.' cafodd Glynne Jones ei ddyrchafu yn Ddirprwy Brif Gwnstabl a dechreuais innau yn Rhydaman fel Ditectif Sarjant ar ddydd Ffŵl Ebrill, 1966. Dyma rai o'r achosion a ddaeth i'm rhan yno.

Roedd Derek Evans, Tafarn y Coleg, Derwydd, yn dosbarthu llaeth yn Rhydaman yn gynnar iawn ddau ddiwrnod cyn diwedd Mehefin, 1966. Roedd hi tua chwarter wedi saith pan aeth â chyflenwad i Ysgol Ramadeg Dyffryn Aman a gweld bod y lle ar dân. Pan gyrhaeddais yr ysgol, ychydig iawn o amser oedd ei angen i weld mai bwriadol oedd y weithred; roedd yna bum safle lle roedd tanau wedi eu cynnau. Roedd hi'n adeg arholiadau diwedd tymor a thaflwyd yr holl ysgol i anhrefn llwyr.

Roedd aroglau nwy yn dod o'r labordy cemeg a phan aeth y swyddogion tân i mewn i'r ystafell roedd holl dapiau nwy'r ystafell ar agor. Edrychai'n debyg mai pwrpas agor tapiau'r labordy oedd i'r lle lenwi â'r nwy ac achosi ffrwydrad. Mewn un cornel o'r labordy roedd ystordy lle cedwid llyfrau a phentyrrau o bapur ysgrifennu. Roedd ymdrech wedi ei gwneud i roi'r stordy ar dân.

Roedd ffenest fechan i'r ystordy hwn, yn mesur rhyw ddwy droedfedd wrth ddwy, ffenest yn agor fel dôr; yr oedd gwydr yn y ffenest wedi 'i dorri a'r ffenest ei hun ar agor. Roedd y ffaglwr, ar ôl methu agor drws y stocrwm, wedi mynd y tu allan, torri'r ffenest er mwyn ei hagor, ac wedi dringo i mewn i geisio rhoi'r stocrwm ar dân. Ond, roedd yr holl bapurau wedi eu pacio mor dynn fel na chyneuodd y tân.

Bill Roberts oedd Swyddog Man-y-drosedd, a meddyliodd y gallai fod yna olion bysedd ar y ffenest. Gwelais ei fod yn cael cryn drafferth wrth archwilio'r ffenest gan ei bod mor uchel o'r llawr a dywedais wrtho am dynnu'r ffenest allan a mynd â hi i swyddfa'r C.I.D. i'w harchwilio'n fanwl. Dywedais hyn wrtho, nid oherwydd unrhyw rag-weld na chlyfrwch ar fy rhan, ond y penderfyniad yma a fu'n fodd, yn y pen draw, i ddod o hyd i'r troseddwr – y 'lwc' honno oedd ar fy ngwar o hyd ac o hyd.

Roedd yna ôl bys ar ffrâm y ffenest a hwnnw'n ddigon eglur i adnabod y ffaglwr. Ôl bys bawd y llaw dde ydoedd, ond nid oedd cofnod o'i berchen o gwbl yn yr Adran Olion Bysedd. Gan fod yna bosiblirwydd mai plentyn o'r ysgol oedd y troseddwr, ystyriwyd gofyn i'r holl blant gydweithredu a rhoi eu holion bysedd i'r heddlu, gan ddechrau gyda'r bechgyn. Felly, trefnwyd i gael yr holl fechgyn i'r ysgol y dydd Mawrth canlynol ar gyfer cymryd ôl bys bawd llaw dde pob un ohonynt.

Y nos Sadwrn cyn hynny, daeth bachgen i swyddfa'r C.I.D. a dweud fod ei rieni wedi ei anfon i mewn gan na fyddai yn yr ysgol ar y dydd Mawrth, a chymerwyd ei ôl bys y noson honno. Popeth yn iawn.

Dydd Mawrth, 5 Gorffennaf, roedd dros 260 o fechgyn yn sefyll mewn pedair neu bump rhes yn neuadd yr ysgol a ninnau'n esbonio iddynt mai ôl bys bawd y llaw dde'n unig roedd ei angen ac ar yr un pryd yn cymryd eu henwau cyn iddynt symud ymlaen at y cyfarpar olion bysedd. Yn y rhes lle roeddwn i'n gwneud nodyn o'r enwau dywedodd bachgen wrthyf ei fod wedi cael damwain ar fawd ei law dde pan gwympodd wrth chwarae tennis. Edrychais ar y bys a gwelwn yn wir doriad neu ddau yn y croen, a dywedais wrtho os na fyddai'r ôl bys yn ddigon da, fe ddown i'w weld ar ôl i'r bys wella. Ond, fel y digwyddodd, roedd yr ôl bys yn ddigon da i wneud cymhariaeth. Enw'r bachgen oedd Alan Rees ac fe groesodd fy meddwl ei bod hi braidd yn rhyfedd iddo syrthio ar ei fys bawd. Anfonwyd yr olion bysedd at arbenigwyr yr Adran Olion Bysedd yn y Swyddfa Droseddol Orllewinol ym Mhen-y-bont ar Ogwr i'w cymharu.

Proses araf iawn yr adeg honno oedd cymharu olion bysedd ac roeddwn yn barod i aros rhai wythnosau i gael y canlyniadau. Beth bynnag, ddiwrnodau'n unig wedyn, daeth newyddion fod Alan Rees wedi mynd ar goll! Ffoniais y Swyddogion Olion Bysedd ym Mhen-y-bont ar Ogwr ar unwaith. Gofynnais iddynt archwilio ôl bys Alan Rees, ac yn wir, ymhen chwarter awr cefais gadarnhad mai ei ôl bys ef oedd ar y ffenest.

Cawsom wybod nad dyma'r tro cyntaf i Alan Rees ddianc o'i gartref; un tro aeth mor bell â dociau arfordir dwyreiniol Lloegr, ond cafodd ei atal rhag mynd ymhellach am nad oedd ganddo basbort. Roedd wedi trafod hyn gyda ffrind iddo ac wedi dysgu mai'r lle pellaf y gallai deithio iddo heb basbort oedd Ynysoedd y Culfor. Ar ôl gwneud ymholiadau ym Maes Awyr Rhws, cawsom wybod fod bachgen yn ateb disgrifiad Alan Rees wedi gadael am Ynys Jersey y prynhawn cynt.

Ffoniais yr heddlu yn Jersey, cafodd fy nghais ei ddarlledu ar y teledu lleol, a chyn pen dim roedd gyrrwr tacsi wedi rhoi gwybod i'r heddlu yno ei fod wedi cludo bachgen yn ateb disgrifiad Alan Rees i un o westai St. Helier. Aeth heddlu'r ynys yno a'i arestio, ac fe'i cadwyd mewn cartref i blant yn Hoot de la Garren, o dan ofal lleianod. Digwyddodd hyn i gyd o fewn ychydig oriau a threfnwyd i minnau fynd i Jersey i'w gyf-weld a'i gyrchu adref.

Cymraeg oedd iaith gyntaf Alan Rees ond gan mai plentyn ydoedd bu raid i mi ei gyf-weld ym mhresenoldeb un o'r lleianod, a hynny trwy gyfrwng y Saesneg. Gwadodd iddo roi'r ysgol ar dân a phan ddywedais wrtho fod ei ôl bys ar ffenest y stordy, roedd ganddo esboniad. Dywedodd iddo fynd i'r ysgol, dri diwrnod wedi'r tân, i gael gweld y llanastr a chofiodd iddo ddringo i fyny at y ffenest i edrych ar y difrod y tu mewn. Roedd yn rhaid bod ei fys bawd wedi cyffwrdd â'r ffenest y pryd hwnnw, meddai. Gwnaeth ddatganiad o dan rybudd yn ailadrodd yr esboniad, a gofynnais iddo deirgwaith a oedd am newid unrhyw beth yn y datganiad cyn iddo ei arwyddo. 'Na,' meddai, 'dyna'r gwir.'

Wedi iddo arwyddo'r datganiad, gofynnais iddo esbonio un peth arall. Sut oedd ef wedi cyffwrdd â'r ffenest dri diwrnod wedi'r tân, a'r ffenest gyda mi yn y Polîs Stesion oddi ar y diwrnod cyntaf? Gwyrodd ei ben, ac wedi saib hir, cyfaddefodd. Dywedodd iddo losgi'r ysgol oherwydd ei fod yn ofni nad oedd wedi gwneud yn dda yn ei arholiadau diwedd tymor.

Roedd wedi torri croen ei fys bawd yn bwrpasol â chyllell. Ond sut y gwyddai mai ôl bys bawd y llaw dde yn unig roedd ei angen arnom? Yn syml iawn, pan ddaeth y bachgen cyntaf hwnnw allan o'r Polîs Stesion ar y nos Sadwrn wedi iddo roi ei ôl bys, roedd Alan Rees yn cerdded heibio. Cafodd y ddau sgwrs, a dywedodd y bachgen mai ôl bys bawd y llaw dde yn unig roedd ei angen.

Cefais sgwrs ddiddorol â'r bachgen ar yr awyren ar y ffordd adref. Roedd e'n fachgen peniog a chlyfar iawn a meddyliais y pryd hwnnw, pe na sianelid ei dalent i'r cyfeiriad iawn efallai'n wir y dôi i sylw'r heddlu eto. Roeddwn wedi cyrraedd Rhydaman mewn pryd i drefnu Llys Arbennig. Ar ei ran, gofynnwyd i'r Ynadon fod yn drugarog wrtho, mewn gobaith y tyfai'n ddinesydd teilwng. Gan mai bachgen ysgol ydoedd, ni chafodd ei gosbi ond rhoddwyd ef ar brawf am dair blynedd.

Cwta ddwy flynedd y bûm fel ditectif sarjant yn Rhydaman ond pryd bynnag y byddwn yn siarad â phlismyn y dref, wedyn, gofynnwn o hyd beth oedd hanes Alan Rees. Ymhen blynyddoedd, cefais wybod ei fod wedi dechrau teithio yn ôl ac ymlaen i Dde Amerig.

Yn Nhachwedd 1983, cipiwyd swyddog o gwmni awyrennau Lufthansa yn Bolivia a'i gadw'n gaeth, gan hawlio £1,500,000 o arian pridwerth. Arestiwyd wyth o ddynion i gyd, yn cynnwys Alan Rees. Arestiwyd ef ym maes awyr Heathrow ym mis Mawrth 1984, a swm enfawr o arian yn ei feddiant.

Roedd y drosedd wedi ei chyflawni yn Bolivia a gallai Rees fod wedi ymddangos gerbron llysoedd y wlad honno; ond gan mai dinesydd Prydeinig ydoedd, gallai ymddangos yn llysoedd Prydain yn ogystal. Hefyd, am mai dinesydd Almaenig oedd y gwystl ac yntau ar awyren Lufthansa ar y pryd, hynny yw, ar 'dir Almaenig', gallai gael ei estraddodi i Orllewin yr Almaen. Aeth blynyddoedd heibio cyn i'r penderfyniad gael ei wneud ac, yn y diwedd, ymddangosodd mewn llys yn Landgericht, Wiesbaden, ddydd Gwener, 23 Chwefror 1990.

Roedd Hefin Wyn yn gweithio i HTV Cymru ar y pryd; trefnodd fynd allan i gael y stori a threfnodd y cwmni teledu i minnau fynd allan hefyd yn y gobaith o gael cyfle i siarad yn Gymraeg ag Alan Rees wrth iddo gael ei gludo i'r llys.

Roedd llysoedd yr Almaen yn dra gwahanol i lysoedd y wlad hon; nid oedd yno unrhyw fesurau diogelwch hyd y gwelwn i. Fore'r llys, tua hanner awr wedi wyth, ychydig cyn i'r llys ddechrau, gwelais y Barnwr yn cerdded o amgylch yr adeilad yn siarad â hwn a'r llall. Pan gyrhaeddodd Alan Rees cefais ymgom ag ef am tua ugain munud; nid oedd yn fy adnabod a chafodd gryn sioc pan ddywedais: 'Jersey, Gorffennaf 1966.'

Agorodd y llys am ddeng munud wedi naw; rhoddwyd y cyhuddiad gerbron Alan Rees a phlediodd yntau'n euog. Cyn pen hanner awr roedd y ddedfryd wedi ei chyhoeddi – 13 mlynedd o garchar.

Llwyddodd y ddau ddyn camera o'r Almaen i ffilmio'r sgwrs a dangoswyd Alan Rees a mi ar raglen *Y Byd ar Bedwar* yr wythnos honno.

Un bore yn Ebrill 1967, a hynny yng ngolau dydd, torrodd dau ddyn o Gaerdydd i mewn i dŷ o'r enw Erw Lon, ger Llanymddyfri. Teithiodd y ddau yno mewn car Ford Consul Estate a gadael y cerbyd ychydig bellter o'r tŷ. Aethant i mewn drwy dorri ffenest y gegin, dwyn swm mawr o arian, ac yna ei gwadnu hi. Ond roedd dau fachgen un ar ddeg oed yn chwarae ar 'Y Grug' – llecyn uchel yr ochr arall i Erw Lon – ac yr oeddynt wedi gweld y cyfan. Gwelsant mai rhif y car oedd TKG 143, a dyma'r ddau yn cymryd y camau mwyaf deallus a synhwyrol y gallai unrhyw un fod wedi eu gwneud. Rhedodd y ddau i'r heol a defnyddio carreg i ysgrifennu rhif y car ar balmant wrth ochr yr heol.

Ychydig iawn o amser oedd eisiau i ddod i wybod pwy oedd perchen y car, ac aeth dau ohonom ar ras i Gaerdydd i'w arestio. Wrth i ni ddod â'r car i stop wrth oleuadau traffig Croes Cwrlwys, gwelwn y car, TKG 143, ar stop yr ochr arall i'r sgwâr, yn ein wynebu, ac yr oedd dau ddyn ynddo. Pan newidiodd y golau, fe aeth y ddau i gyfeiriad Dinas Powys a ninnau ar eu hôl! Daeth eu car i stop gerllaw Gwenfo ac aethom i'w holi, ond gwadu'r cyfan wnaeth y ddau; nid oeddent wedi bod yn Llanymddyfri erioed! Beth bynnag, wrth archwilio'r cerbyd, cafwyd bod cist y car yn llawn o lestri arian – o fewn yr hanner awr flaenorol roedd y ddau wedi eu dwyn o dŷ moethus yn Sain Ffagan.

Cafodd y ddau eu carcharu, ond mae'r diolch i'r ddau fachgen un ar ddeg oed o Lanymddyfri, ac i neb arall.

Llun o rif y car ar yr heol

Llun y car TKG 143

Yr adeg yma roedd nifer o droseddau o ysbeilio yn cael eu cyflawni yng ngorllewin Morgannwg – ymosod ar bobl fusnes a'u clymu tra oedd eu cartrefi'n cael eu hysbeilio.

Y Ditectif Inspector ar y *Regional Crime Squad* ar y pryd oedd John Owen Evans, a ddaeth yn y diwedd yn Brif Gwnstabl Cynorthwyol Heddlu Dyfed-Powys. Roedd pawb ohonom ar dân yn ceisio dal yr ysbeilwyr, ac un noson fe stopiwyd car gan y Sgwad ar gyrion Abertawe a thra oedd un ditectif yn siarad â'r ddau oedd yn y car, agorodd John Owen Evans gist y car ac yno roedd bar haearn a dau gap fel y rhai a wisgai Fidel Castro. Fe wnaeth John nodyn meddyliol o'r bar haearn, ac fel pe bai'n gweld i'r dyfodol, fe gymerodd feiro o'i boced ac ysgrifennu'r llythrennau 'JOE' ar y ddau fandin y tu mewn i'r ddau gap, a'u gosod yn ôl yn y gist. Y ddau yn y car oedd Danny Shannon o Abertawe a Daniel Tobin o Borth Talbot.

Tua chwech o'r gloch un nos Sadwrn, bythefnos wedi hyn, a hithau'n tywyllu, roeddwn yn digwydd cerdded allan o'm llety yn Bonllwyn, Rhydaman, pan welais gar modur yn mynd heibio mynedfa'r llety. Adnabyddais y gyrrwr fel Danny Shannon; roedd un arall yn y cerbyd ond ni allwn ei weld ac euthum ar ras yn fy nghar ar eu hôl. Ond roeddent wedi cael y blaen arnaf ac er i mi fynd drwy Landybïe a hanner y ffordd i Landeilo, nid oedd unrhyw sôn amdanynt.

Yn hwyrach y noson honno cawsom wybodaeth fod dau ddyn wedi ymosod ar ŵr busnes yn Nolgader, Bonllwyn – y tu ôl i'r tŷ lle roeddwn yn lletya, fel yr oedd yn digwydd. Ar yr union funud pan aeth y ddau ddihiryn i mewn roedd gwraig y tŷ yn dod â the a brechdanau o'r gegin ar hambwrdd, a phan welodd hi'r ddau a balaclavas dros eu hwynebau, capiau am eu pennau, ac un ohonynt yn chwifio bar haearn yn fygythiol, gollyngodd y sgrech fwyaf annaearol a glywyd erioed, a gollwng yr hambwrdd i'r llawr hefyd gan chwalu'r llestri'n deilchion. Credodd y ddau fod yr holl gymdogaeth wedi clywed, a heb ddwyn unrhyw beth, rhedodd y ddau ymaith. Mae'n rhaid bod y ddau ymosodwr wedi dychryn gan i un ohonynt ollwng y bar haearn o'i law. Mae'n rhaid eu bod hefyd, wrth redeg ymaith, wedi diosg eu balaclavas ac roedd cap un ohonynt wedi cwympo o'i afael ryw hanner canllath o'r tŷ. Y tu mewn i'r cap, ar y bandin, roedd y llythrennau 'JOE'!!! Roedd y bar haearn hefyd yn union yr un fath â'r un a welsai John yng nghist y car bythefnos cyn hynny.

Trannoeth, archwiliodd John Owen Evans gartrefi'r ddau ysbeiliwr ac o dan glustog ar soffa mewn un ystafell roedd cap 'Fidel Castro' arall gyda'r llythrennau 'JOE' arno. Er nad oedd eiddo nac arian wedi ei ddwyn, roedd y dystiolaeth yn ddigon cryf ac, ym Mrawdlys Morgannwg a gynhaliwyd yng Nghaerdydd o flaen yr Ustus Glyn Jones, dedfrydwyd Shannon i garchar am saith mlynedd a Tobin am gyfnod o bum mlynedd.

Mae'n rhaid i mi restru gweledigaeth a chyfrwystra John Owen Evans yn yr achos hwn ymhlith y gorau o waith ditectif a welais erioed.

Beth amser wedi hyn, roeddwn yng ngharchar Abertawe a rhai o'r carcharorion yn fy ngweld yn mynd i swyddfa'r Rheolwr. Cyn dechrau ar ein trafodaeth, anfonodd y Rheolwr am ddau gwpanaid o goffi o'r gegin, ond cyn i'r coffi gyrraedd canodd y teliffon, a'r unig beth a glywais y Rheolwr yn ei ddweud oedd, 'Diolch'. Pwy ddaeth â'r coffi i mi ond Danny Shannon! Rhoddodd un cwpan ar y ddesg o flaen y Rheolwr a rhoddodd y llall yn fy llaw.

'Dewch â hwnna i fi,' meddai'r Rheolwr wrtho, gan gyfeirio at fy nghwpan i.

'Na,' meddai Shannon, 'mae gormod o siwgr yn hwnna, Syr. Hwn yw eich un chi, Syr.'

'Shannon!' gwaeddodd y Rheolwr. 'Hwnna i fi.' Ar ôl i Shannon fynd, gwyntodd y Rheolwr y coffi. Oedd, roedd Danny Shannon wedi piso ynddo, ond roedd clapgi yn y gegin wedi rhoi gwybod i'r Rheolwr pan oedd Shannon ar ei ffordd. Cosb Shannon oedd byw ar fara dŵr am 24 awr.

Dyna'r gwirionedd. Ond nid oedd y stori wrth fodd y carcharorion – taenwyd stori gelwyddog gan ladron Llanelli fy mod wedi yfed piso Danny Shannon!

LLOFRUDDIAETH MARY JANE WILLIAMS

Un dydd Sul tua chanol mis Chwefror 1967, roeddwn yn rhoi ychydig o help i ffrind i mi a oedd newydd briodi, i bapuro ystafell yn ei gartref yn Rhydaman pan gefais alwad o Lanelli i fynd yno ar frys i gynorthwyo mewn achos o lofruddiaeth. Roedd y Prif Gwnstabl eisoes wedi gofyn am gymorth Scotland Yard, a daeth y Ditectif Uwch Arolygydd Maurice Walters o'r Yard i arwain yr ymchwiliad.

Mary Jane Williams, dynes eiddil iawn yn pwyso ond pum stôn, ac yn llai na phum troedfedd o daldra, oedd wedi ei llofruddio, a hithau'n 80 mlwydd oed. Trigai ar ei phen ei hun yn 16 Stryd Fawr, ac yn y tŷ y treuliai ei bywyd – ac eithrio diwrnodau siopa, dydd Mercher a dydd Sadwrn.

Hyd yn oed wrth siopa byddai ei harferion yn dilyn yr un patrwm. Âi i siop yn Heol Lakefield, hanner canllath o'i chartref, am 2.00 pm, bob tro. Gwnaeth hynny ddydd Sadwrn, 18 Chwefror – a dyna'r tro olaf iddi gael ei gweld yn fyw. Canfuwyd hi'n farw am 3.00 pm drannoeth; roedd hi yn ei dillad bob dydd ac yr oedd dwy hosan dros ei cheg, un wedi'i chlymu'n dynn â chwlwm dwbl, a'r llall â thri chwlwm y tu ôl i'r gwddf. Roedd llygaid ac amrannau'r un fach yn gleisiau duon, roedd asgwrn yr ên uchaf ar yr ochr chwith wedi'i dorri, a gwaed wedi llifo o'i cheg.

Yr unig ddynion busnes a alwai yn ei chartref fyddai'r dyn glo a'r dyn olew. Dibynnai Mary Jane ar olau lamp a chadwai danllwyth o dân bob amser. Pan fyddai angen cyflenwad o lo arni, anfonai at Daniel Phillips, Doc Newydd, a deuai hwnnw â thunnell ar y tro iddi.

Bu arferion digyfnewid Mary Jane yn help mawr i ni ddod o hyd i'w llofrudd. Am 6.00 pm byddai Mary Jane yn berwi'r tegell i lenwi ei dwy botel-dŵr-poeth a'u gosod yn ei gwely. Cadwai'r lamp olew bob amser ar silff y ffenest hyd 8.00 pm pan fyddai'n cynnau'r lamp. Yna'n union am 9.00 pm byddai'n ail-lenwi'r ddwy botel, ac erbyn 11.00 pm, pan âi rhwng y carthenni, byddai'r gwely wedi cynhesu'n llwyr.

Pan ganfuwyd ei chorff roedd y lamp olew ar silff y ffenest heb ei chynnau – hynny'n dynodi i'r ymosodiad ddigwydd rywbryd wedi 2.00 pm y dydd Sadwrn pan aeth i'r siop, a chyn 8.00 pm y noson honno.

Roedd Mary Jane yn wraig ddarbodus, a phum mlynedd cyn hyn roedd ganddi o leiaf £700 mewn arian papur – ar ôl bod ym Manc y Midland ar 13 Mawrth 1962, i newid hen bapurau punnoedd am rai newydd wedi i Fanc Lloegr alw'r hen bapurau i mewn. Pan archwiliwyd ei chartref gwelwyd bod y llofrudd wedi chwilio drwy'r droriau ac wedi codi matras gwely, a chan mai £315.19s.6d. yn unig o arian y daethpwyd o hyd iddo, amlwg ydoedd mai lladrad oedd y bwriad.

Cafodd Alan Nurton, un o dditectifs Llanelli, wybod gan leidr bod dyn o'r enw Brian Wright wedi gofyn iddo ddod i gartref hen wraig yr oedd ganddi ddigon o arian – o leiaf £500. Roedd e wedi gweld yr arian, meddai, wrth iddi dalu ei gyflogwr, Daniel Phillips y gwerthwr glo. Ond gwrthod y cynnig wnaeth y lleidr yma.

Gwelwyd Wright yn y Farriers Arms, Llanelli, tua 9.00 o'r gloch ar y nos Sadwrn. Yno roedd dwy ferch lygatgraff iawn, Julie Banfield a Gloria Davies; roedd y ddwy wedi sylwi bod cŷffs llewys crys Brian Wright wedi'u torchi, a hefyd bod dau smotyn tywyll ar ei grys.

Bron yn ddieithriad, y rhyw deg yw'r rhai sy'n sylwi ar wisgoedd. Arferwn ddibynnu'n llwyr ar dystiolaeth menyw am ddisgrifiad o ddillad; maent yn hollol ddibynadwy.

Mewn cynhadledd gan yr heddlu datgelwyd gan wyddonydd o'r Labordy Fforensig y byddai'n debygol fod gwaed ar gŷffs llewys y llofrudd a chwiliwyd am Brian Wright. Roedd e'n byw mewn carafán gyda'i fam-gu yn Stryd Marsh ond roedd wedi gadael yn gynnar iawn trannoeth i'r llofruddiaeth. Cefais orchymyn gan Maurice Walters i fynd i'r garafán i gyf-weld y fam-gu, Cymraes bur a dynes hollol onest.

Chwilio am grys ei hŵyr yr oeddwn yn bennaf, ond er chwilio drwy'r wardrob a'r holl ddroriau yn y garafán, methais â dod o hyd iddo. Cefais sgwrs gyda'r fam-gu wedyn ond, cyn gadael, chwiliais eto yn y wardrob; dillad y fam-gu oedd yno i gyd ac edrychais y tro hwn o dan bob gŵn. O dan un ohonynt roedd crys gwyn ac olion gwaed ar y cŷffs! Teimlais oerfel yn dod drosof; bûm bron â gadael y lle hebddo. Edrychais i fyny gan ddiolch, a phan euthum â'r crys i Maurice Walters, ei union eiriau oedd, '*A great find Skip*'. ('*Skipper*' yw'r enw ar Sarjant.)

Cafwyd gwybodaeth bod Wright wedi mynd i Lundain, a bod ganddo ffrind o'r enw Claudette Durham yn byw yn Highams Park yn nwyrain y ddinas. Aeth dau dditectif o'r Yard i'w gweld a chawsant wybod bod Wright wedi ei ffonio a'i bod yn disgwyl galwad arall oddi wrtho unrhyw funud. Rhoddwyd cyfarwydd-iadau iddi ddenu Wright i'r tŷ pan gawsai'r alwad nesaf. Cyn hir, dyma'r teliffon yn canu; Brian Wright oedd yn galw. Dywedodd Claudette ei bod ar ei phen ei hun, bod ei rhieni wedi mynd i Brighton am wythnos o wyliau. Dywedodd nad oedd hi'n teimlo fel mynd allan y noson honno ond bod croeso iddo alw. Heb amheuaeth, edrychai Wright ymlaen am dreulio noson yng nghwmni Claudette, atebodd hithau ei gnoc ar y drws, croesawodd ef i'r tŷ a syrthiodd yntau i'r trap.

Ymhlith yr eiddo ym meddiant Wright roedd £400 mewn bwndeli, a'r rheiny yn dwyn stamp Banc y Midland, Llanelli, a hyd yn oed y dystiolaeth ddamniol – y dyddiad 13 Mawrth 1962. Ym Mrawdlys Morgannwg ar 13 Mai 1967, plediodd Wright yn euog i lofruddiaeth. Pedair munud yn unig a barodd yr achos a dedfrydwyd ef i garchar am oes.

Y SGWAD UNWAITH ETO – A'R GANGEN ARBENNIG

Dyma'r adeg oedd yn arwain at Arwisgiad y Tywysog Siarl yn Dywysog Cymru yng Nghaernarfon. Roedd yna wrthwynebiad mawr i'r Arwisgiad, ac yn wir roedd yna fygythiadau y câi'r arwisgo ei atal gan Fyddin Rhyddid Cymru, ac ofnid y câi'r Tywysog Siarl ei saethu. Penderfynwyd mai'r peth doethaf fyddai galw am wasanaeth Scotland Yard i ofalu am ddiogelwch y Tywysog am gyfnod cyn yr arwisgiad. Felly, daeth y Ditectif Brif Uwch Arolygydd 'Jock' Wilson i gymryd y cyfrifoldeb, a sefydlodd yntau swyddfa yn Swan Hill yn yr Amwythig, gyda ditectifs o bob rhan o Gymru i weithio iddo. Dewiswyd pump ohonom, pump Cymro Cymraeg, i gasglu *intelligence* ynglŷn â'r eithafwyr ac unrhyw fygythiad. John Owen Evans oedd y Pennaeth, gyda Walford Davies o Sir Benfro, Watt Lowe o Lanelli, Bob Lawrence o Aberhonddu a minnau. (Ymhen blynyddoedd apwyntiwyd Bob yn Brif Gwnstabl Heddlu De Cymru ond bu farw o'r cancr yn 53 oed.)

Dyma waith hollol newydd i mi, nid o ran casglu gwybodaeth ac *intelligence*, ond ceisio gwneud hynny mewn byd hollol wahanol. Roedd pobl yn barod iawn i helpu'r heddlu i ddatrys troseddau; roedd hyd yn oed lladron yn barod iawn i helpu pan ddioddefai rhywun diniwed ymosodiad. Ond yn awr, troseddau â'r label 'politicaidd' arnynt oedd y rhain. Roedd cydymdeimlad llawer Cymro â rhywun a losgai dŷ haf, er enghraifft, nid am ei fod yn cefnogi'r weithred ei hun, ond am mai Saeson oedd yn prynu'r tai hyn ac felly'n Seisnigeiddio'r broydd Cymraeg. Cydymdeimlai llawer iawn hefyd ag aelodau Byddin Rhyddid Cymru am mai eu hamcan oedd cael Senedd i Gymru.

Pan oedd paratoadau ar droed ar gyfer yr arwisgiad roedd yr ymgyrch llosgi tai haf yn ei hanterth a bu nifer o ffrwydradau. Achoswyd ffrwydrad yn Nheml Heddwch Caerdydd yn Nhachwedd 1967, a chlywais fod Dafydd ap Coslett, aelod blaenllaw o Fyddin Rhyddid Cymru, wrth ei fodd yn dweud: 'Beth am y *Temple of Peace* 'te bois? Neu a ddylen i weud – *Temple of Pieces*?'

Dygwyd ffrwydron o Lofa Hafod, Rhiwabon, ar 24 Ionawr 1968, ac achoswyd ffrwydradau yn Swyddfeydd Tollau Tramor a Chartref yn Llanisien ac yn y Swyddfa Gymreig, Caerdydd, ym mis Mawrth a mis Mai. Hefyd ym mis Mai bu ffrwydrad yn Llyn Fyrnwy a mis yn ddiweddarach ffrwydrwyd piben yn cario dŵr o afon Dyfrdwy i Lerpwl ger Helsby, Swydd Caer. Ar 8 Medi 1968, achoswyd ffrwydrad yng ngwersyll y Llu Awyr ym Mhen-bre, a nos Sul, 1 Rhagfyr, difrodwyd pibell ddŵr yn West Hagley, Caerwrangon.

Dyma'r adeg y deuthum i adnabod aelodau eraill o Fyddin Rhyddid Cymru hefyd – Julian Cayo Evans, yr aelod mwyaf blaenllaw, a'i gyd-swyddogion. Roeddwn yn adnabod Dafydd ap Coslett ers rhai blynyddoedd cyn hynny a'r tro cyntaf i mi gwrdd ag ef oedd pan oedd yn löwr yng Ngwaith Glo'r Morlais, Llangennech, ymhell cyn iddo ymuno â Byddin Rhyddid Cymru. 'Dennis Coslett' ydoedd y pryd hwnnw. Un tro cefais achos i fynd i'w gyf-weld ynglŷn â rhyw drosedd honedig. Nid yw'r drosedd yn werth sôn amdani ond nodaf yr argraff a gefais ohono. Bore dydd Sul ydoedd; aeth Jim Stephens a minnau i'w gyf-weld ac atebodd Coslett y drws a throwsus yn unig amdano. Gwelwn ei fod yn meddu ar gorff cyhyrog, heb ronyn o fraster arno, a hawdd credu ei fod wedi bod yn bocsio tra oedd yn gwneud ei Wasanaeth Cenedlaethol. Un ffaith ddiddorol amdano yn y Fyddin oedd ei fod, tra oedd yn yr Almaen, wedi gwarchod Rudolf Hess yng Ngharchar Spandau.

Ymosododd dau berson ar Coslett un noson yn Llangennech, ac er iddo gael ei faeddu nes ei fod bron yn anymwybodol, ni roddodd y gorau iddi ac ymladdodd nes iddo fethu â sefyll ar ei draed. Meddyliais y pryd hwnnw, os byth y byddwn mewn rhyfel, a chael dewis yr un i ymladd wrth fy ochr, Coslett fyddai hwnnw heb unrhyw amheuaeth.

Cafodd Coslett ddamwain wrth wneud gwaith cynnal a chadw ar ryw beiriant neu'i gilydd; fe dasgodd sbring i'w lygad a chollodd ei olwg yn y llygad hwnnw, ac ymhen tipyn cafodd lygad gwydr yn ei le. Erbyn hyn roedd yn genedlaetholwr brwd ac wedi datblygu casineb llwyr tuag at y Saeson. Ymunodd â Byddin Rhyddid Cymru a gwelwyd ef yn ei lifrai, gyda Gelert ei gi, mewn gorymdeithiau ar hyd a lled Cymru.

O adnabod troseddwyr am flynyddoedd tyfwn yn fwy goddefgar ohonynt, a thebyg iawn y teimlent hwythau'r un fath tuag ataf innau. Ni allaf esbonio pam ond, i mi, 'cymeriad' oedd Coslett ac nid edrychwn arno fel troseddwr o gwbl. Peri i mi chwerthin a wnâi o hyd. Roedd rali wedi ei threfnu yng Nghilmeri un Rhagfyr a gofynnodd i mi a oeddwn i'n mynd yno. Pan atebais efallai y byddwn, dywedodd, 'Fe gadwa i lygad mas amdanat ti,' a thynnodd y llygad gwydr o'i soced yr un pryd!

Un diwrnod, ac yntau erbyn hynny yn byw yn Fferm Penygraig, Gwynfe, Llangadog, gwelais ef mewn ciosg teliffon ger Pont Aber; agorais ddrws y ciosg ac meddai, 'Dere miwn, 'sda fi ddim byd i gwato, 'wy drwyddo i'r Swyddfa Gymreig.' Cyflwynodd ei hun fel *'Commandant of the Carmarthenshire Division of the Free Wales Army'* a gofynnodd am gael gair â George Thomas, Ysgrifennydd Gwladol Cymru, i drefnu cyfarfod y dydd Sadwrn canlynol. Byddai Dai Bonner Thomas, Llanelli, ac un aelod o Gymdeithas yr Iaith, Neil Jenkins o Ferthyr Tudful, yn dod gydag ef, ac os na wnâi George Thomas sefydlu 'llywodraeth dros dro' ar unwaith, yna byddai yna ragor o ffrwydradau a byddai rhywun yn sicr o gael ei ladd. Yna, deellais ei fod wedi rhedeg allan o arian; deialodd y gyfnewidfa, gofyn am rif y Swyddfa Gymreig gyda chais iddynt hwy dalu am yr alwad. Yno y gadewais ef!

Ni chefais unrhyw ffwdan gan Coslett erioed, ond câi ambell i dditectif drafferth ofnadwy ganddo. Un ohonynt oedd John Owen Evans ac, ym mis Mai 1968, aeth John a minnau yng nghwmni plismyn eraill i Benygraig i archwilio'r lle o dan awdurdod gwarant. Roedd dangos John Owen Evans i Coslett fel dangos pilyn coch i darw, a dyma fe'n dechrau difrïo John yn ofnadwy, gan alw 'bradwr' a 'Makarios' arno, ac ychwanegu mai pen dryll fyddai'n ei aros, ac ati. Roedd hyn yn ddigon i John golli ei amynedd, er na welais ef erioed yn taro neb, ond wrth i Coslett fynd heibio iddo yn un o'r ystafelloedd, dywedodd John wrtho am adael ei *cheek* ac ar yr un pryd estynnodd fonclust iddo. Wel, a dweud y gwir nid oedd y glewten yn deilwng i'w galw'n fonclust; ni fyddai'r un bocsiwr yn ei harddel; roedd hi'n fwy tebyg i roi brwsiad i'w wallt. Ond beth bynnag am hynny, fel fflach, dyma ddwrn chwith Coslett yn nhrwyn John nes i hwnnw gael ei daro 'nôl ar ei sodlau, a Coslett yn dawnsio o'i amgylch fel Muhammad Ali, ei ddyrnau o'i flaen yn ystumio ymladd a'r olwg fwyaf ffyrnig arno yn ailadrodd y geiriau, 'Dere mla'n 'te, dere mla'n 'te, dere mla'n.' Ni allwn ddal heb chwerthin a chuddiais fy mhen gan esgus chwilio mewn drôr rhag ofn y gwelai John fi.

Clywais Angelo Dundee yn dweud rhyw dro mai gan Sonny Liston oedd y *left jab* orau yn y busnes. Nage. Anghywir. Gan Dafydd ap Coslett, canys mi a'i gwelais!

Penderfynwyd arestio nifer o ddynion a oedd yn aelodau o Fyddin Rhyddid Cymru ac ymgasglodd rhyw 60 ohonom ym Mhencadlys Heddlu Dyfed-Powys ganol nos ar 25 Chwefror 1969, gyda'r Prif Gwnstabl ei hun, J. R. Jones, a Jock Wilson yn ein briffio. Anfonwyd ni i gartrefi'r gwahanol aelodau, ac yr oeddwn innau mewn tîm a aeth i gartref Coslett, gan gyrraedd Penygraig ychydig cyn chwech o'r gloch y bore.

Dywedais wrtho ein bod yn ei arestio ac meddai, 'O'n i'n gweld y dwyrnod 'ma'n dod. Odi Owain Williams miwn?' Dangosais y warant iddo a darllenais y cyhuddiad. Ysgrifennodd yntau enw'r Ynad Heddwch a oedd wedi arwyddo'r warant ar ddarn o bapur ac meddai, 'Dyna Ynad arall,' a chymerais innau hyn i olygu y dôi dial ar yr Ynad. Dywedais wrtho ein bod yn mynd i archwilio'r lle gan ofyn iddo a oedd am fod yn bresennol ymhob ystafell. *'Certainly.* Lladron 'ych chi i gyd,' atebodd. Roedd yno lawer o eiddo yn ymwneud â Byddin Rhyddid Cymru, lifrai yn cynnwys gwregys dal bwledi *(bandoleer)*; dros hanner cant o boteli dŵr a *mess tins* fel y rhai a ddefnyddid gan filwyr Byddin Prydain; papurau gwrth-arwisgiad a llyfrau fel *Cry Blood* a *The Dragon's Tongue.*

Arestiwyd Coslett a threuliais innau weddill y dydd yn cyfweld Julian Cayo Evans ac yn rhestru'r eiddo a gafwyd yng nghartref Coslett. Cafodd y rhain i gyd eu harddangos mewn llys yn ddiweddarach – yn y llys hwnnw a ddechreuodd ar y diwrnod cyntaf o Fai ac a ddaeth i ben yn hynod o gyfleus ar 1 Gorffennaf 1969 – diwrnod yr Arwisgiad.

Roedd Cayo Evans yn berchen ar ddrylliau, a hynny'n berffaith gyfreithlon; roedd ganddo dystysgrif (Rhif 2747) yn cynnwys sêl bendith y Prif Gwnstabl ac yr oedd ganddo dystysgrif (Rhif 5234) i gadw dryll dwy faril. Yn naturiol, pan gafodd ei arestio dygwyd y tystysgrifau oddi wrtho a'u harddangos yn y llys. Yn awr, wedi ei garcharu, roedd y Prif Gwnstabl yn diddymu'r holl dystysgrifau a'i wahardd rhag cadw drylliau.

Cefais orchymyn i fynd i weld Cayo yng Ngharchar Caerdydd; rwy'n cofio'r diwrnod yn iawn, dydd Llun 14 Gorffennaf 1969 ydoedd ac ar ôl i mi ei gyfarch, dywedodd: *'Ah! The Gestapo'.* Derbyniodd fod y tystysgrifau i'w diddymu, ac wedi i mi orffen siarad ag ef cafodd ei gyrchu yn ôl i'w gell. Cyn i mi adael y carchar daeth y Swyddog Grimmwood ataf gan ddweud bod Cayo wedi dweud wrtho, gan gyfeirio ataf fi: *'He thinks that I've thrown the rifle into the lake. I'll blow his f...... head off with it when I come out.'* Dywedais wrth Grimmwood am anfon adroddiad i'r Rheolwr rhag ofn y digwyddai hyn rywbryd, a gwnes innau nodyn yn fy llyfr poced. Heddiw byddai Cayo wedi cael ei erlyn am fygwth llofruddio ond, druan ohono, mae ef yn ei fedd a 'mhen innau yn dal ar fy ysgwyddau.

Y rheswm am ffurfio sgwad arbennig, wrth gwrs, oedd gofalu na ddeuai unrhyw niwed i'r Tywysog a phan ofynnai Jock Wilson am wybodaeth am unrhyw un, rhaid oedd mynd ati i chwilio. Ac fel yr oedd dyddiad yr Arwisgiad yn nesáu, dwysáu a wnâi'r gweithgareddau. Ni feddyliais am un funud y byddai rhywun am lofruddio Tywysog Cymru er mor gryf oedd teimladau rhai yn ei erbyn, ond fy marn i yn unig oedd hynny. Rhannwyd ni yn dimau o bedwar neu bump a rhoddwyd un 'targed' i bob tîm i'w gadw o dan syrfeilans dros gyfnod yr Arwisgiad. Roedd yr awdurdodau wedi gorymateb, yn sicr yn hanes 'targed ' ein tîm ni. 'Targed' hollol ddiniwed oedd hwn. Ddiwrnod yr Arwisgiad, ni fu ein 'targed' ni yn agos i Gaernarfon; mewn gwirionedd ni adawodd ardal Abertawe o gwbl.

Wedi i holl gyffro'r Arwisgiad dawelu trosglwyddwyd fi yn ôl i'r Sgwad yn Abertawe i wneud y gwaith yr oeddwn yn ei hoffi unwaith eto, ac erbyn hyn roedd heddluoedd mwy o faint wedi cael eu sefydlu. Unwyd Heddluoedd Caerfyrddin ac Aberteifi, Sir Benfro a'r Canolbarth ar 1 Ebrill 1968, pan sefydlwyd Heddlu Dyfed-Powys. Gan i hynny arwain at ragor o adnoddau, daeth yr arferiad o alw am wasanaeth Scotland Yard i arwain archwiliadau i lofruddiaethau i ben, ac anfonwyd nifer o dditectifs i gael hyfforddiant yn Scotland Yard ar gyfer rhedeg ystafelloedd insident. Roedd Glynne Jones, oherwydd uno'r heddluoedd, wedi colli ei swydd fel Dirprwy Brif Gwnstabl Heddlu Caerfyrddin ac Aberteifi, ac wedi ei sefydlu fel Pennaeth C.I.D. Heddlu Dyfed-Powys. Anfonodd fi ar y cwrs hwnnw i Scotland Yard ym mis Medi 1969. Teimlwn fy mod wedi cael ffafr fawr iawn gan mai gan dditectifs Scotland Yard yn unig yr oedd y cymwysterau i gymryd gofal o ystafelloedd insident. Wedi hyn rhoddwyd gofal ystafelloedd mewn sawl achos o lofruddiaeth i mi yng Nghaerdydd a Chasnewydd. Bu farw Glynne Jones ar y diwrnod olaf o Fawrth 2007, yn 95 oed.

Wyth mis yn unig y bûm ar y Sgwad fel Ditectif Sarjant ond bu'n wyth mis prysur iawn.

Wedyn daeth swydd Ditectif Inspector y Sgwad yn rhydd yng

Nghaerdydd, swydd gofal *Criminal Intelligence Bureau (C.I.B.)* a chynigiais amdani. Wedi dod ar y rhestr fer euthum o flaen y panel – yn cynnwys Arolygwr Ei Mawrhydi a'r tri Phrif Gwnstabl – De Cymru, Dyfed-Powys, a Gwent. Prif Gwnstabl De Cymru erbyn hyn oedd Mr Melbourne Thomas, cyn-Brif Gwnstabl Merthyr Tudful, yr un a gyflwynodd Eiriadur Oxford i mi flynyddoedd ynghynt. Er mawr syndod i mi, roedd e'n cofio'r achlysur ac efallai bod hynny wedi bod yn help i mi gael y swydd! Nid wy'n cofio llawer am y cyfweliad ar wahân i'r A.E.M. yn gofyn beth roeddwn wedi ei wneud i wella fy nghymwysterau addysgol ers ymuno â'r heddlu; er enghraifft, a oeddwn wedi ystyried astudio ar gyfer arholiadau 'Lefel A'. Cyn i mi gael cyfle i ateb, dywedodd mai ateb parod pob ditectif gwnstabl a sarjant i'r cwestiwn oedd eu bod yn gweithio oriau hir ac nad oedd ganddynt yr amser. 'Yn awr,' meddai, 'os cewch eich dewis i'r swydd hon, efallai bydd amser gyda chi.' Dywedais y byddwn wrth fy modd pe byddai gennyf rai pynciau 'Lefel A' ond fy nheimlad gonest oedd, pe llwyddwn i gael y swydd, na fyddai eu hangen arnaf bellach. P'un ai oedd yr ateb yn un boddhaol ai peidio, llwyddais i gael fy newis.

Gwaith ditectifs y C.I.B. oedd casglu gwybodaeth a chynnal cofnodion manwl a helaeth am weithgareddau'r lladron a'r ysbeilwyr mwyaf peryglus trwy feithrin hysbysyddion o'r isfyd yn ogystal â'r bobl hynny oedd yn cyfathrachu â throseddwyr, fel eu cariadon a'u gwragedd ac, yn arbennig, y puteiniaid.

Ond weithiau, amhosibl oedd osgoi taro'n uniongyrchol. Un diwrnod, roeddwn yn cerdded yn yr Ais yng Nghaerdydd pan ddaeth gŵr ifanc ymlaen ataf a gofyn am 'siop ail law' a dywedais fy mod yn mynd i gyfeiriad un ohonynt, a chydgerddodd â mi. Roedd y dyn yn cario bag a rhywbeth ynddo; dywedodd ei fod yn dod o Landeilo, a chyfeiriais ef at y siop. Gadewais iddo fynd i mewn ac ar ôl ychydig funudau euthum ar ei ôl. Erbyn hynny roedd bag y dyn yn wag ar y llawr a jẁg, tebot a basn siwgr arian ar y cownter yn cael eu cynnig i'r siopwr.

Methais â chael esboniad rhesymol ganddo am feddiannu'r eiddo ac euthum ag ef i'r stesion. Yno, cyfaddefodd iddo dorri i mewn i dŷ meddyg yng Nghasnewydd a dwyn yr eiddo. Dyna enghraifft o un yn croesi ffiniau a theithio milltiroedd i droseddu, o Landeilo i Gasnewydd – ac enghraifft arall o'r lwc a'm dilynai i bob man.

Roedd gennyf ffynhonnell eithriadol o dda am wybodaeth ynglŷn â'r troseddwyr yng Nghaerdydd o'r diwrnod cyntaf yno. Roedd fy 'hysbysydd' ynghlwm wrth y Deddfau Cyfrinachau Swyddogol ac fe allai fod wedi colli ei swydd pe dôi'r awdurdodau i wybod. Ond gan fod fy 'hysbysydd' erbyn hyn y tu hwnt i afael y gyfraith, gallaf ddadlennu'r cyfan.

Roedd fy ewythr, Oliver Davies, yn swyddog yng Ngharchar Caerdydd, a chan ei fod yn Gymro Cymraeg, ac ambell i droseddwr yn ysgrifennu at ei deulu yn Gymraeg, penodwyd ef i ddarllen pob llythyr a ddôi i mewn ac allan o'r carchar. Roedd y llythyrau hyn yn llawn gwybodaeth am weithgareddau troseddol, yn aml iawn mewn côd, a diddorol iawn oedd ceisio datrys y wybodaeth gêl.

Doethach fyddai i mi beidio â manylu ynglŷn â'r wybodaeth a gawn gan fy Wncwl Oli rhag ofn y bydd yna ymchwiliad a rhyw droseddwr, rhyw ddiwrnod, yn hawlio iawndal am annhegwch. Ond dyma un enghraifft a gynhyrfodd un ysbeiliwr. Cefais wybod gan Oliver bod dyn yn y carchar wedi ei gyhuddo o drosedd ddifrifol yn y Barri ond heb ymddangos gerbron y llys hyd yn hyn. Roedd wedi ysgrifennu llythyr at ei ffrind ac yn amlwg yn ceisio ei gael i roi *alibi* iddo. Rhywbeth yn debyg i hyn oedd rhediad y llythyr:

'Fel ti'n gwbod wy wedi cael fy nghyhuddo ar gam o robo rhyw dŷ yn y Barri, a wyt ti'n gwbod yn iawn na wnes i, achos o't ti gyda fi'r noson honno, on'd o't ti? Lan yn y rasys milgwn yn yr Arms Park o 6pm i 7pm a wedyn fuon yn y dafarn yn Roath, fel ti'n gwbod, yn ystod yr amser oedd rhywun yn robo'r tŷ . . .'

Gofynnais i Oliver gadw'r llythyr hyd nes i ni fynd i gyf-weld derbynnydd y llythyr. Pan ofynnwyd i hwnnw a oedd ef mewn unrhyw ffordd yng nghwmni'r un a arestiwyd ar y noson dan sylw, gwadodd hynny a gwnaeth ddatganiad mewn ysgrifen yn unol â'r hyn a ddywedodd. Trannoeth, postiwyd y llythyr iddo o'r carchar!

PRIODI A SYMUD I GAERDYDD

Bûm yn was priodas bedair o weithiau, ac yn wir byddwn wedi bod am y pumed tro – ym mhriodas Dewi a Glynys Daniel, Rhydaman – oni bai i mi gael fy ngalw ar fyr rybudd i Frawdlys Abertawe i roi tystiolaeth. Ond er i mi fod yn was priodas bedair gwaith, cymerais ddigon o amser i ddewis gwraig fy hun; erbyn hyn roeddwn yn 35 oed, ond roedd hi'n werth aros. Cwrddais â Marilyn, merch o Drebannws yng Nghwm Tawe â gwreiddiau teulu ei mam yn ddwfn yn naear Craig-cefn-parc. Marilyn Frost, ond er ei henw, 'un dyner ei chalon yw hi . . .' fel yr Olwen honno y canodd Crwys amdani. Fe briodon ni ar 23 Hydref 1969, yn y Swyddfa Gofrestru yn Abertawe – priodas fach dawel iawn. Gweithio yn adran weinyddol Marks & Spencer, Abertawe, ydoedd, a minnau yn y Sgwad yn y dref. Ar ôl i mi gael fy nyrchafu yn Dditectif Inspector a symud i Gaerdydd, trosglwyddwyd Marilyn hefyd – i Marks yn y brifddinas. Cyn hir cafodd ei dyrchafu yn *Assistant Chief Cashier* ac enillai fwy o arian na mi. Fel aelod o'r staff câi fonws yn flynyddol hefyd, bonws o 10 y cant o'i chyflog blwyddyn ar ddechrau mis Rhagfyr – rhywbeth derbyniol iawn wythnosau cyn y Nadolig.

Y rheswm pennaf am i mi geisio am y swydd yng Nghaerdydd yn y lle cyntaf oedd er mwyn i ni gael tŷ. Roedd Marilyn a minnau'n byw mewn fflat ar lawr cyntaf tŷ yn Heol Bryn, Abertawe, a phe cawn fy symud, byddai'n rhaid i'r Heddlu chwilio am dŷ i ni. Fe symudon ni i Gaerdydd ar 1 Ebrill 1970, ac fe gawsom dŷ newydd yn Llanedeyrn.

Ar ddydd ein priodas

Dywedodd sawl un wrthyf mai dyna fy niwedd; wrth fynd i Gaerdydd anghofiai'r Prif Gwnstabl a'r Swyddogion Uwch amdanaf – *'Out of sight, out of mind'*. Ond daeth lwc eto i'm rhan.

Ym mis Hydref 1971 cefais ychydig o seibiant o'r gwaith bob dydd 'ymysg lladron'. Cefais fy newis i fynd ar gwrs o chwe mis i Goleg yr Heddlu yn Bramshill ger Fleet, Swydd Hampshire. Nid oeddwn mor awyddus â hynny i fynd yno, ond mynd oedd raid. Pwrpas y cwrs oedd ein hyfforddi ar gyfer dyletswyddau Swyddogion Uwch, ac ar ôl chwe mis o asesu byddai syniad go dda gan y staff amdanom. Roedd yn rhaid i ni wisgo iwnifform ar y cwrs, felly dyma fi'n cael iwnifform newydd sbon am yr amser byr o chwe mis, nid un ail-law fel pan oedddwn yn gwnstabl, ond un newydd sbon – y fath wastraff!

Derbyniais ychydig o wybodaeth am y cwrs cyn mynd a dywedwyd wrthyf mai'r dasg gyntaf oedd rhoi araith o chwarter awr o flaen y dosbarth a'r tiwtor. Nid oeddwn wedi siarad yn gyhoeddus erioed, a gofidiwn yn fawr iawn am na wyddwn pa safon oedd yn rhaid anelu ati. Sut siaradwyr fyddai'r myfyrwyr eraill?

'Anghenraid yw mam dyfeisgarwch.' Ychydig cyn hyn roeddwn wedi darllen erthygl arbennig o dda gan y Parch. Robert Beynon, Abercraf. Roedd hi'n erthygl wirioneddol wych am 'y dyn yn y stryd'. Wedi i mi gael caniatâd i'w defnyddio, cyfieithais hi a'i dysgu ar fy nghof. Bûm o flaen y drych yn yr ystafell wely am oriau yn ymarfer; adroddwn hi wrth yrru'r car a hefyd pan oeddwn yn y gwely.

Yr ail ddiwrnod yn y Coleg dyma ryw ddeg ohonom yn ein tro yn traddodi'r areithiau o flaen ein grŵp. Heb amheuaeth, roeddwn wedi creu argraff dda, ond teimlais yn dwyllwr pennaf pan ddarllenais sylwadau'r tiwtor amdanaf – *'A natural speaker – obviously experienced!'* – a minnau heb fod wedi rhoi dau air at ei gilydd yn gyhoeddus erioed.

Ni theimlwn mor gartrefol yn ystod y tri mis cyntaf gan nad oedd y gwaith i'w wneud o gwbl â phlismona. Materion cyfoes a gâi'r sylw pennaf, trafod pynciau cyffredinol; ymarfer cyfweliadau ar gyfer radio a theledu a chynnal cynadleddau; ysgrifennu traethodau ac ymarfer cadeirio cyfarfodydd, ac ati. Gallwn feddwl mai'r bwriad oedd ceisio gwneud y cwrs mor debyg ag oedd yn bosibl i gwrs prifysgol.

Ymwneud â gwaith bob dydd yr heddlu oedd y pynciau yn ystod gweddill y cwrs, a dyma lle roedd profiad yn ei amlygu ei hun. Roedd y plismyn hynny oedd mewn gwaith gweinyddol i'w gweld yn anghysurus mewn trafodaethau; nifer ohonynt erioed wedi wynebu lladron na'u harestio, a heb roi tystiolaeth mewn Brawdlys na Llys Chwarter; erioed wedi wynebu Barnwr na bargyfreithwyr nac erioed wedi bod o dan lach y croesholi llym ac ymosodol.

Nid oedd arholiadau ar ddiwedd yr un rhan o'r cwrs ond câi asesiad ohonom ei anfon at y Prif Gwnstabliaid, a'r categorïau oedd, Gradd 'A' 'B' 'C' a 'D'. Y rhai hynny a gâi Radd 'A' fyddai Prif Gwnstabliaid y dyfodol, a gradd 'B' oedd asesiad y rheiny a oedd yn haeddu dyrchafiad. Roedd 'C' yn golygu 'boddhaol', ond nid oedd y rheiny a gâi radd 'D' i fyny i'r safon angenrheidiol. Gradd 'B' oedd fy asesiad i.

Rwy'n siŵr nad oedd eisiau chwe mis i wneud asesiad ar unrhyw berson oherwydd gwyddai staff y Coleg lawer amdanom cyn dechrau'r cwrs. Dywedai llawer mai'r gyfrinach orau a gadwyd yn yr heddlu oedd 'coleg yr heddlu', ond dywedaf hyn am y coleg – yn fy marn i, dyna'r peth mwyaf teg yn sefydliad yr Heddlu, oherwydd pan ddarllenais yr adroddiad amdanaf, roeddwn yn cytuno'n llwyr â'r hyn a ddywedwyd amdanaf, am fy ngwendidau a'm cryfderau. Roedd fel pe bawn yn edrych i ddrych.

Disgynnodd lwc yn sgwâr ar fy ysgwyddau unwaith eto. Ym mis Ebrill 1972 daeth Prif Arolygwr Ei Mawrhydi o amgylch i archwilio'r Sgwad. Wedi siarad â'r penaethiaid daeth ataf yng nghwmni Prif Gwnstabl Heddlu'r De a'm cyfarch fel *'Chief Inspector'*. Pan gywirais ef gan ddweud mai Inspector oeddwn, trodd at y Prif Gwnstabl gan ddweud, oherwydd y cyfrifoldeb,

Yng Ngholeg yr Heddlu yn Bramshill. Fi yw'r trydydd o'r dde yn y rhes gefn

mai gradd *Chief Inspector* ddylai fod i'r swydd. Gan fod hyn wedi dod o enau Prif Arolygwr Ei Mawrhydi, ni fu unrhyw ddadlau, a chefais fy nyrchafu. Roeddwn yn awr yn cael fy nghyfrif fel un o'r *'flyers'* oherwydd ni chyrhaeddodd unrhyw un 38 oed y safle o *Detective Chief Inspector* yn Heddlu Dyfed-Powys erioed cyn hyn, er nad oedd yn anghyffredin mewn heddluoedd mawrion, na chwaith yn Heddlu Dyfed-Powys heddiw, mae'n siŵr. Heb amheuaeth, dyma'r dyrchafiad gorau a ddaeth i mi – cael rhagor o arian am wneud yr un gwaith!

Ym mis Mai 1973 ganwyd fy nghyntaf-anedig, Wyn, a dwy flynedd wedyn i'r diwrnod daeth Rhodri i'r byd. Tynnwyd fy nghoes yn aml am hyn gan edliw mai'r Cardi oedd yn dod i'r amlwg trwy ofalu mai un gacen ben-blwydd y byddai ei hangen bob blwyddyn. Hefyd, daeth y cwestiwn yn gyson i Marilyn a minnau sut oeddem wedi medru trefnu hyn. Yr ateb yn syml yw – 'practis'!

Rhodri a Wyn

D.C.I. LLANELLI

Yn y dyddiau hynny, cyfrifid adran y ditectifs yn uwch o ran statws nag adran yr iwnifform. Doedd hynny ddim yn wir mewn gwirionedd ond teimlid bod cael trosglwyddiad o'r C.I.D. i'r iwnifform yn gam yn ôl. Pan gâi ditectif ei brofi'n euog o gamymddwyn, rhan o'i gosb yn ddieithriad fyddai trosglwyddiad, ac yn aml iawn, golygai hynny weithio shiffts eto.

Yn niwedd Mehefin 1975 cefais alwad ffôn oddi wrth y Prif Gwnstabl ei hun, Mr R. B. Thomas, yn dweud bod fy nghyfnod o dair blynedd fel Ditectif Brif Arolygydd ar y Sgwad wedi dod i ben ac yr oeddwn i ddechrau yn Llanelli ar 7 Gorffennaf. Credwn fy mod yn cael fy nhrosglwyddo i adran yr iwnifform gan nad oedd lle gwag yn y C.I.D., ond na, dywedodd ei fod yn trosglwyddo'r Ditectif Brif Arolygydd Dai Davies i adran yr iwnifform yn Rhydaman a minnau i gymryd ei le. Dai Davies oedd un o'm ffrindiau gorau, a theimlwn braidd yn euog ei fod yn gorfod symud naill ochr er mwyn i mi gael ei swydd.

Awr neu ddwy wedi i mi dderbyn yr alwad oddi wrth y Prif Gwnstabl derbyniais alwad arall, y tro hwn oddi wrth y Prif Uwch Arolygydd Caleb Thomas. Ef oedd yr Inspector hwnnw a'm croesawodd y diwrnod y cefais fy nerbyn i'r Heddlu ond a oedd yn awr yn brif weinyddydd yn y pencadlys. Dywedodd wrthyf, cyn i mi fynd yn agos i Lanelli, am ddod i'w weld ef, nid yn ei swyddfa, ond yn ei gartref, a hynny wedi oriau gwaith.

Nid oedd eisiau rhywun clyfar iawn i feddwl bod rhywbeth mawr o'i le ac es i'w dŷ yn hwyr un noson. Heb amlhau geiriau, dywedodd Caleb wrthyf, 'Gwranda, ma' nhw'n gynddeiriog dy fod yn dod i Lanelli, watsha dy gefen. Gofala ar dy ened na wnei di ddim byd o'i le, neu fe gei dy dowlu mas ar dy glust o'r C.I.D. ar y cyfle cynta.'

Roeddwn yn fud. 'Pwy? Pam?' Beth roeddwn i wedi ei wneud? Y Prif Gwnstabl oedd wedi fy nhrosglwyddo yno. Pwy oedd yn gynddeiriog?

'Dai Davies a Murphy. Fuodd Dai Davies lawr gyda fi yn

whare'r diawl a gofyn "Pam na anfonan nhw Roy Davies i Rydaman?" Rwyt ti'n fygythiad i Dai Davies, rwyt ti flynyddodd yn iau nag e a tithe wedi ca'l blynyddodd o brofiad ar y Sgwad fel Chief Inspector; ti wedi gweitho yn y trefi mwya, yn Abertawe a Cardydd. Ma' nhw'n dy ofni di.'

Ni allwn gredu'r fath beth. Fel y dywedais, un o'm ffrindiau pennaf oedd Dai Davies, ond gwyddwn na fuasai Caleb Thomas yn dweud celwydd. A phwy oedd Murphy? Yn yr amser yr oeddwn i wedi bod ar y Sgwad roedd newid mawr wedi bod yn yr heddlu; roedd Heddlu Dyfed-Powys wedi dod i fodolaeth ac yr oedd Murphy wedi dod o Sir Benfro i Lanelli fel Pennaeth y Rhanbarth. Nid oeddwn wedi cwrdd â'r dyn erioed. Dywedwyd wrthyf ymhen blynyddoedd ei fod wedi fy enllibio trwy ddweud fy mod wedi dangos ffafriaeth i un a gafodd ei arestio ar ddrwgdybiaeth o losgi tai haf ac nad oeddwn wedi bod yn ddigon llawdrwm wrth ei gyf-weld. Ond ni chefais wybod am hyn hyd nes ei fod wedi marw. Beth, felly, allwn i fod wedi ei wneud ac yntau y tu hwnt i'r llen?

Gwawriodd y dydd pan ddychwelais i Lanelli fel Pennaeth y C.I.D. yn y dref, y dref lle dechreuais fy ngyrfa yn blismon 20 oed. Gwelais fod un ffrind mawr gyda mi yno yn y C.I.D. – roedd Miss Jenkins yn dal yno, ac yn help mawr i mi.

Cyflwynais fy hun i Murphy ac wrth iddo ysgwyd llaw â mi cyhoeddodd ei fys bawd ei fod yn un o'r 'Seiri', a gwelodd yntau'r un pryd nad oeddwn i yn un ohonynt. Gwelais ar unwaith nad oedd croeso i mi yno, yn bur wahanol i'r dyddiau hynny pan ddechreuais fel Cwnstabl o dan y Siwper David John Jones. Ond rhaid derbyn y garw gyda'r llyfn. Gwir oedd geiriau Caleb Thomas, a diolch iddo am fy rhybuddio. Gofalwn fod wrth fy ngwaith awr neu ragor o flaen yr Uwch Swyddogion eraill er mwyn astudio manylion yr holl droseddau a'r digwyddiadau dros y 24 awr cynt cyn eu trafod gyda Murphy.

Sais oedd Murphy, a theg yw dweud ei fod braidd yn haerllug. Un peth yn unig sy'n waeth na dyn haerllug, a hynny yw Sais haerllug! Siaradai â mi fel pe bai'n siarad â baw; daeth i wybod fy mod yn gapelwr a dywedodd un bore Llun wrthyf, '*I see you're one of these Bible punchers*'. Rhoddai bwyslais mawr ar gymdeithasu, yn hollol wahanol i mi – mwynhau'r gwaith yn y C.I.D. roeddwn i, ac os na fyddwn i wrth fy ngwaith, yna gartref y byddwn. Cefais wybod gan un o'i 'ffrindiau' yn fuan iawn i Murphy ddweud amdanaf na fyddai Roy Davies 'yn mynd i unman gan nad oedd yn cymdeithasu', a gwir iawn a ddywedodd. Wedi cyrraedd safle Ditectif Brif Arolygydd mewn llai na 18 mlynedd, yn y safle hwnnw y bûm am dros 12 mlynedd!

Un bore, dair wythnos wedi i mi ddechrau yn fy swydd newydd yn Llanelli, canodd fy nheliffon. Atebais gan gyhoeddi fy enw. Mr Donaldson, Rheolwr Bragdy Felinfoel, oedd ar ben arall y ffôn. Dim ond gair byr, meddai; roedd am fy nghroesawu i'r *Lodge* ymhen deuddydd. 'Pa *lodge?*' gofynnais gan gredu mai jôc oedd y cyfan. 'Ydw i'n siarad â David Davies?' gofynnodd. Cywirais ef gan ddweud bod David Davies wedi symud i Rydaman a minnau wedi cymryd ei le. Ymddiheurodd yntau yn syth. 'Peidiwch ag ymddiheuro,' meddwn innau, 'mae'n neis iawn i gael gwybod y pethau hyn.' Aeth y ffôn yn farw.

Rhyw dri mis ar ôl dechrau yn Llanelli aethom fel teulu i fyw ym Mhen-bre ac yr ydym yn dal yn yr un pentref dros 30 mlynedd yn ddiweddarach. Aeth y ddau fachgen, Wyn a Rhodri, i Ysgol Gymraeg Parc-y-Tywyn ac oddi yno i Ysgol Gyfun y Strade. Yn wahanol i'r rhan fwyaf o blant plismyn, nid amharwyd ar eu dyddiau ysgol o gwbl wrth symud o le i le.

Delio â throseddau difrifol yr oeddwn yn awr – ysbeilio arfog, troseddau yn erbyn y person, yn cynnwys trais, a rhai llofruddiaethau hefyd, twyll difrifol o fewn cwmnïoedd, camddefnyddio cyffuriau, llwgrwobrwyo a chwynion yn erbyn plismyn. Ond roedd gennyf Dditectif Sarjants da iawn, Tony James, John Rees a Howell (Williams) *Eighty Two*. Gellid disgrifio Tony James fel 'ditectif caboledig' ac yr oedd John Rees heb ei ail am wybod y gyfraith, a phe cawsai Llanelli hanner dwsin o dditectifs fel Howell *Eighty Two*, byddai'r dref yn wag o ladron rwy'n siŵr.

Un nos daeth Howell *Eighty Two* ar draws dyn wedi meddwi'n dwll yn gorwedd ar yr heol yn Llanelli, ac er nad ei waith ef oedd trafod meddwon, gan fod y dyn yma'n berygl iddo ef ei hun ac i eraill, aeth *Eighty Two* ag ef i'r polîs stesion. Roedd y dyn mewn siwt ffurfiol gyda chrys gwyn a thei bo – yn amlwg wedi bod mewn rhyw ginio neu ddawns.

Er mwyn dod o hyd i'w enw aeth *Eighty Two* trwy ei bocedi a dod o hyd i daflen yn ymwneud â'r Seiri Rhyddion a rhestr o enwau'r aelodau, yn cynnwys rhai plismyn. Gwnaeth *Eighty Two* lungopi o'r cyfan a phinio'r rhestr ar hysbysfwrdd y stesion i bawb gael gwybod!

Roedd ymweliadau'r Teulu Brenhinol yn dod yn eu tro; roedd nifer o'r Uwch Swyddogion wrth eu bodd ar y fath achlysuron. Rhai yn gwthio eu hunain at yr ymwelydd, p'un ai'r Frenhines, Dug Caeredin neu'r Tywysog Siarl a Diana, er mwyn cael eu lluniau yn y papurau. Ond i mi'n bersonol, niwsans pur oedd yr holl rialtwch, nid fod gennyf unrhyw beth yn erbyn y Teulu Brenhinol, ond bod y fath amser ac adnoddau'n cael eu gwastraffu. Dyma'r pryd y byddai'r lladron brysuraf gan y gwyddent fod pob plismon ar ddyletswydd yn ymwneud â'r ymweliad!

Un ymweliad rwy'n ei gofio'n dda oedd pan ddaeth y Tywysog Siarl a Diana i Landeilo ym mis Hydref 1981, ond nid wyf yn cofio llawer am y naill na'r llall. Roeddwn yn Llandeilo am hanner awr wedi saith y bore yn briffio'r plismyn. Ond am hanner awr wedi naw daeth galwad i mi fynd i Ysbyty Glangwili, ac roeddwn yn ddigon balch i ffarwelio â'r Tywysog a'i wraig.

Yn hwyrach y prynhawn daeth galwad fod ditectif o Norwy yn gadael maes awyr Heathrow a'i fod yn teithio ar y trên i Lanelli gan ei fod am gyf-weld menyw yn Llanymddyfri, fel tyst mewn llofruddiaeth yn Oslo. Trefnais i gwrdd ag ef yn y stesion ac yr oedd hyn yn llawer mwy diddorol na gofalu am y Teulu Brenhinol.

Y peth arall rwy'n ei gofio am y diwrnod oedd bod y plismyn ar ddyletswydd yn Llandeilo yn cael eu bwydo gan Sefydliad y

Merched yn un o neuaddau'r dref. Roedd dau blismon adnabyddus ar ddyletswydd y diwrnod hwn yn Llandeilo, Ronw James a'i frawd Alun, dau gawr â dwylo fel rhofiau, a chwynodd un swyddog wrthyf drannoeth fod y bwyd wedi diflannu mewn eiliadau ar ôl i'r ddau ddod i'r neuadd!

Fel y dywedais, delio â materion difrifol iawn oedd fy ngwaith beunyddiol yn y cyfnod hwn ond, nawr ac yn y man, deuai ambell ddigwyddiad doniol, a rhaid oedd gwneud yn fawr o'r rheiny!

Tua'r adeg yma cynhyrfwyd cwsmeriaid tafarndai Llanelli pan ddaeth 'Tinkabel' i dafarn y White Hall Vaults yn Station Road – barmeid fronnoeth gyntaf Sir Gaerfyrddin. Teithiodd yr holl ffordd ar y trên o Lundain gan gyrraedd y dafarn yn Nhre'r Sosban erbyn *open tap* un nos Wener. Rhaid oedd cyfansoddi ar achlysur mor hanesyddol, a chan fod cymaint i ddweud amdani, cyfansoddwyd 24 o dribannau. Dyma rai ohonynt:

> Y fenyw heb un *brassiere*
> A ddaeth i werthu licer,
> A dod i blith y llanciau llon
> I noethi'i bron gogyfer.

> Fe deithiodd pentigili
> O Lundain i Lanelli
> A chyrraedd yno gyda gwên
> Ar drên yr *Inter Titi*!

> Ymwelwyr ddônt o bobman
> I yfed yn yr unfan,
> A'r morwyr oll a ddônt o'r *swell*
> At 'Tinkabel' yn Sosban.

> Ac ambell i hen lencyn
> Heb brofi cwmni morwyn
> Yn dod i sbïo 'nghil y ddôr
> A'i agor bob yn dipyn

I sylwi ar *statistics*
Y ferch o flaen yr *optics,*
A rhai dirwestwyr – dynion mawr
Sy' nawr yn *alcoholics.*

Roedd yna ambell gomedïwr naturiol ymhlith y lladron, neb yn fwy na W.P. Un tro aeth i sinema yn Sgeti ac ar ôl i'r dorf fynd i mewn a'r cyntedd yn wag, safodd y tu allan i'r ciosg lle gwerthai merch y tocynnau. Roedd bwndel o bapurau punnoedd y tu fewn i'r ffenest ac estynnodd W.P. ei fraich i mewn a dwyn y bwndel. Roedd wedi torchi llawes ei siaced a'i grys i fyny, ac wedi paentio ei law a'i fraich hyd at ei benelin yn ddu. Yn naturiol bu'r heddlu'n chwilio am ddyn du!

Fore dydd Sadwrn, 4 Medi 1976, aeth tri dyn i mewn i Glwb Tŷ Coch, Betws, Rhydaman, gan gymryd mai plismyn oeddent a 'gwarant' yn eu meddiant 'i archwilio'r lle am aur oedd wedi ei ddwyn'. Ond wedi iddynt adael gwelodd y perchen fod £380 o arian wedi ei ddwyn. Roedd yr un fath o drosedd wedi ei chyflawni ym Merthyr Tudful ychydig cyn hyn a disgrifiad y tri yno yn cyfateb i ddisgrifiad y tri yn Rhydaman.

Wedi rhai wythnosau daliwyd dau ohonynt, Peter Williams o Abertawe oedd un, a Tom Evans o Fforest-fach oedd y llall, ond ni ddaethpwyd byth i wybod pwy oedd y trydydd. Wrth fynd i'r clwb, cyflwynodd Peter Williams ei hun fel 'Ditectif Inspector' a gwisgodd wîg ar ei ben. Wrth archwilio ei gartref canfuwyd £50 – rhan o'r arian a ddygwyd, fel y tybiwn. Daethpwyd o hyd i wîg hefyd ac aethpwyd â'r wîg a'r arian i'w harddangos.

Yn Llys y Goron Merthyr Tudful, carcharwyd Peter Williams a Tom Evans am y drosedd yn Rhydaman ond methwyd profi bod y £50 yn rhan o'r arian a gafodd ei ddwyn, felly, gorchymyn y Barnwr oedd i'r arian gael ei roi yn ôl i Peter Williams.

Yn fuan iawn dyma lythyr i'r stesion yn Rhydaman, oddi wrth Peter Williams, yn gofyn am yr arian:

'I wonder if you could please make arrangements for the return of my £50 which yourself and your officers took from

my house. You need not send the wig as I am trying to give wearing those things up, and anyway, it did not suit me . . . It was not a bad result for me in Merthyr, I thought the Judge was a very fair man. I am so sorry that he did not give me an extended sentence like your very kind inspector asked for (fi oedd hwnnw). *I felt awful sorry for your inspector. His face was awful miserable because the Judge never gave it to me. If you see him tell him it was not my fault, it was the Judge . . . I will have to sign off now as I have got to plan my next job on my release. It has got to be at Ammanford because I know how much you all like me there,*

Yours faithfully,
Detective Inspector
Peter Williams.

P.S.
I know you are still looking for the third man. Well I will tell you who it was, it was

HARRY LIME
HE WAS THE THIRD MAN!!!
DA,DA,DA,DA,DA, – DA,DA,
HA. HA. HA.

Oedd, roedd yna ddoniolwch ymhlith y lladron, ac ambell un yn ddoniol heb yn wybod iddo'i hun. Roedd Roy Scott o Cross Hands yn baffiwr da iawn yn ei ddydd ymhlith rhengoedd yr amaturiaid ac yr oedd Roy hefyd yn hysbysydd da iawn i mi. Cymysgai gyda lladron Abertawe, a bu'n help mawr i mi roi un neu ddau ohonynt o dan glo. Nid oedd wedi gweithio ers blynyddoedd ac yr oedd wedi ei gofrestru fel 'anabl'. Cadwai mewn cysylltiad â mi'n rheolaidd ac un dydd atebais y teliffon a chlywed Roy Scott yn llawn cyffro yn dweud ei fod mewn trafferth:

'Wy' wedi rhoi wad i foi ar bwys y Tumble Hotel. Wy' wedi'i fwrw e mas.'

'Pam 'te, wyt ti wedi'i ladd e neu dorri'i drwyn neu'i ên e neu rwbeth?'

'Na na, ond ma' gwŷr y *dole* wedi 'ngweld i achan.'

'Oes ots 'te bod rhywun wedi gweld?'

'Ie, diawl, fi'n *disabled* achan.'

Ofni colli ei fudd-daliadu oedd Roy, nid ofni mynd i'r llys!

ACHOS JOE LANE

Ddydd Gwener, 8 Gorffennaf 1977, gadewais y swyddfa tua chwech o'r gloch gan fod pethau'n dawel. Ond y tawelwch cyn y storm ydoedd oherwydd am 10.30 pm cefais alwad oddi wrth y Prif Arolygydd Delme Evans, Rhydaman (Delme Bro Myrddin, yr Arwyddfardd, yn ddiweddarach), yn dweud bod dyn wedi saethu ei frawd ym Mrynaman. Roedd Sammy Lane yn briod a chanddo nifer o blant, a'i frawd, Joe, yn sengl. Bu Joe yn lletya gyda Sammy a'i wraig am gyfnod yn Esgair Ynys, Brynaman, a chyn hir dechreuodd Sammy feddwl bod ei wraig, Valery, a'i frawd yn ormod o ffrindiau. Ond roedd Sammy am gael tystiolaeth er mwyn bod yn siŵr, a gososodd drap i'w dal.

Sylwodd Sammy fod ei wraig a Joe yn aros lawr am hydoedd yn y nos wedi iddo ef ei hun fynd i'w wely; roedd ei ystafell wely uwchben yr ystafell ffrynt. Pan oedd ei wraig oddi cartref un diwrnod, cododd Sammy y carped yn yr ystafell wely a thorri twll yn un o ystyllod y llawr. Y noson honno gwelodd ei wraig a Joe yn cael cyfathrach rywiol ar y soffa, a bu raid i Joe ymadael yn ddiymdroi. Roedd hyn ym mis Mai, 1975.

Roedd Joe yn berchen ar gae ger Esgair Ynys; roedd ganddo bedwar ceffyl a char modur, hefyd, ac wedi iddo ymadael â'i lety bu'n byw mewn carafán ar safle glo brig yn Nhai'rgwaith, lle gweithiai. Ond cadwodd mewn cysylltiad â Valery, a thair wythnos yn ddiweddarach aeth y ddau i ffwrdd gyda'i gilydd i fyw gyda chwaer Joe yn Benfleet, Essex.

Gadawodd Joe neges i'w frawd yn dweud wrtho am werthu'r cae a'r pedwar ceffyl a rhannu'r arian rhwng ei blant. Ond ar ôl chwe mis penderfynodd Valery adael Joe gan ddychwelyd i fyw gyda Sammy, ei gŵr, a dechreuodd Joe feddwl mai cynllwyn oedd y cyfan er mwyn i Sammy berchnogi ei gae a'i geffylau.

Ymhen blwyddyn daeth Joe 'nôl i fyw yn yr ardal; prynodd garafán ac aeth i fyw yng ngardd un o fythynnod y Red Lion yng Ngwauncaegurwen, ac aeth yn ôl i weithio yng nglofa glo brig Tai'rgwaith. Dechreuodd fagu casineb tuag at ei frawd, Sammy, a datgelodd hynny wrth rai o'i gyfeillion. Gofynnai beth fyddai'r gosb am saethu Sammy. Perchennog y tir lle safai carafán Joe oedd George Conibeer, a gwyddai Joe fod Conibeer yn berchen ar dri gwn.

Erbyn imi gyrraedd Brynaman cefais wybod yr holl fanylion gan Delme Evans; roedd Sammy Lane wedi ei gludo i Ysbyty Singleton, Abertawe; roedd mewn cyflwr gwael ond yn dal yn fyw.

Roedd Sammy Lane yn adnabyddus iawn ym Mrynaman ac, yn wir, roedd yn dipyn o gymeriad. Ef, gyda llaw, oedd y bachgen olaf i dderbyn cosb gorfforol yn Sir Gaerfyrddin. Roedd hyn yn ystod dyddiau'r Ail Ryfel Byd, ac am iddo dorri i mewn i stordy arfau yn Llandeilo a dwyn bwledi, derbyniodd Sammy'r wialen fedw, cosb a weinyddwyd gan Arolygydd yr Heddlu yng Ngorsaf Heddlu Llandeilo.

Flynyddoedd wedi hyn, pan oedd Sammy'n berchen ar gi o'r enw Rover, cafodd ei gyhuddo o fod 'yn berchen ar gi a fu'n aflonyddu ar ddefaid' ar y Mynydd Du. Gwadu'r cyhuddiad a wnaeth Sammy, gan honni bod gast yn boeth yn Heol Llandeilo, Brynaman, ar y pryd, ac na fuasai ei Rover ef yn cwrso defaid ar y Mynydd Du gyda gast yn boeth yn Heol Llandeilo! 'Wy'n siŵr,' meddai Sammy wrth yr ynadon, 'na fyddwn i'n mynd ar ôl defaid ar y Mynydd Du â gast yn boeth yn Heol Llandeilo, pe bawn i yn gi.'

Y noson hon roedd Sammy a Valery yn eistedd yn yr ystafell ffrynt yn gwylio'r teledu gyda'u mab, Richard. Tua chwarter wedi deg cododd Sammy i fynd i'r gegin i wneud te. Wrth iddo ferwi'r tegell clywodd Valery sŵn ergyd o ddryll; rhedodd i'r gegin a gwelodd Sammy'n gorwedd ar lawr yn ei waed ei hun, gydag

147

archoll ddofn yn ei ochr. Gollyngodd Valery sgrech, a gwelodd Joe Lane wrth y drws yn anelu gwn at Sammy. Llwyddodd hithau i gau'r drws ond torrodd Joe y gwydr oedd ar waelod y drws a thaniodd ail ergyd i mewn i'r gegin. Bu farw Sammy Lane yn Ysbyty Singleton, Abertawe, tua un o'r gloch fore trannoeth.

Euthum innau adref am dri o'r gloch y bore i gael ychydig o gwsg gan y gwyddwn fod diwrnod hir o fy mlaen. Yr oeddwn yn yr ystafell insident yn Rhydaman ymhen pedair awr, ond nid oedd unrhyw sôn am Joe Lane. Anfonwyd neges i holl heddluoedd y wlad gan feddwl efallai y byddai ar ei ffordd i gartref ei chwaer yn Benfleet, tra oedd nifer o blismyn yn chwilio amdano'n lleol.

Am un ar ddeg roeddwn ar y teliffon i'r Patholegydd, Dr Owain Glyndwr Williams; am hanner awr wedi deuddeg roeddwn yn yr archwiliad *post mortem* yn Ysbyty Singleton, ac am bedwar o'r gloch roeddwn 'nôl yn yr ystafell insident yn darllen y datganiadau. Yna, ychydig cyn chwech o'r gloch, cafodd Joe Lane ei weld mewn adeilad gwag yn Park Hall, Brynaman Isaf, yr adeilad nesaf at dafarn y Crown. Roedd gwaith yn cael ei wneud ar yr adeilad a sgaffaldiau wedi eu gosod o'i amgylch, a phan welodd Joe y plismyn dringodd y sgaffaldiau.

Joe Lane ar y to . . .

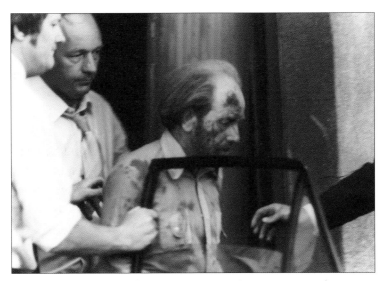

. . . ac yn cael ei arestio

Erbyn i mi gyrraedd yno roedd torf wedi ymgynnull. Siaradais ag ef gan geisio ei berswadio i ddod lawr, ond dringodd Joe i fyny i ben to'r adeilad ac yno y bu am ddwy awr, yn bygwth taflu ei hun i lawr pe deuai unrhyw un yn agos ato.

Yn y cyfamser trefnwyd i'r gwasanaeth tân ddod yno gydag ysgolion i'w arbed pe gwnâi hynny. Roedd Brynaman Isaf wrth gwrs yn Sir Forgannwg a rhoddwyd gwybod i blismyn Pontardawe beth oedd yn digwydd yn eu hardal.

Yn y diwedd, ildiodd Joe Lane a chludwyd ef i Orsaf Heddlu Rhydaman. Cyfaddefodd y cyfan mewn datganiad o dan rybudd a chyhuddais ef yn ffurfiol o lofruddio ei frawd. Ei ateb i'r cyhuddiad oedd, 'Ni wyddwn beth oeddwn yn ei wneud.' Rhoddwyd Joe mewn cell, ac es innau adref am hanner awr wedi un ar ddeg y noson honno. Dyna un dydd Sadwrn yn yr haf ym mywyd ditectif.

Dywedodd Joe Lane yn ei ddatganiad fod y syniad o lofruddio ei frawd wedi bod ar ei feddwl ers wythnosau. Ychydig cyn iddo ei saethu roedd yng nghartref George Conibeer, yn gwylio'r teledu gyda mab Conibeer.

Roedd ffilm yn cael ei dangos ar y teledu, ffilm *Joey Blue Eyes* yng nghyfres *The Rockford Files*, ac yr oedd yna ddyn yn y ffilm yn bygwth saethu dyn arall, a hwnnw'n ymbilio arno i beidio trwy ddweud, '*Oh no, Joey. No*'. Symudodd Joey yn araf at y dyn a'i saethu. Y foment honno, penderfynodd Joe saethu ei frawd; yr olygfa honno a'r geiriau hynny a'i hysgogodd i lofruddio.

Anfonodd Joe fab Conibeer allan; cydiodd yntau mewn un o ddrylliau Conibeer yn ogystal â chetris, ac aeth ar ei union i Esgair Ynys. Pan gyrhaeddodd yno curodd ar ddrws y cefn; agorwyd ef gan Sammy; anelodd Joe'r dryll, ac union eiriau Sammy oedd, '*No Joe. No Joe*', gan gilio 'nôl, ond tanio a wnaeth Joe. Cyfaddefodd iddo danio ail ergyd hefyd. Ciliodd i dafarn y Crown lle yfodd ddau beint o gwrw, ac yna cuddiodd yn yr adeilad gwag y drws nesaf.

Wrth gyf-weld Joe Lane, teimlais ei bod yn edifar ganddo o'r foment y tynnodd y triger. Erbyn iddo sefyll ei brawf yn Llys y Goron, Caerfyrddin, ar 15 Ragfyr, roedd wedi colli llawer iawn o bwysau. Derbyniwyd ei ble o ddieuog i lofruddiaeth ond euog i ddynladdiad, a charcharwyd ef am chwe blynedd.

Anfonwyd Joe Lane i Garchar Bryste; treuliodd ei holl amser yn gweddïo, ond gwaethygu a wnaeth ei gyflwr. Ym mis Mawrth, 1979, gwnaeth gais am barôl ac mewn adroddiad i'r Bwrdd Parôl, dywedais y byddai'n gymwys ystyried ei ryddhau ar barôl gan na fyddai, yn fy marn i, yn berygl i neb arall. Sammy oedd ei elyn, a'i unig elyn. Ond ni ryddhawyd Joe Lane, a dydd Sul, 13 Medi 1979, cafwyd ef yn farw; roedd wedi gwneud rhaff o'i ddillad gwely ac wedi crogi ei hun yn ei gell. Roedd ei gosb yn ormod i'w dwyn – adlais o eiriau Cain pan 'aeth allan o ŵydd yr Arglwydd' wedi iddo ladd ei frawd, Abel. Fel hynny'n union y gwnaeth Joe Lane – mynd i guddio ar ôl lladd ei frawd. Dwy lofruddiaeth debyg iawn i'w gilydd – lladd oherwydd cenfigen.

Ond a fuasai Joe Lane wedi llofruddio pe na bai wedi gwylio'r rhaglen honno o'r *Rockford Files*? Gellir dadlau bod dangos trais ar y teledu wedi dylanwadu ar un dyn, beth bynnag, ac wedi bod yn gyfrifol, er yn anuniongyrchol, am un llofruddiaeth.

ACHOS AMANDA

Yn Nhachwedd 1978 aeth merch ysgol ar goll yn Llanelli. Roedd Amanda Randall yn 14 oed, yn ddisgybl yn Ysgol Sant John Lloyd, ac yn byw gyda'i theulu yn Tunnel Road. Er ei bod yn dal yn yr ysgol, gweithiai Amanda'n rhan amser i ddau gyflogwr gwahanol. Yn gynnar y bore dosbarthai bapurau dyddiol i nifer o gartrefi ac, ar ôl oriau ysgol, gweithiai i berchen ffatri a oedd yn prosesu bwyd môr a phicls. Gwaith Amanda oedd arllwys finegr o danciau i boteli a photiau, a hynny mewn adeilad bychan a safai ar wahân i'r ffatri – rhyw bymtheg llath o ddrws cefn y ffatri. Roedd prif fynedfa'r ffatri yn Stryd y Deml ac yr oedd yr adeilad lle gweithiai Amanda hefyd o fewn pum llath i ddrws gardd gefn ei chartref.

Donald Rees oedd perchen y ffatri, dyn duwiol iawn a ffyddlon gyda'r Efengylwyr yng Nghapel Bethel, Casllwchwr. Ef oedd â gofal gwin y cymun yn y capel ac am nad oedd ganddo le i gadw'r gwin yn ei gartref, cadwai ef mewn ystafell o fewn y ffatri, ac fel 'ystafell y gwin cymun' y cyfeirid ati gan y gweithwyr. O fewn yr ystafell yr oedd bwrdd amrwd, a chwaraeodd y bwrdd hwn, ac ystafell y gwin cymun, ran eithriadol bwysig yn yr ymchwiliad.

Oherwydd yr asid yn y finegr, gwisg Amanda bob amser wrth y gorchwyl yma fyddai siwmper a throwsus, menig rwber trwchus i arbed ei dwylo, a welintons, nid rhai bach del fel rhai i ferched ond rhai dynion, gan fod y rheiny'n gwarchod mwy o'i dillad rhag y finegr. Dyma'r dillad a wisgai Amanda wrth ei gwaith nos Fercher, 8 Tachwedd. Roedd ei brawd, Colin, a merch arall yn gwneud yr un gwaith, ac ar ôl gorffen ei gwaith tuag ugain munud wedi chwech, gadawodd Amanda, fel y tybiodd y ddau arall, i fynd adref. Ond er mai llathenni'n unig oedd rhwng drws yr adeilad a drws gardd cefn ei chartref, ni chyrhaeddodd yno ac ni welwyd hi'n fyw wedi hynny gan unrhyw un ond gan ei llofrudd.

Roedd Amanda'n ferch brydferth iawn; rhoddai'r gofal pennaf i'w gwisg pan âi allan i'r dref ac edrychai'n atyniadol bob amser. Ni fynnai i neb ei gweld yn ei dillad gwaith. Felly i ble yr aeth –

mewn welintons ac mewn dillad oedd yn drewi o finegr? Roedd wedi diflannu i'r nos.

Bu chwilio mawr am Amanda drwy'r nos a hefyd drannoeth. Fe wirfoddolodd mecanydd y ffatri, Graham Bowen, i gludo mam Amanda o amgylch y dref yn ei gar yn gynnar fore trannoeth i chwilio amdani ymhobman, ac yna eisteddodd gyda'r fam a'r tad yn eu cartref yn trafod y sefyllfa a'u cysuro cyn mynd at ei waith.

Yn gynnar y prynhawn hwnnw gwireddwyd yr hyn a ofnid. Am hanner awr wedi dau roeddwn yn cyrcydu uwchben cwter agored 2½ troedfedd o ddyfnder a 1½ troedfedd o led wrth ochr heol gul, wledig, rhyw 2½ milltir o ganol tref Llanelli. Yno gorweddai corff Amanda Randall gydag anafiadau difrifol i'w gwddf ac ochr ei gên; gwaith llofrudd, yn ddiamheuol.

Roedd y ferch yn gorwedd ar ei chefn; roedd ei dillad i gyd amdani ar wahân i'w siwmper, siwmper o liw tanjerîn, a dynodai absenoldeb y siwmper i'r ymosodiad arni fod yn un rhywiol, er nad oedd unrhyw ymyrraeth ar unrhyw bilyn arall. Roedd y welintons am ei thraed a'r menig rwber yn dal am ei dwylo, a'r cỳffs wedi eu troi yn ôl.

Gwelwyd bod y pridd ar ochr y gwter wedi ei aflonyddu a chymerwyd sampl ohono. Byddai pob modfedd o'r lle yma'n cael ei chribo â chrib fân, ac yn derbyn triniaeth archwiliad-blaen-bysedd cyn gynted ag y byddai'n bosibl. Tynnwyd nifer o luniau o'r lle ac o'r corff er mwyn cofnodi pob manylyn. Unwaith, ac unwaith yn unig, y ceir y cyfle i gael golwg fanwl ar fan y drosedd. Ar ôl symud y corff ac agor y ffordd unwaith eto i'r cyhoedd, yna ni cheir byth ail gyfle. Ni all unrhyw anffawd waeth ddisgyn ar war ditectif na rhywun yn aflonyddu, neu rywbeth yn llygru, man y drosedd. Hanfodol bwysig yw dilyn blaenoriaethau'r patholegydd a Swyddog Man-y-drosedd i'r llythyren.

Arweiniai'r ffordd yma i gronfa ddŵr Cwm Lliedi – lle poblogaidd iawn i gariadon dreulio'u hamser wedi nos. A oedd cysylltiad yma? A oedd rhywun â char modur wedi twyllo Amanda i ddod i mewn i'w gerbyd ar ryw esgus ac yna wedi gyrru ymaith heb iddi gael cyfle i ddianc?

Dr Owain Glyndwr Williams oedd y patholegydd o'r Swyddfa Gartref – Cymro Cymraeg o blwyf Lledrod, Ceredigion, ac ni ellid bod wedi cael ei well i wneud y gwaith. Amcangyfrifodd i'r farwolaeth ddigwydd rhwng 12 a 24 awr cyn hynny, ac ar ôl iddo orffen ei archwiliad o'r corff *in situ*, ac ar ôl cael caniatâd y Crwner, rhoddwyd y corff yn ofalus mewn 'siten gorff' a'i gludo i'r marwdy.

Yn sicr, bu cyswllt corfforol rhwng Amanda a'r llofrudd. Gan fod y corff wedi ei osod yn y gwter, gellid bod yn sicr i'r llofrudd ei gludo yno a'i fod wedi cydio ynddo cyn ei ollwng i lawr. Felly, gellid bod yr un mor sicr y byddai ffibrau o'i ddillad wedi glynu wrth y corff ac wrth ddillad y corff. Hefyd byddai ffibrau o ddillad Amanda yn sicr wedi eu trosglwyddo i ddillad y llofrudd.

Swyddog Man-y-drosedd oedd y Ditectif Gwyn John. Ef oedd yn gyfrifol am archwilio'r corff am unrhyw dystiolaeth fforensig. Felly, cyn dwyn y corff allan o'r siten, defnyddiodd Gwyn John selotep arbennig, selotep dair modfedd o led, a'i osod ar wahanol fannau ar y corff ac yna ei dynnu i ffwrdd. Gwnaeth hyn nifer o weithiau, a thros y corff a'r dillad i gyd. Trwy weithredu yn y dull hwn, deuai unrhyw olion gwaed, ffibrau neu flewiach estron, ymaith oddi ar y dillad a'r croen a glynu wrth y selotep. Yna byddai modd i'w harchwilio a'u cymharu â dillad, gwallt pen neu waed y llofrudd. Un peth amlwg i'r llygad noeth oedd ôl esgid ar drywsus Amanda, fel pe bai'r llofrudd wedi rhoi ei droed arno, yn ddamweiniol efallai, yn y tywyllwch. Dyma ddarn o dystiolaeth ddefnyddiol.

Yn ystod yr archwiliad *post mortem* gwelwyd archoll ddofn 3 modfedd o hyd a 1¼ modfedd o led ar ochr chwith yr ên isaf ac yr oedd asgwrn yr ên isaf wedi ei dorri'n ddau. Roedd 12 o archollion llinellol ac amryw o ysgythriadau arwynebol yn mesur rhwng 2 a 4 modfedd o hyd ar y gwddf a'r wyneb. Edrychai fel pe bai'r llofrudd wedi ceisio torri pen y ferch i ffwrdd a'i fod wedi ceisio gwneud hynny mewn lle cyfyng iawn, mwy na thebyg yn y gwter ac yn y tywyllwch.

Ar amrannau'r llygad, a hefyd o amgylch y llygaid a thu ôl i'r clustiau, roedd yna smotiau bychain o fân waedu i mewn yn y croen, gwaedlif a gynhyrchid wrth i wythiennau gael eu rhwygo wrth fyrstio a dan y croen – yr hyn a elwir yn *petechiae*. Roedd hyn yn arwydd sicr o dagu.

Gwelwyd tameidiau bychain iawn o baent glas golau ar yr ochr chwith i'r gwddf. Edrychai'r anafiadau fel pe baent wedi eu gwneud gan arf miniog, ac yr oedd rhagor o baent glas golau yn glynu wrth asgwrn yr ên. Yn ddiweddarach dangosodd archwiliad fforensig o'r paent glas fod haenen o farnais wedi ei gosod ar ben y paent. Felly, arf y llofrudd oedd offeryn miniog a hwnnw wedi ei baentio'n las ac yna wedi cael cot o farnais.

Ar gefn y corff, 1½ modfedd i'r chwith o'r asgwrn cefn, roedd toriad llorweddol yn y croen yn mesur un fodfedd o hyd. Yng nghanol y toriad, ac ar ongl sgwâr iddo, roedd yna ddau doriad arall yn rhedeg yn gyfochrog â'i gilydd, un yn ¾ modfedd o hyd a'r llall 1¼ modfedd o hyd. Roedd y marc hwn, er ei fod yn un bychan ac arwynebol, yn amlwg iawn, ac i'w weld fel y llythyren 'T' ar y corff. Roedd yr anaf yn union 3 troedfedd a ¾ modfedd o waelod sawdl y corff, a 3 troedfedd a 2¼ modfedd o waelod y welinton (ar ôl gwisgo'r welinton eto am droed y corff).

Roedd y corn gwddw, yr epiglotis, yr asgwrn hyoid a'r madruddyn wedi eu torri, yn ogystal â'r chwarren thyroid. Ym marn y patholegydd, roedd y pwysedd a roddwyd ar ei gwddf wedi gwneud i'r ferch fod yn anymwybodol, ac yn y cyflwr hwnnw y rhoddwyd hi yn y gwter. Roedd y bibell wynt, y larynes a phibau'r frest i gyd yn cynnwys hylif gwaedlyd, ac yr oedd gwaed yn yr ysgyfaint yn dynodi bod Amanda'n fyw ac yn anadlu pan gafodd ei churo. Nid oedd y ferch wedi ei threisio, ac nid oedd unrhyw arwydd o ymosodiad rhywiol ar ei chorff, ond amlwg ydoedd mai rhyw oedd bwriad y llofrudd gan fod siwmper y ferch wedi ei thynnu.

Y blaenoriaethau oedd chwilio am ddau beth. Yn gyntaf, yr arf a ddefnyddiwyd, a'r ail oedd y siwmper a wisgai Amanda. Chwiliwyd yr holl ffordd o'r ffatri i'r gwter, chwilio y tu mewn i'r cloddiau a gerddi'r tai, pob bin sbwriel a hefyd bu tîm o nofwyr tanddwr yn chwilio'r gronfa ddŵr, ond ni ddaethpwyd o hyd iddynt.

Daeth Pat Molloy, Pennaeth y C.I.D., i arwain yr ymchwiliad. Dywedais eisoes fy mod i yn un o'r rhai lwcus mor belled ag yr oedd datrys troseddau yn y cwestiwn. Roedd fy lwc weithiau'n rhyfeddol, ond roedd un ditectif yn fwy lwcus na mi, hyd yn oed, a hwnnw oedd Pat Molloy.

Yr unig bryd y byddai'r ddau ohonom yn gweithio gyda'n gilydd oedd mewn achos o lofruddiaeth. O ystyried y lwc oedd fel arfer yn ffafrio'r ddau ohonom, buasai rhywun yn barod i gredu na fyddai gan y llofrudd unrhyw obaith i osgoi'r ddalfa. Rwy'n cofio Pat yn dweud wrthyf wrth drafod y sefyllfa, 'Gyda'n lwc ni'n dau, Roy, mae hwn yn mynd i ddod. 'Sdim gobaith 'da'r cnaf!' Rhoddai hyn hyder i'r ddau ohonom, a gwyddwn yn iawn, roeddwn yn berffaith siŵr, y byddai llofrudd Amanda Randall yn cael ei ddal.

Yn ganolog i'r archwiliad oedd y ffatri; holwyd yr holl weithwyr a chymerwyd datganiadau ysgrifenedig oddi wrthynt yn rhoi cyfrif am eu symudiadau ar noson y diflaniad. Cymerwyd dillad pawb i wneud profion fforensig arnynt.

Yr olaf i adael y ffatri noson diflaniad Amanda oedd y mecanydd, Graham Bowen, yr un a fu'n chwilio am Amanda gyda'i mam fore trannoeth. Gŵr 30 oed oedd Bowen, yn byw gyda'i ail wraig yn Heol Bryn, Casllwchwr. Yn ei ddatganiad, dywedodd Bowen iddo adael y ffatri ychydig cyn pump o'r gloch a mynd i dŷ ei fam i gael pryd o fwyd. Gwnaeth hyn gan nad oedd ei wraig, Marie, gartref – roedd hi wedi mynd i gwrdd gweddi yng Nghapel Bethel, Casllwchwr. Gadawodd dŷ ei fam tua chwarter wedi chwech a mynd yn ôl i'r ffatri, lle bu'n gwneud gwaith cynnal a chadw ar ei gar. Un gorchwyl arbennig a wnaeth, meddai, oedd addasu'r clytsh. Gadawodd y ffatri am ugain munud i wyth gan gyrraedd ei gartref tua phum munud wedi wyth. Nid oedd wedi gweld Amanda o gwbl. Ni chlywodd ddim, meddai, ond esboniodd fod injan ei gar yn rhedeg y rhan fwyaf o'r amser.

Tua dwy flynedd cyn y llofruddiaeth roedd un o weithwyr y

155

ffatri wedi prynu bwyell mewn siop yn Llanelli ac wedi ei chadw yn y ffatri ar gyfer torri coed tân. Cofiai ei pherchennog mai paent glas golau oedd ar y fwyell a phan aethpwyd i chwilio amdani gwelwyd ei bod wedi diflannu! Dywedodd y siopwraig iddi brynu cyflenwad o'r bwyeill gan fasnachwr Iddewig o'r enw Rubenstein yn East End Llundain, ond ei bod wedi eu gwerthu i gyd. Teithiodd un ditectif i Lundain a chyf-weld Rubenstein; dywedodd iddo dderbyn y bwyeill o Wlad Pwyl ac erbyn hynny roedd yntau wedi eu gwerthu i gyd.

Ond yn sydyn reit, cofiodd Rubenstein fod yna un o'r bwyeill wedi torri a heb ei gwerthu; aeth i chwilio amdani ac wedi cryn drafferth daeth o hyd iddi. Aethpwyd â'r fwyell i'r Labordy Fforensig yn Llanishen a gwelwyd bod haenen o farnais ar y paent glas, a'r paent yn cyfateb yn union – o ran lliw ac ansawdd – i'r paent a oedd yn yr anafiadau yn asgwrn gên ac ar wddf Amanda. Roedd hyn yn dweud yn blaen mai'r fwyell goll o'r ffatri oedd arf y llofrudd.

Gweithiai nifer o blant yn y ffatri yn ystod gwyliau'r ysgol ac weithiau, pan fyddai'r bòs i ffwrdd ar fusnes, byddai yna ddireidi'n digwydd, y bechgyn yn goglais y merched, ac ati. Cafwyd gwybod bod Graham Bowen, y mecanydd, yn talu llawer o sylw i Amanda ac yn aml iawn yn ei goglais, a mwy na hynny yn ei chario i mewn i ystafell y gwin cymun a chau'r drws. Yn ddiamheuol, dangosai ddiddordeb afiach yn y ferch ysgol.

Daeth yn amlwg mai'r unig le y gallai Amanda fod wedi mynd y noson honno oedd i mewn i'r ffatri. Pam yr aeth hi yno? A oedd rhywun wedi ei denu yno? Roedd modd mynd i mewn trwy ddrws cefn y ffatri. Wrth dynnu ei waelod allan byddai digon o fwlch rhyngddo a'r wal i adael oedolyn i mewn. O gofio'r hanes am Graham Bowen yn cydio yn Amanda a mynd â hi i ystafell y gwin cymun, canolbwyntiwyd ar y lle hwnnw.

Archwiliwyd y bwrdd yn yr ystafell. Ei uchder o'r llawr oedd 3 troedfedd a 2¼ modfedd o'r llawr – yr union fesuriad o'r toriad bach hwnnw yng nghefn Amanda i waelod sawdl ei welinton. Ond nid dyma'r unig beth diddorol a ganfuwyd ar y bwrdd.

Ystyllod 1¼ modfedd o drwch oedd ei wyneb, a'r rheiny wedi eu llyfnhau, gyda'r 'rhigol a thafod' wedi saernïo'n gelfydd. Yn glynu wrth yr asiad mewn un 'rhigol a thafod' ar ymyl y bwrdd yr oedd darn bach iawn o groen. Gafaelodd Gwyn John ynddo â gefel fechan a'i osod yn ofalus iawn mewn ffiol yn cynnwys hylif o *zinc chloride* ac alcohol, ac yr oedd y darn bach croen, er ei fod wedi crebachu ychydig, yn union yr un siâp a'r ysgythriad ar gefn Amanda, ac yn ffitio'n berffaith yn y toriad.

Roedd y pictiwr yn datblygu'n rhyfeddol o glir. Gellid profi bod Amanda Randall, ychydig o amser cyn iddi gael ei thaflu i'r gwter, wedi bod â'i chefn noeth yn erbyn ymyl y bwrdd yn ystafell y gwin cymun, a mwy na hynny, bod grym wedi ei ddefnyddio i'w gwthio a'i dal yn ei erbyn. Ai yn y fan hon y llwyddodd y llofrudd i dynnu ei siwmper? Ai dyna'r esboniad bod cyffs ei menig rwber wedi eu troi yn ôl?

Daeth adroddiad o'r labordy fforensig yn dweud mai maint 'wyth' oedd ôl yr esgid ar drwsus Amanda, a gwelwyd mai maint 'wyth' oedd esgidiau Graham Bowen. Roedd y patrwm ar wadn ei esgid, hefyd, yn union yr un fath â'r un ar y trywsus. Ond esgidiau digon cyffredin a wisgai; y tebygolrwydd oedd bod miloedd o barau tebyg i'w cael yn yr ardal. Ond eto, mae 'patrwm treulio' gwahanol i bob pâr o esgidiau person, mwy o bwysau, efallai, ar ymyl un esgid, ac felly mwy o draul ar y fan honno nag mewn mannau eraill o'r gwadn. Ac ar ôl archwilio'n fanylach, roedd y ddau batrwm yn union yr un fath, a hefyd roedd gwadn esgid chwith Graham Bowen wedi treulio mewn ffordd a oedd yn cyfateb yn union i ôl yr esgid ar y trywsus.

Roedd ffibrau coch marŵn, cannoedd ohonynt, wedi eu darganfod ar ddillad Amanda a hefyd ar y rhannau noeth o'i chorff. Dyma'r wybodaeth fwyaf rhyfeddol i mi ei derbyn erioed – roedd y ffibrau yma yn rhai tu hwnt o anarferol. Roeddynt wedi eu gwneud o laeth glas! Ie, *skimmed milk*. Roeddem yn awr yn chwilio am siersi neu siwmper, neu bilyn cyffelyb, a hwnnw wedi ei wneud o ffibrau protein adfywiedig. Yn ôl y gwyddonydd, roedd Courtalds wedi arfer cynhyrchu'r ffibrau hyn, ond nid ers pymtheng mlynedd, a phan arferent wneud hynny, allforid y cyfan i'r Eidal. Roedd y gwyddonydd wedi mynd i berfeddion yr ymchwiliad ac wedi methu'n llwyr â dod o hyd i unrhyw bilyn wedi ei wneud o'r ffibrau hyn yn yr holl Deyrnas Unedig.

Felly byddai dod o hyd i berchen siersi neu siwmper wedi ei gwneud o'r ffibrau hyn yn dystiolaeth gref iawn i gysylltu'r person hwnnw â'r llofruddiaeth. Roedd yr ateb yn y ffatri; gwisgai Graham Bowen siwmper goch marŵn ond, pan gafodd ei holi, dywedodd mai siersi o liw arall a wisgai noson y llofruddiaeth. Archwiliwyd ei gartref a daethpwyd o hyd i siersi goch marŵn. Roedd hi wedi ei golchi, oherwydd pan dynnwyd piben dŵr-wast y peiriant golchi dillad yn rhydd, roedd yna gannoedd o ffibrau lliw coch marŵn wedi eu dal yn yr hidlydd.

Cymharwyd y ffibrau yn y siersi â'r rhai ar gorff Amanda. Yr oeddynt yn cyfateb yn union. Sut yr aethant yno? Roedd yna gannoedd o'r ffibrau hefyd ar sêt ôl car modur Graham Bowen. Sut yr aethant yno?

Yn ei ddatganiad cyntaf, dywedodd Graham Bowen ei fod wedi gwneud gwaith cynnal a chadw ar ei gar yn y ffatri'r noson honno, a'i fod wedi bod yn 'addasu'r clytsh'. Un prynhawn, torrodd un o loriau'r cwmni i lawr ger Aberdâr, ac anfonwyd Graham Bowen i'w thrwsio. Yn ei absenoldeb cafwyd cipolwg o dan ei gar yn y ffatri; nid oedd eisiau mecanydd i weld nad oedd y clytsh wedi ei gyffwrdd ers misoedd; roedd llwch yn dew dros y saim a'r olew. Felly ni fu'n gweithio ar y clytsh o gwbl. Yr oedd Graham Bowen yn dweud celwydd. Pam? Ble roedd e yn ystod yr amser y dywedodd iddo weithio ar y clytsh? Nid oedd ganddo *alibi* o gwbl.

Penderfynwyd prynu clytsh newydd a thra oedd Bowen yn Aberdâr, aeth y Cwnstabl Paul Price, mecanydd heb ei ail, o dan y cerbyd. Tynnodd y clytsh i ffwrdd a gosod yr un newydd yn ei le. Wrth gwrs, unwaith yr eisteddodd Bowen yn ei gar a gyrru am adref, teimlodd y gwahaniaeth yn syth; wedi'r cyfan, roedd e'n fecanydd. Aeth i edrych o dan y car ar y cyfle cyntaf, a phan welodd y clytsh newydd, gwyddai ar unwaith beth oedd wedi digwydd. Rhaid oedd iddo newid ei stori.

Gyrrodd i Orsaf yr Heddlu a gofyn amdanaf. Dod i mewn a wnaeth, meddai, i ddweud ei fod wedi gwneud un camgymeriad bach iawn yn ei ddatganiad. Nid addasu'r clytsh a wnaeth, ond edrych arno'n unig. Ble roedd e yn ystod yr amser hwnnw oedd y cwestiwn nesaf, felly. Atebodd fod rhyw sŵn yn injan ei gar a'i fod wedi gyrru i fyny ac i lawr Stryd y Deml nifer o weithiau i geisio dod o hyd i'r sŵn. Gwnaeth ddatganiad arall yn newid ychydig ar y cyntaf. Cyn ymadael, rhoddodd ei law i mi ac i Pat Molloy gan ddymuno pob llwyddiant i ni.

Arestiwyd Graham Bowen yn fuan wedi hyn a chyhuddwyd ef o'r llofruddiaeth. Pan ddywedodd ei fod wedi cael y siersi lliw coch marŵn yn anrheg gan ei fam-yng-nghyfraith, es i'w gweld, gan fynd â'r pilyn gyda mi. Cadarnhaodd hithau ei bod wedi ei rhoi iddo, gan esbonio mai i'w diweddar ŵr y prynodd hi yn wreiddiol. Wedi iddo ef farw, rhoddodd hi i'w mab-yng-nghyfraith. Gofynnais iddi ymhle y cafodd hi'r siwmper, a bu'r ateb bron â'm gyrru drwy'r llawr. Roedd hi wedi prynu'r siwmper i'w gŵr pan oeddynt ar eu gwyliau ym 1965 – yn yr Eidal!

Heb yn wybod iddi dyma hi'n rhoi darn o dystiolaeth angheuol yn erbyn ei mab-yng-nghyfraith, ac ysgrifennais ei datganiad i lawr ar ras. Wedi iddi hi ei ddarllen yn fanwl a chyn iddi ei arwyddo, gofynnais iddi sawl gwaith a oedd y datganiad yn gywir. Erbyn iddi ddod i'r llys, fodd bynnag, a rhoi tystiolaeth ar ran ei mab-yng-nghyfraith, dywedodd fod y datganiad yn anghywir ac mai fy ngeiriau i oedd y rhan fwyaf ohonynt, nid ei geiriau hi.

Roedd y dystiolaeth yn erbyn Graham Bowen yn un gref a chadarn. Ymddangosodd gerbron y Barnwr Syr Tasker Watkins, VC, yn Llys y Goron, Abertawe, ddydd Gwener, 15 Mehefin 1979. Aubrey Myerson CF oedd yn erlyn, a phan ddaeth hi'n amser i groesholi Bowen, dyna'r croesholi gorau, y mwyaf celfydd a chywrain a glywais erioed. Gresyn na fuasai'n bosibl ei ffilmio oherwydd teimlwn ar un adeg fod Bowen bron â chyfaddef o dan bwysau'r croesholi. Efallai'n wir y buasai wedi gwneud hynny oni bai ei bod yn tynnu at bump o'r gloch brynhawn dydd Gwener, a daethpwyd â'r gweithgaredd i ben ar hanner y croesholi. Erbyn y bore dydd Llun, roedd Bowen wedi cael y penwythnos i feddwl, ac roedd wedi adfer ei hun.

Wrth grynhoi'r achos tynnodd Syr Tasker sylw'r rheithgor at yr holl dystiolaeth, gan bwysleisio pwysigrwydd y ffibrau ar gorff Amanda. Daeth yr achos i ben ddydd Mercher, 26 Gorffennaf, pan gafwyd ef yn euog o'r llofruddiaeth. Pan alwyd arno i sefyll, dywedodd y Barnwr wrtho mai'r weithred hon oedd un o'r rhai mwyaf ffiaidd iddo ef ddod ar ei thraws yn ei brofiad fel Barnwr. Aeth yn ei flaen i weinyddu'r unig gosb a ganiateid gan y gyfraith – carchar am oes. Rhoddodd un o swyddogion y carchar ei law ar ysgwydd Bowen a diflannodd i'r celloedd islaw yn sŵn corws o leisiau o'r oriel gyhoeddus, 'Crogwch y diawl! Crogwch y diawl!'

Fel y dywedais ar y dechrau, flynyddoedd wedi hyn, dywedodd Aubrey Myerson wrthyf, gan gyfeirio at lofruddiaeth Amanda, *'That was the best "who dunn it" murder I was ever involved in'*. A'r sylw yma yn dod o enau un a oedd wedi erlyn ac amddiffyn mewn degau o lofruddiaethau ar hyd a lled y Deyrnas Unedig.

Mae Graham Bowen yn dal yn gaeth.

ACHOS ELFED GEORGE

Llofruddiaeth dipyn haws i ymdrin â hi oedd yr un nesaf yn Llanelli. Yn oriau mân bore dydd Sadwrn, 6 Mehefin 1981, cerddodd gŵr ifanc i mewn i Orsaf yr Heddlu gan ddweud wrth yr heddwas y tu ôl i'r ddesg, 'Arestiwch fi. Rwyf wedi llofruddio fy ngwraig'. Y gŵr ifanc oedd David Elfed George, colier di-waith, 28 oed, a heb gyfeiriad sefydlog, yn ôl yr hyn a ddywedodd wrth yr heddwas. Roedd ef a Freda Margaret, 25 oed, wedi ymwahanu ar ôl trafferthion priodasol. Roedd ganddynt ddau o blant ac yr oedd ei wraig wedi dechrau trafod ysgariad.

Er iddo ddweud ei fod heb gyfeiriad sefydlog, y gwir oedd ei fod yn byw gyda menyw arall o fis Ionawr yr un flwyddyn hyd ddau ddiwrnod cyn y llofruddiaeth, a phrofodd hyn yn allweddol.

Mae yna nifer o enghreifftiau o bobl yn cyfaddef, neu'n honni, iddynt droseddu, heb fod unrhyw wirionedd yn hynny. Pan ddaw dyn at yr heddlu a chyfaddef i lofruddiaeth, anodd yw credu'r fath beth ar y cychwyn cyntaf. Ond gwelwyd yn fuan iawn fod David Elfed George yn dweud y gwir. Roedd ei wraig yn gorwedd yn farw ar ei gwely ym myngalo ei mam yn Nhwynyrodyn, Felinfoel, Llanelli. Roedd wedi ei saethu ddwy waith â gwn dwy faril.

Tua chwarter wedi un ar ddeg y noson cynt, hynny yw, rhyw ddwy awr cyn y llofruddiaeth, ymwelodd George â ffrind iddo, Malcolm Roberts, yn Heol Abertawe. Tra oedd yn y tŷ prynodd George chwe chetrisen oddi wrtho, ac yna aeth ar ei union i sièd y tu cefn i dŷ Alan Davies, Pleasant View, Felinfoel. Gwyddai fod Alan Davies yn cadw dryll yno. Torrodd i mewn i'r sièd a dwyn y dryll.

Cerddodd i dŷ ei fam-yng-nghyfraith; curodd ar y drws a daeth hithau, Doris Powell, i'w ateb. Dywedodd wrthi am fynd allan a phan welodd hi'r dryll, sgrechiodd a rhedodd i gael help. Wrth iddi wneud hynny, ciciodd Elfed George ddrws yr ystafell wely lle cysgai Freda, a saethodd hi ddwy waith.

Ei fersiwn ef o'r stori oedd iddo fynd i eistedd y tu allan i dŷ ei fam-yng-nghyfraith ar ôl yfed yn drwm. Gwelodd ei fam-yng-nghyfraith yn mynd allan o'r tŷ a meddyliodd fod ei blant wedi eu gadael ar eu pen eu hunain. Gofidiai am hynny a chythruddwyd ef. Rhedodd i dŷ Malcolm Roberts, prynu'r cetris, dwyn y dryll o'r sièd a rhedeg i Dwynyrodyn, gan lwytho'r dryll yr un pryd. Nid oedd wedi meddwl lladd ei wraig, meddai. Ond cafwyd tystiolaeth gan ŵr o'r enw Brian Harries yn dweud fod Elfed George wedi bygwth saethu ei wraig bythefnos cyn y llofruddiaeth am ei bod yn mynd gyda dynion eraill. Ond ni chymerodd Brian Harries hyn o ddifrif. Tystiodd un arall, Geoffrey Hughes, i Elfed George drafod sefyllfa ei wraig gydag ef, gan ddweud y bodlonai fynd i garchar o'i herwydd.

Cyhuddwyd George yn ffurfiol a thraddodwyd ef i sefyll ei brawf yn Llys y Goron, Abertawe, ac ymddangosodd gerbron y Barnwr Mr Ustus Kenneth Jones ddydd Gwener, 23 Hydref 1981.

Roedd gan George dwrnai arbennig o dda yn ei amddiffyn – Aubrey Myerson, CF, a disgrifiodd Mr Myerson ef fel *misfit* na allai ddygymod ag aflonyddwch emosiynol. Plediodd yn ddieuog i lofruddiaeth, gan honni ei fod yn caru ei wraig, ac nad oedd wedi bwriadu ei lladd. Ar ôl gwrando ar y dystiolaeth am bedwar diwrnod, aeth y rheithgor o'r neilltu i ystyried.

Ond roedd y dystiolaeth yn ei erbyn yn gryf, ac yn dangos yn blaen ei ragfwriad maleisus i ladd, yn arbennig felly o ystyried ei ddatganiadau bygythiol i Brian Harries a Geoffrey Hughes, yn ogystal â'i baratoadau wrth brynu'r cetris a thorri i mewn i sièd a dwyn y dryll.

Roedd Mr Aubrey Myerson a minnau'n adnabod ein gilydd yn dda, y ddau ohonom wedi dechrau yn ein gwaith tua'r un adeg. Bûm yn dadlau yn ei erbyn nifer o weithiau a hefyd bu yntau yn arwain dros y Goron ar ein rhan dros y blynyddoedd. Er hynny, cadwai fi o fewn hyd braich iddo. A dweud y gwir, roeddwn yn ei ofni; rhoddai amser caled iawn i mi yn y bocs tystio pan fyddai'n amddiffyn, ond gwnâi hynny'n hollol deg. Roedd yr olwg fwyaf cas arno; roedd e dros chwe throedfedd o daldra ac yn wargam; roedd ganddo drwyn hir a cham, a llygaid fel llygaid eryr, ac wrth groesholi unrhyw dyst, plygai ymlaen dros ei *lectern* ar y bwrdd gan syllu ar y tyst a phlannu ofn ynddo.

Ditectif Sarjant Tony James oedd wedi bod yn ymdrin â'r achos hwn gyda mi ac yr oedd y ddau ohonom yn rhoi'r un dystiolaeth yn union. Ni ofynnodd Aubrey Myerson fawr iawn o gwestiynau i mi, ond rhoddodd amser caled iawn i Tony. Fe'i croesholodd yn llym iawn am tua 20 munud ond, er hynny, daeth Tony allan o'r 'frwydr' yn fuddugoliaethus! Roedd hi'n syndod i mi fy mod wedi cael amser mor hawdd yn y 'bocs', ond cefais fwy o syndod yn ddiweddarach. Tra oedd y rheithgor yn ystyried y dystiolaeth, a minnau'n sefyll yng nghyntedd y llys, cerddodd Aubrey Myerson heibio i mi. Edrychais arno ond heb ddweud gair, achos nid gwiw oedd i dyst yr erlyniad siarad â'r tîm amddiffyn. Ond wrth iddo fynd heibio, a heb sefyll o gwbl, dywedodd trwy gil ei geg, 'Peidiwch gofidio, Mr Davies, rwy'n dal i chwilio am amddiffyniad.'

Cefais fy synnu, a dweud y gwir. Yr enwog Aubrey Myerson, cawr yn y llysoedd, fwy neu lai'n siarad yn ysgafn am yr achos! Ni soniais am hyn wrth neb ar y pryd, ond teimlwn fy mod wedi cyrraedd pinacl fy ngyrfa – bod Aubrey Myerson ei hun yn ymddiried ynof trwy ddweud y fath beth.

Ar ôl tair awr o drafod, dychwelodd y rheithgor gyda'r ddedfryd unfrydol o 'euog o lofruddiaeth' ac anfonwyd David Elfed George i garchar am oes.

Ym 1993 trosglwyddwyd George i garchar agored Leyhill, Swydd Gaerloyw, er mwyn paratoi i'w ryddhau ar drwydded. Un penwythnos aeth nifer o'r carcharorion ar fws i Weston-Super-Mare i gymryd rhan mewn drama ond, rywsut neu'i gilydd, fe ddiflannodd Elfed George!

Yn fuan wedyn roedd nyrs 25 oed yn cerdded adref o barti a synhwyrodd fod rhywun yn ei dilyn. George oedd hwnnw. Dechreuodd redeg ond rhedodd George ar ei hôl hi ac fe gwympodd y ferch. Cydiodd George ynddi a'i gwthio i ddarn o dir lle roedd dynad yn tyfu; bygythiodd ei lladd, a threisiodd hi. Mynnodd wedyn gyd-gerdded â'r ferch i gyfeiriad ei chartref ac wrth fynd heibio i giosg teliffon, gwthiodd hi i mewn a cheisiodd ei threisio eto ond y tro hwn yn aflwyddiannus. Yn nes ymlaen, a hithau lathenni o'i chartref gwthiodd hi i mewn i fen oedd heb ei chloi a threisiodd hi eto yn fileinig iawn a'i darostwng i anfri ofnadwy. Yn Llys y Goron, Bryste, danfonwyd George i garchar am gyfnod o wyth mlynedd am y troseddau.

Mae un pwynt diddorol o safbwynt y gyfraith yn codi yn achos Elfed George. Pe bai ef wedi ei ryddhau ar drwydded ac yna'n aildroseddu yn y modd y gwnaeth, yna, ar ddiwedd ei ddedfryd o wyth mlynedd câi ei ailgarcharu am dorri amodau'r drwydded a'i gadw'n gaeth am weddill ei oes. Ond nid oedd wedi ei ryddhau; roedd yn dal yn garcharor, felly ai yr un fyddai'r telerau? Rwyf wedi gwneud ymholiadau ond ni all neb ddweud wrthyf. Rwy'n gwybod hyn – mae George yn dal yn gaeth, ac ar hyn o bryd mae yng Ngharchar Little Hay, Huntingdon.

Felly dyna un llofrudd y bûm i'n ymdrin ag ef wedi aildroseddu, ac wedi cyflawni trosedd ddifrifol iawn, ond nid hwn fyddai'r unig un yn fy hanes.

ACHOS MARK TRAYTON SMITH

Gŵyl y Banc ddiwedd mis Awst 1982, oedd hi pan gyrhaeddais adref tua chanol nos. Cyn i mi gael awr o gwsg, canodd y teliffon a'r neges oedd bod yna ymladd wedi bod yn harbwr Porth Tywyn ac un dyn wedi ei ladd.

Roeddwn yn byw o fewn dwy filltir i'r lle, a phrysurais i'r fan. Yno roedd dyn, cawr o ddyn, yn gorwedd ar ei gefn wrth ochr wal y pier rhwng y pier a'r traeth. Roedd ei ddillad amdano ond roedd ei drywsus a'i bants lawr o dan ei bengliniau ac yr oedd gwaed ar yr ochr chwith i'w frest. Rhyw bedwar plismon oedd yno ar y dechrau a safodd un ohonynt i warchod y corff tra bûm innau'n trefnu i'r patholegydd ddod i weld y corff.

Albert Richards oedd y trancedig, dyn ifanc 26 oed oedd yn byw gyda'i wraig a'i blant yn Heol Sandfields, Porth Tywyn. Yr oedd ei wraig, Dianne, gydag ef pan ddigwyddodd yr ymosodiad ac roedd hi'n cael ei chysuro mewn tŷ gerllaw. Pan euthum i'w gweld, roedd hi mewn cyflwr ofnadwy, a'i dwylo'n orchudd o waed.

Esboniodd Dianne ei bod hi a'i gŵr wedi mynd am dro i'r harbwr gan gerdded yn hamddenol i gyfeiriad yr harbwr a'r traeth, ac wrth gerdded trwy faes parcio, cyn cyrraedd y morglawdd, gwelsant bâr yn cael cyfathrach rywiol mewn car. Cododd chwant ar y ddau i wneud yr un peth ac aethant y tu ôl i wal y morglawdd.

Rhywbeth tra chyffredin i bobl Porth Tywyn, yr adeg yma beth bynnag, oedd mynd allan am dro i'r harbwr yn hwyr y nos, ac yn wir, arferiad arall, nid anghyffredin, oedd i bobl ar dywydd braf gael cyfathrach rywiol ar y traeth neu yn y twyni tywod.

Roedd llwybr porfa'n rhedeg wrth ochr y morglawdd rhwng y morglawdd a'r traeth, ac yno, yng nghysgod wal y pier, a hithau tuag un o'r gloch y bore, gorweddodd Albert ar ei gefn ar y llawr; eisteddodd Dianne arno ac fe ddechreuwyd caru. Ond ni feddyliodd yr un o'r ddau fod rhywun yn eu dilyn. Pan oeddynt ar hanner y weithred, neidiodd rhyw ddyn arnynt gan weiddi, "Yn wejen i yw honna!' a rhegfeydd yn dilyn. Ni welodd Dianne ef yn dod gan fod ei chefn tuag ato, ond credodd i Albert ei weld gan iddo ei gwthio hi o'r neilltu. Yna disgynnodd y dyn ar ben Albert a'i daro, a hwnnw'n dweud, 'Fy ngwraig i yw hi!' Cydiodd Dianne yn yr ymosodwr a'i dynnu oddi ar ei gŵr, ond aeth Albert yn dawel ac yn llonydd, ac yna meddai'r dyn, 'O, sori, o'n i'n meddwl mai'n wejen i o't ti!' a rhedodd i ffwrdd i gyfeiriad y traeth.

Roedd Dianne mewn cyfyng gyngor ofnadwy. Rhedodd nerth ei thraed gan sgrechian i gyfeiriad y tŷ agosaf yn yr harbwr. Erbyn hyn gwyddai Dianne fod Albert yn farw, a daeth Dr Cledwyn Thomas, Llanelli, i'r fan am 2.30 a.m. a chadarnhau hynny. Roedd hi'n ugain munud i bedwar cyn i'r patholegydd, Dr. O. G. Williams, gyrraedd a gwelodd fod Albert Richards wedi ei drywanu ac, wrth natur y clwyf yn y corff, dywedodd mai cyllell oedd yr arf. Awgrymodd i ni chwilio am gyllell, tebyg i gyllell boced, gyda llafn o tua hanner modfedd o led.

Yn fwy aml na pheidio mae llofrudd am waredu ei arf cyn gynted ag y bo modd, a pha le gwell i daflu'r gyllell, yn yr achos yma, nag i'r tywod. Unwaith y dôi'r teid i orchuddio'r traeth anodd iawn os nad amhosibl fyddai dod o hyd i'r arf.

Roedd y wawr yn torri, a dyma ni'n dechrau chwilio'r traeth. Cyn hir dyma waedd oddi wrth un o'r plismyn; roedd e wedi dod o hyd i gyllell gegin â gwaed ar ei llafn. Roedd hi'n amlwg nad oedd y gyllell wedi bod yno'n hir achos roedd hi'n berffaith lân, ar wahân i'r gwaed. Tynnais anadl hir gan edrych i fyny a diolch yr un pryd.

Am chwarter wedi saith gwelwyd dyn yn loncian ar hyd y twyni tywod nid nepell o'r fan lle canfuwyd y gyllell. Aeth y Cwnstabl Huw Jones ato a dweud fod dyn wedi ei lofruddio yn yr harbwr, a gofynnodd iddo am ei enw, gyda'r bwriad i'w gyf-weld yn ddiweddarach pe byddai rheswm am hynny. Clerc ym Manc y Midland yng Nghastell-nedd ydoedd, gŵr un ar hugain oed ac yn byw mewn fflat yno; trigai ei rieni a thri phlentyn iau ym Mhorth Tywyn. Ei enw oedd Mark Trayton Smith.

Agorwyd ystafell insident yn hen Orsaf yr Heddlu ym Mhorth Tywyn. Roedd Pat Molloy, Pennaeth y C.I.D., yn dechrau ei wyliau y diwrnod hwnnw, ond heb fynd oddi cartref. Felly gohiriodd ei wyliau a dod i arwain yr ymchwiliad, ac yr oeddwn yn falch iawn o hynny. Rwyf wedi dweud eisoes mai'r unig bryd y byddai'r ddau ohonom yn gweithio gyda'n gilydd oedd mewn achos o lofruddiaeth, a soniais hefyd am y lwc a oedd yn ein dilyn. Daliodd ein lwc eto, gan ddechrau gyda dod o hyd i'r gyllell waedlyd. Diolch a wnes, a dyma wirionedd – bob tro y cawn lwyddiant wrth ddatrys troseddau, mi awn ar fy ngliniau y noson honno i ddiolch. Ni fyddwn byth yn gweddïo am gael help, ond pan gawn lwyddiant, byddwn yn diolch bob tro.

Mewn achosion o lofruddiaethau cawn gydweithrediad llwyr gan y cyhoedd a hefyd gan droseddwyr. Cau'r drws yn glep yn fy wyneb a wnâi'r adar brith yn aml iawn ond pan gâi rhywun ei lofruddio cawn groeso yng nghartrefi lladron, hyd yn oed, ac felly y bu y tro hwn.

Am un ar ddeg o'r gloch roeddwn ym marwdy Ysbyty Llanelli yn cael cadarnhad gan y patholegydd bod Albert wedi ei drywanu trwy'i galon â chyllell â llafn pedair modfedd o hyd.

Buom wrth ein gwaith drwy'r dydd, yn holi o dŷ i dŷ ymhob stryd, yn cyf-weld y bobl oedd yn adnabod Albert a Dianne, ac yn chwilio am ferch a edrychai'n debyg i Dianne. Ar ddiwedd y dydd cynhaliwyd di-brîff, gan drafod yr holl sefyllfa a chlywed syniadau. Gwelwn fod tasg anodd o'n blaenau.

Ni pharhaodd yr ymosodiad ar Albert a Dianne ond llai na hanner munud, a rhedodd y llofrudd i lawr i'r traeth. Daeth hi'n amlwg yn ddiweddarach i'r llofrudd gamgymryd Dianne am ferch arall ac mai ymosod ar y ferch oedd ei fwriad. Wrth i Albert wthio Dianne naill ochr, arbedodd ei bywyd, yn sicr, ac un ffordd i gyfeirio'r ymchwiliad oedd dod o hyd i gariad y llofrudd.

Roeddwn yn chwilio am ferch a edrychai'n debyg i Dianne, ac yr oedd yna elfen rywiol yn perthyn i'r ymchwiliad. Roedd pobl eraill yn mynd i'r traeth a'r twyni tywod i gael rhyw; cariadon, parau priod a hefyd ambell ŵr gyda gwraig rhywun arall. Nid hawdd oedd gofyn y cwestiynau hyn – a oeddynt yn mynd i'r traeth neu i'r twyni tywod wedi nos, ac os oeddynt, gyda phwy. Pan aeth y Ditectif Huw Williams i holi un dyn, ei ymateb cyntaf oedd, 'O! Diawl! Os daw'r wraig i wbod, bydd *murder* arall 'da chi bois!'

Ond y gyllell a ganfuwyd ar y traeth oedd ein gobaith pennaf; roedd gwaed ar lafn y gyllell a chanfuwyd ôl bys arni, nid ar garn y gyllell ond ar y llafn ei hun. Cymharwyd y gwaed ar y llafn â gwaed Albert Richards a phrofwyd mai gwaed Albert ydoedd. A'r lwc fwyaf a ddaeth i'n rhan oedd bod yr ôl bys ar ben y gwaed, nid oddi tano. Roedd hyn yn dystiolaeth derfynol bod y gyllell yn llaw'r llofrudd wedi i'r llafn fod yng nghnawd y trancedig, a hynny cyn i'r gwaed sychu. Yn ddiamau, ôl bys y llofrudd oedd ar yr arf a rhoddodd hyn hyder mawr iawn i'r tîm.

Rhoddwyd y cyhoeddusrwydd pennaf i'r gyllell yn y papurau ac ar y teledu. Rhoddwyd llun ohoni hefyd yn ffenest pob siop ym Mhorth Tywyn.

Mae holi o dŷ i dŷ yn hanfodol bwysig mewn unrhyw ymchwiliad, yn arbennig felly mewn achosion o droseddau difrifol; gwneud yn siŵr bod manylion pob aelod o'r teulu yn cael eu cofnodi, a gofalu holi'n gynnil am y bobl sy'n byw yn y tŷ drws nesaf. Dau dditectif profiadol oedd yn gwneud y gwaith hwn yn Heol Pencoed, Porth Tywyn – Alun 'Mabon' Davies a Nigel Rogers-Lewis o'r *Regional Crime Squad*. Aeth y ddau i rif 103, cartref rhieni Mark Trayton Smith, y gŵr hwnnw a welwyd yn loncian ar y traeth ar fore'r llofruddiaeth. Roedd tri phlentyn arall yn byw yno, yn cynnwys gefeilliaid, a phan ofynnwyd i'r rhieni roi cyfrif am eu symudiadau ar adeg y llofruddiaeth, y wybodaeth gan y fam oedd eu bod, fel teulu, wedi treulio penwythnos Gŵyl y Banc mewn carafán yn Cheltenham a'u bod, ar y ffordd 'nôl ddydd Mawrth, 31 Awst, wedi gollwng Mark yng Nghastell-nedd.

Felly, os oedd hyn yn iawn, ni allai Mark Smith fod wedi bod ym Mhorth Tywyn ar y nos Lun. Ond gwelwyd nad oedd hyn yn hollol gywir. Mewn gwirionedd, dychwelodd Mark Smith ar ei ben ei hunan y diwrnod cyn hynny, gan dreulio'r nos Lun, noson y llofruddiaeth, ym Mhorth Tywyn. Onid oedd y Cwnstabl Huw Jones wedi siarad ag ef pan oedd yn loncian ar y twyni tywod tua chwarter wedi saith ar y bore dydd Mawrth?

Aeth y gwaith ymlaen am dair wythnos; cafodd 1,200 o bobl eu holi, a chymerwyd olion bysedd pob dyn a holwyd, a'u cymharu â'r ôl bys ar lafn y gyllell – gwaith llafurus iawn yr adeg honno. Yna daeth gwybodaeth a wnaeth ein cyfeirio tuag at Mark Trayton Smith. Nos Sadwrn, 18 Medi, derbyniwyd dwy alwad teliffon oddi wrth berson dienw, un am ddeg o'r gloch a'r llall ddeng munud yn ddiweddarach, yn ein cymell i 'edrych i gyfeiriad Banc y Midland, Castell-nedd', a bod y llofrudd yn byw yn y dref honno.

Ni ddaethpwyd fyth i wybod pwy a wnaeth y galwadau ffôn hyn, ond anfonwyd dau dditectif o'r *Regional Crime Squad*, Howell *Eighty Two* a John Shute, i wneud ymholiadau. Aeth y ddau i Fanc y Midland, a phan ddaeth Smith wyneb yn wyneb â'r ddau, llyncodd yn nerfus iawn nifer o weithiau ac, yn ôl *Eighty Two*, roedd ei afal freuant 'yn mynd lan a lawr fel mashîn'. Teimlodd y ddau ar unwaith eu bod yn siarad â'r llofrudd, ond tyngodd yntau nad oedd ganddo ddim i'w wneud â'r llofruddiaeth. Gwnaeth Smith ddatganiad, nid un o dan rybudd, ond datganiad tyst, yn rhoi cyfrif am ei symudiadau yn ystod yr amser dan sylw.

Tua'r un adeg cawsom wybodaeth gan ddyn lleol mai ef ddylai fod wedi profi min y gyllell am ei fod wedi bod yn 'mynd mas' gyda wejen Smith. Y ferch honno oedd Judith Middleton Davies, er i Smith fynnu ei fod wedi dod â'r berthynas â hi i ben fis Ionawr y flwyddyn honno. Roedd yn amlwg ei fod yn awyddus i'r ferch yma gael ei dileu o'r ymchwiliad yn gyfan gwbl – er mwyn diddymu unrhyw 'fwriad' ar ei ran ef. Ond pan gafodd Judith ei chyf-weld dywedodd ei bod wedi bod yn caru â Smith, a chael cyfathrach rywiol yn rheolaidd, hyd at wyth niwrnod cyn y llofruddiaeth.

Mark Trayton Smith ar ei ffordd i'r llys

Arestiwyd Smith ac fe'i holwyd gan Pat Molloy a minnau. Roedd hyn ar y dydd Llun, 20 Medi. Holwyd ef am dros dair awr a hanner, ond gwadu'r cyfan a wnaeth gan siarad â'r ddau ohonom fel pe bai'n siarad â baw. Dyma un o'r troseddwyr mwyaf haerllug i mi ei gyf-weld erioed; roeddem yn siarad dwli, 'sbwriel', meddai mewn ateb i'n cwestiynau, gan chwerthin. Ail-holwyd ef drannoeth am tua awr a hanner, gan roi pob cyfle iddo ddweud ai ei gyllell ef ynteu cyllell ei rieni oedd yr un a ganfuwyd ar y traeth. Taerodd nad oedd wedi gweld y fath gyllell erioed; taerodd hefyd na fu yn harbwr Porth Tywyn noson y llofruddiaeth, a glynodd wrth y stori ei fod wedi torri pob perthynas â Judith Middleton Davies yn Ionawr y flwyddyn honno. Yn y cyfamser, gwelwyd bod yr ôl bys ar lafn y gyllell waedlyd yn cyfateb i ôl bys Smith, ac er iddo ddal i wadu'r cyfan, cyhuddwyd ef yn ffurfiol gan ei roi o dan glo.

Cytunodd Smith i ddangos i ni'r llwybr lle bu'n loncian y bore hwnnw pan ganfuwyd y corff, a gwelwyd ei fod wedi bod o fewn troedfeddi i'r fan lle cafwyd y gyllell. Ai mynd yno i chwilio amdani oedd e?

Un camgymeriad mawr yw credu bod pob lleidr neu droseddwr yn casáu'r heddlu; mae gan bob lleidr ei ffefryn yn y C.I.D. Roedd Nicholas George Morgan o Borth Tywyn yng ngharchar Caerdydd ar y pryd, ac i'r carchar hwnnw y dygwyd Smith. Cyfarfu'r ddau, a phan ofynnodd Morgan iddo 'beth oedd y sgôr' atebodd Smith, 'Fe gredes i mai rhywun arall oedd hi'.

Carcharor arall oedd Alan Henry Davies o Ben-y-bont ar Ogwr, a bu Smith yn siarad ag ef bob dydd am y llofruddiaeth. Yn ôl Davies, roedd Smith wedi dweud:

'Fe ddylen i fod wedi sylweddoli bod y polîs yn mynd i 'ngha'l i . . . gwmpes i mas â'r wejen; fe gerddodd hi off ac es inne i chwilio amdani . . . fe gredes i fi ei gweld hi yn y docs ar y llawr yn 'i cha'l hi gyda boi arall . . . es inne *bull at a gate* amdanyn nhw . . . fe ddwedodd y fenyw mai ei gŵr o'dd e, ond o'dd hi'n rhy ddiweddar erbyn hynny.'

Cafodd Alan Henry Davies ei ryddhau o'r carchar ac fe es i'w weld yn ei gartref yn Betws, Pen-y-bont ar Ogwr. Gwnaeth ddatganiad, ac aeth yn ei flaen i ddweud bod Smith wedi dweud wrtho pe câi ei ryddhau ar fechnïaeth ni fyddai ganddo ddim i ofidio yn ei gylch; dihangai i Weriniaeth Iwerddon gan fod ganddo ffrindiau yno ac na welai neb mohono fyth wedyn.

Safodd Smith ei brawf yn Llys y Goron yn Abertawe ym mis Mawrth, 1983. Erbyn hyn roedd wedi newid ei stori'n gyfan gwbl. Cyfaddefodd mai ef oedd y dyn a drywanodd y trancedig ond taerodd mai amddiffyn ei hun a wnaeth. Dywedodd iddo fynd i lawr i'r traeth i wylio adar; arferai gario cyllell a ddefnyddiai i agor cregyn môr; dywedodd fod Albert Richards wedi ymosod arno a'i fod yntau wedi cael ei orfodi i ddefnyddio'r gyllell i amddiffyn ei hun.

Honnodd fod Nicholas George Morgan yn dweud celwydd, ac yn ceisio rhoi'r bai arno ef am fod Albert Richards a Morgan yn ffrindiau. Yn ogystal â hynny, honnodd hefyd fod Alan Henry Davies wedi cael ei ddylanwadu gan Morgan, a bod Davies wedi ffugio'r stori amdano'n mynd i ddianc i'r Iwerddon pe câi fechnïaeth. Ond daeth hi'n amlwg, ymhen y rhawg, bod Davies yn dweud calon y gwir.

Mae'n amlwg i'r rheithgor ddiystyru esboniad Smith; profwyd ef yn euog o lofruddiaeth ac anfonwyd ef i garchar am oes. Ond nid dyna ddiwedd hanes Mark Trayton Smith. Cafodd ei ryddhau ar drwydded ym 1995 ac aeth i fyw i Appledore, Gogledd Dyfnaint, a gweithio yn McDonalds. Ym 1998 honnwyd iddo ymddwyn yn anweddus tuag at ddwy ddynes ar draeth Westward Ho; gwelsant ef yn mynd i gar modur ac ar ôl gwneud nodyn o'r rhif a'i roi i'r heddlu, cafodd Smith ei holi. Rhyddhawyd ef ar fechnïaeth yr heddlu i ymddangos rai dyddiau'n ddiweddarach er mwyn ei osod ar reng adnabod, ond ni chadwodd yr oed a dihangodd o'r ardal.

Ar 5 Mehefin 1999, cafodd menyw un ar hugain oed ei threisio'n ffiaidd iawn ar Forglawdd Nimmo yn Ninas Galway, Gweriniaeth Iwerddon. Rai diwrnodau wedi'r trais gwelodd hi'r dyn yn Sgwâr Eyre, Galway. Galwodd ar y *Gardai* ac fe ddaliwyd y dyn – Mark Trayton Smith. Ym mis Tachwedd ymddangosodd yn y *Central Criminal Court* yn Nulyn. Plediodd yn ddieuog ond, ar ôl pedwar diwrnod yn clywed y dystiolaeth, daeth y rheithgor i'r penderfyniad ei fod yn euog. Dywedodd y Barnwr, Mr Ustus McCracken, mai agwedd fwyaf brawychus yr achos oedd bod Smith eisoes wedi lladd rhywun, a'i fod wedi rhoi'r fenyw o Galway, hefyd, mewn perygl o golli ei bywyd. Y ddedfryd briodol fyddai un o ddeuddeng mlynedd o garchar. Dangoswyd llun Smith ar dudalen flaen y papur lleol, *The Star*. Dyna ddangos yn glir bod y carcharor hwnnw yng Nghaerdydd, Alan Henry Davies, yn dweud y gwir am Smith yn bygwth dianc i Iwerddon pe câi fechnïaeth ar ôl llofruddio Albert Richards.

Y pennawd ar tudalen flaen *The Star* yn Galway

Roedd yr heddlu yn Nyfnaint wedi trefnu gwarant estraddodi i arestio Smith yn y Weriniaeth pe digwyddai ef gael ei brofi'n ddieuog o'r trais yn Ninas Galway. Rwy'n deall bod y warant yma mewn grym o hyd a phan gaiff Smith ei ryddhau o'r carchar yn Iwerddon, bydd yr heddlu yn ei aros y tu allan i'w gludo yn ôl i'r Deyrnas Unedig lle y cedwir ef yn gaeth am weddill ei oes, gan ei fod wedi torri amodau'r drwydded pan gafodd ei ryddhau ym 1995.

Dyna ddau lofrudd y bûm i'n ymdrin â hwy, Mark Trayton Smith a David Elfed George, wedi aildroseddu, a throseddu'n ddifrifol iawn hefyd. Mae hyn yn codi cwestiwn – sawl llofrudd drwy'r holl wlad sydd wedi aildroseddu ar ôl eu rhyddhau?

172

Mae dros dair canrif a hanner wedi mynd heibio ers i'r Barnwr enwog, Syr Matthew Hale, ddweud am droseddau rhyw, ei bod yn hawdd iawn i fenyw honni ei bod wedi ei threisio ond yn anodd iddi brofi hynny, a'i bod yn anos fyth i'r cyhuddiedig wrthbrofi'r cyhuddiad, hyd yn oed os oedd yn hollol ddiniwed. Bûm yn delio â nifer o droseddau rhyw, a gwelais fod y geiriau hyn yn hollol wir. Roedd yna ferched, am wahanol resymau, yn honni eu bod wedi eu treisio heb fod unrhyw wirionedd yn yr honiadau. Ar y llaw arall, rwy'n siŵr bod yna gannoedd o ferched a menywod ar hyd a lled y wlad wedi cael eu treisio, ond oherwydd ofn neu ryw reswm arall, yn hwyrfrydig i ddod at yr heddlu. Rhaid oedd bod yn ofalus iawn yn yr achosion hyn er mwyn ceisio sicrhau cyfiawnder.

Rwy'n teimlo'n euog hyd heddiw wrth gofio am hen ferch 71 oed yn dod i'r stesion yn Llanelli tua chwech o'r gloch un prynhawn dydd Gwener yn Awst, 1979, yn cwyno ei bod wedi ei threisio gan ŵr ifanc yn ei gwely tua thri o'r gloch y bore hwnnw. Roedd hi a'i chwaer, hen ferch arall, yn byw gyda'i gilydd. Roedd ei chwaer yn cysgu ar y llofft a hithau'n cysgu mewn ystafell ar y llawr.

Honnodd fod y dyn wedi dod i mewn drwy'r ffenest ac, er ei bod hi'n ganol nos, gallai ddisgrifio'r treisiwr yn fanwl gan fod lamp stryd y tu allan yn taflu golau i'r ystafell. Nid oedd unrhyw olwg gynhyrfus arni ac adroddodd yr hanes yn bwyllog, gan ddisgrifio'r ymosodwr fel 'bachgen bach eitha teidi yr olwg, wedi cribo'i wallt yn drefnus'. Roedd y ffaith ei bod yn edrych mor ddigyffro, ac wedi bod bymtheg awr cyn dod at yr heddlu i gwyno, yn ddigon i mi feddwl ei bod ychydig bach yn ddryslyd, ac wedi ffugio'r stori.

Roeddwn wedi cael diwrnod prysur – wedi cael fy ngalw o'r gwely am 2.30 y bore ac wedi treulio oriau mewn safle gwarchae troseddwr arfog. Erbyn chwech o'r gloch y prynhawn, pan ddaeth yr hen ferch i gwyno, roeddwn braidd yn flinedig. Ni roddodd hithau ateb boddhaol pan ofynnais iddi pam na fuasai wedi cwyno ynghynt. Mewn gwirionedd, nid oeddwn yn ei chredu ond, er mwyn bod yn hollol ddiogel, dywedais wrth un o'r ditectifs am alw'r meddyg i'w harchwilio, ac es innau adref gan feddwl am wely cynnar.

Cyn i mi fynd i'r gwely cefais alwad yn dweud bod archwiliad y meddyg yn cadarnhau pob peth a ddywedodd y fenyw. Roedd cleisiau ar ran neilltuol o'i chorff yn dangos ei bod wedi cael cyfathrach rywiol a hefyd ei bod, cyn yr ymosodiad, yn wyryf. Dyma drosedd ddifrifol iawn. Nid yn unig roedd menyw 71 oed wedi cael ei threisio, ond roedd hi wedi dioddef hynny yn ei chartref, yn ei gwely ei hun, a hynny ganol nos. Anodd dychmygu unrhyw beth gwaeth a allai ddigwydd i fenyw ddiniwed.

Buom wrthi'n ddyfal yn ystod y diwrnodau nesaf heb fawr iawn o lwyddiant, ond rai wythnosau'n ddiweddarach cawsom alwad ffôn anhysbys yn dweud mai'r treisiwr oedd sowldiwr, un oedd â'i gartref yn yr un stryd â'r dioddefydd. Roedd ef gartref ar ei wyliau ar y pryd ond roedd wedi dychwelyd i'w gatrawd yng Ngorllewin yr Almaen rai diwrnodau wedi'r drosedd.

Anfonais neges ar frys i Gangen Ymchwiliadau Arbennig y Fyddin yn yr Almaen gyda'r holl fanylion ac, yn wir, cyn pen 24 awr daeth neges yn ôl oddi wrth Ringyll yn dweud bod y sowldiwr wedi cyfaddef y cyfan.

Dydd Iau, 21 Chwefror 1980, ymddangosodd y sowldiwr yn Llys y Goron Abertawe; pledïodd yn euog i'r drosedd, a danfonwyd ef i garchar am gyfnod o dair blynedd.

CHARLIE TALKIE

Dywedais eisoes nad oedd pob troseddwr yn casáu'r heddlu; roedd nifer o ladron yn barod i gael sgwrs â ni yn aml. Roedd gan rai ohonynt eu ffefryn yn y C.I.D. a gallwn enwi un neu ddau a fyddai'n dod i swyddfa'r C.I.D., yn union wedi eu rhyddhau o'r carchar, i edrych am y ditectif a fu'n gyfrifol am eu dal a'u carcharu – yn y gobaith o gael ychydig arian i brynu diod.

Roedd un dyn yn nodedig am gadw mewn cysylltiad; un o'r enw Charles Jones, neu *Charlie Talkie* fel yr adwaenid ef – siaradai'n ddi-stop! Roedd Charlie wedi treulio'r rhan fwyaf o'i oes mewn carchar, yn bennaf am ennill arian trwy dwyll. Cymro Cymraeg oedd Charlie, yn frodor o Lanelli, ac yno y deuai bob tro y câi ei ryddhau o'r carchar. Ganwyd ef ym 1913, o deulu da ond trodd i ffyrdd y diafol yn gynnar. Nid lleidr ydoedd, ond twyllwr, ac fel twyllwr y carai gael ei adnabod; ei ddywediad yn aml oedd, 'Dim lleidir odw i ti'n gweld, ond *con-man*'.

Y cofnod cyntaf sydd ar gael am Charlie yw ym 1932, pan gafodd ddirwy o £2 am ennill arian trwy dwyll, a rhwng y dyddiad hwnnw a Chwefror 1980, bu o flaen y llysoedd 76 o weithiau, a'i garcharu 69 o weithiau. Cafodd ei garcharu am ddeng mlynedd un tro; dro arall am wyth mlynedd, ac am bum mlynedd ar ddau achlysur. Ond cyfnodau byr a dreuliai yng ngharchar y rhan fwyaf o'r amser. Cyflawnai un drosedd arall hefyd yn rheolaidd pan fyddai'n feddw, sef chwalu ffenestri siopau a chiosgau teliffon; câi ryw foddhad rhyfedd wrth weld gwydr yn chwalu'n yfflon.

Ei ddull o ennill arian oedd trwy gymryd ei fod yn casglu arian at achosion da, a chan ei fod mor gyfarwydd â'r llysoedd a'r bargyfreithwyr a fyddai'n ei gynrychioli, fe allai siarad 'iaith' cyfreithwyr, a hawdd deall unrhyw un a gredai ei fod yn berson o gymeriad glân a didwyll. Ei waith yn y carchar bob amser oedd gofalu am y llyfrgell, a phan fyddai gartref yn Llanelli am y cyfnodau prin hynny pan oedd yn rhydd, arferai gyflwyno ei hun i ddieithriaid fel 'llyfrgellydd', a'i fod gartref am ysbaid o'r 'coleg'.

Bu *Charlie Talkie* gyda mi ar hyd y daith – yr ochr arall i'r clawdd, wrth gwrs! Treuliodd flynyddoedd o dan yr un to ag Oliver, fy ewythr – yng ngharchar Caerdydd – a phob tro y deuai adref o'r carchar hwnnw, galwai i'm gweld, gan roi'r un neges bob tro, sef bod Oliver yn cofio ataf yn fawr iawn. Yna, pan gâi ei arestio eto, anfonai nodyn i mi o'i gell yn gofyn cymwynas; hynny yw, gofyn i mi ddod â bocs o fatsys *Bryant & May* a phapur sigaréts *Rizla* iddo, yn ogystal â *'few nice home grown tomatoes'*. Gwnawn hyn bob tro, yn bennaf er mwyn cael llonydd ganddo. Yn aml anfonai lythyrau i mi o'r carchar hefyd.

Un tro, tra oedd ar ymweliad o'r 'coleg', chwedl yntau, cafodd ei arestio am daflu bricsen trwy sgrîn wynt car modur wedi i'r gyrrwr sefyll iddo ef gael croesi'r heol ar groesfan cerddwyr. Cythruddodd fi y tro hwn – dyma drosedd anfaddeuol gan mai merch o Benrhiw-llan, Ina Penty, oedd yn gyrru'r car! Rwy'n cofio amdani'n wyn fel y galchen yn dod i'r stesion. Er i'r nodyn arferol ddod oddi wrtho, chafodd Charlie ddim tomatos na dim arall y tro hwn!

HANES ANTHONY DEMICH

Ar wahân i'r llofruddiaethau, hyd yn hyn, yr achos mwyaf dyrys a hefyd y mwyaf diddorol a herfeiddiol a ddaeth i'm rhan oedd achos Anthony Emanuel Dimech. Roedd Dimech yn ddyn clyfar iawn, ac yn un o'r rhai cyfrwysaf. Ef oedd Cadeirydd Cwmni Unity Tools, ffatri yng Nghydweli a gynhyrchai gyfarpar ar gyfer ceir modur British Leyland – busnes tra enillfawr.

Ym mis Hydref, 1980, llosgwyd y lle'n fwriadol, gan achosi difrod i beiriannau ac offer drudfawr; gweithred a adawodd 13 o bobl leol yn ddi-waith, a throsedd, pe na bai wedi ei datrys, a fyddai wedi costio dros £4,000,000 i gwmnïoedd yswiriant. Dyma, yn sicr, un o'r troseddau mwyaf difrifol yn hanes hen Fwrdeistref Cydweli.

Bûm yn gweithio ar yr achos hwn am hydoedd; aeth y gwaith â mi ddwywaith i Ynys Melita, a dilynodd fy lwc bob cam o'r ffordd. Cafodd un ei garcharu am chwe blynedd am ei ran yn y tân, ac fe garcharwyd pump o uwch-swyddogion British Leyland am droseddau o lwgrwobrwyo. Er i'r dystiolaeth a gasglwyd ddangos yn glir bod Dimech ei hun yn euog o gynllwynio i achosi'r tân, bu farw cyn i'w achos ddod gerbron y llys.

Dyma'r hyn a ddywedodd y Barnwr, Ei Anrhydedd T. Lewis Bowen, ar ddiwedd yr achosion o lwgrwobrwyo:

Geiriau o gymeradwyaeth gan y Barnwr

Gan fod yr achos hwn yn un mor ddyrys a diddorol, ysgrifennais lyfr amdano – *Dŵr a Thân a Thwyll* – a gyhoeddwyd gan Wasg Gomer yn 2002.

DITECTIF UWCH AROLYGYDD – Y DYRCHAFIAD OLAF

Ym mis Awst, 1982, rai wythnosau cyn iddo roi'r gorau i'w swydd, aeth y Dirprwy Brif Gwnstabl, Cyril Vaughan, o amgylch y rhanbarthau i ddiolch i ni am ein gwasanaeth.

Pan alwodd gyda fi ddydd Llun, 23 Awst, cawsom sgwrs hir ac wrth iddo fynd, rhoddodd ei law i mi, dymunodd yn dda, a'i eiriau olaf oedd, 'Chi fydd y Ditectif Uwch Arolygydd nesaf, naill ai yn y C.I.D. neu ar y *Regional Crime Squad*, p'un bynnag swydd ddaw'n wag yn gyntaf. Roeddwn am ddweud hyn wrthych cyn i mi ymddeol.' Diolchais yn ddiffuant iddo er y gwyddwn na fyddai ganddo ef unrhyw lais yn y mater wedi iddo ymddeol. Ond cefais fy nyrchafu, a stori ddiddorol oedd amgylchiadau fy nyrchafiad olaf.

Yn ystod 1983 roeddwn yn rhoi ambell ddarlith i blismyn ifainc yn y Pencadlys yng Nghaerfyrddin, ac un tro, yn nechrau Tachwedd, daeth Donald Griffiths y Prif Glerc ataf i ddweud bod y Prif Gwnstabl am fy ngweld cyn i mi dychwelyd i Lanelli.

Roedd Pat Molloy, y Prif Uwch Arolygydd, yn ymddeol ar y diwrnod olaf o Dachwedd ac yr oedd ei swydd ef eisoes wedi ei llenwi gan Dai Davies – y gŵr hwnnw a ddisodlais yn Llanelli yng Ngorffennaf 1975. Pan euthum i swyddfa'r *Chief* dywedodd ei fod yntau yn meddwl ymddeol ac y gwnâi hynny yn sicr cyn hir iawn. Aeth yn ei flaen i ddweud ei fod yn awyddus i ddyrchafu dau neu dri phlismon cyn gwneud hynny. 'A chi yw un o'r rheiny,' meddai. 'Chi yw'r Ditectif Uwch Arolygydd nesaf.' Dyma adlais o eiriau fy meistr cyntaf, y Siwper D. J. Jones, pan gefais fy nyrchafu'n dditectif sarjant.

A dyma fe'n rhoi newyddion i mi. Roedd swydd Ditectif Uwch Arolygydd yn dod yn wag ar y *Regional Crime Squad* yng Nghaerdydd ar 6 Rhagfyr, ac mi gefais ddewis ganddo. A oeddwn am gael y swydd yng Nghaerfyrddin a oedd yn dod yn wag ar Ragfyr y cyntaf, ynteu a oeddwn am y swydd yng Nghaerdydd?

Nid oedd unrhyw amheuaeth gennyf mai ar y Sgwad y carwn fod; yn gyntaf, dyna'r gwaith yr oeddwn yn ei hoffi fwyaf. Yn ail, pe dewiswn y swydd yng Nghaerfyrddin, byddwn yn ddirprwy i'r un na feddyliai lawer ohonof ers i mi ei ddisodli yn Llanelli; byddai yna wrthdaro yn sicr. Un peth yr oeddwn wedi cael fy nysgu'n gynnar iawn yn yr heddlu – beth bynnag fyddai 'nheimladau personol tuag at rywun, na ddylai'r *job* ddioddef oherwydd hynny. Fel y digwyddodd, ni fu'n rhaid i mi roi fy hunan yn y sefyllfa lletchwith honno.

Fodd bynnag, y gwahaniaeth oedd bod swydd y Sgwad yn cael

ei hysbysebu drwy'r wlad; buasai'n rhaid i mi gynnig amdani, cael fy newis ar restr fer, ac yna i gael cyfweliad gan Bwyllgor y Sgwad a'r panel, yn cynnwys y tri Phrif Gwnstabl, David East (De Cymru), John Over (Gwent) a'm Prif Gwnstabl i fy hun, R. B. Thomas. Cadeirydd y panel fyddai John Woodcock, Archwiliwr Ei Mawrhydi o'r Swyddfa Gartref, ac yr oedd Pennaeth y Sgwads, John Cass o Heddlu'r Metropolis, yn aelod o'r panel hefyd.

Pan ddywedais wrth y Prif Gwnstabl nad oedd sicrwydd y byddwn yn llwyddiannus i gael y swydd ar y Sgwad (fel y digwyddodd, roedd 18 yn ceisio amdani) dywedodd y cadwai'r swydd yng Nghaerfyrddin ar agor hyd nes y cawn ganlyniad y cyfweliad. Teimlwn yn *flattered* iawn.

Erbyn hyn roeddwn wedi treulio dros 29 mlynedd yn yr heddlu a dyma fi 'nôl yn ffefryn unwaith eto, fel yr oeddwn ar ddechrau fy ngyrfa – a hynny wedi wyth mlynedd a hanner yn yr anialwch o dan Murphy. Ond roedd un peth arall yn erbyn y swydd ar y Sgwad; yn ôl yr hysbysebiad roedd yn rhaid i'r ymgeisydd llwyddiannus symud i fyw yn agos i Gaerdydd. Golygai hyn y byddai'n rhaid i Wyn a Rhodri newid ysgol; nid oeddwn yn awyddus i hyn ddigwydd gan mai'r plant oedd yn bwysig yn awr ac nid gyrfa eu tad. Ar ôl trafod y sefyllfa gyda Marilyn penderfynais nad oeddwn yn mynd i geisio am y swydd a rhoddais wybod i'r Prif Gwnstabl. Ond cefais ateb na fyddai'n rhaid i mi symud wedi'r cyfan gan fod un swyddfa gyda'r Sgwad ar yr ochr orllewinol i Abertawe, rhyw 10 milltir o Lanelli, ac awgrymwyd, pe bawn yn llwyddiannus, y cawn ddefnyddio'r swyddfa honno fel y mynnwn. Felly, cynigiais am y swydd.

Cefais ateb i'm cais fy mod wedi fy newis ar y rhestr fer ac yn y cyfarfod yn Aberhonddu ar 6 Rhagfyr, cynigiwyd y swydd i mi a derbyniais hi. Trannoeth, derbyniodd fy nghyfaill Derek Davies, Hwlffordd, alwad i swyddfa'r Prif Gwnstabl a chafodd ef y swydd yng Nghaerfyrddin. Roeddwn yn falch iawn mai ef a ddyrchafwyd gan ein bod wedi gweithio gyda'n gilydd yn y C.I.D. yn Llanelli am rai blynyddoedd.

Y cyfnod yma ar y Sgwad oedd y cyfnod prysuraf yn fy ngyrfa. Roedd troseddau ar gynnydd a mwy a mwy o ladron yn defnyddio gynnau. Roedd canran o dditectifs y Sgwad wedi eu hyfforddi'n 'swyddogion arfog' a hynny i lefel uchel iawn. Pan gâi'r rhain eu galw i sefyllfa lle roedd rheswm dros gredu bod lladrad arfog yn mynd i ddigwydd, yna, disgynnai'r cyfrifoldeb arnaf fi i'w briffio. Roedd holl dditectifs y Sgwad yn awr yn cael hyfforddiant syrfeilans hefyd, yn cynnwys yr hyn a elwid yn 'syrfeilans amgylchol' *(peripheral surveillance)* ar gyfer herwgipio.

Mynychwn gynadleddau bob tri mis gyda phenaeth y *Regional Crime Squads* ac Uwch Swyddogion pob Sgwad yn Lloegr, Yr Alban a Gogledd Iwerddon, i drafod gweithgareddau lladron mwyaf y wlad. Yn ystod y cyfnod hwn hefyd sefydlwyd Adain Gyffuriau o fewn y Sgwad gyda'r Swyddfa ym Mhorth Talbot, a bu mwy a mwy o'r achosion hynny'n rhan o weithgareddau'r Sgwad.

Aeth yr achos olaf un y bûm ynddo â mi i ben draw'r byd. Hwn oedd un o'r achosion mwyaf, hefyd, a diolch am un peth – daliodd fy lwc hyd y diwedd.

Rhagfyr 1985 ydoedd pan gafodd un o dditectifs y Sgwad wybodaeth fod dyn o'r enw Denys Alfred Lambert Badman o Gwmbrân yn chwilio am brynwr heroin yn ne Cymru. Yr wybodaeth oedd bod ganddo gefnder yn Awstralia o'r enw David John Hopes, a bod hwnnw'n medru cael digon o'r cyffur o Wlad Thai i'w fewnforio i Brydain.

Teithiais y byd yn gweithio ar yr achos hwn gan gynnwys wythnos yn Bangkok, gan dreulio oriau mewn clwb nos o eiddo Hopes – y Lucky Cat Club; wythnos hefyd yn Awstralia, tri diwrnod yn Singapore a dau ddiwrnod yn Kuala Lumpur. Daeth yr achos yma i ben ddydd Llun, 28 Mawrth 1988, yn Llys y Goron, Caerdydd, pan garcharwyd Badman a Hopes am 16 mlynedd. Roedd hynny dridiau cyn i mi ymddeol o'r Heddlu. Teimlwn, yn wir, mai hwn oedd pinacl fy ngyrfa.

Ym Mhencadlys Heddlu Glannau Mersi. Mike Clarke, Pennaeth y Regional Crime Squads yn fy nghyflwyno ag anrheg ar fy ymddeoliad, yng nghwmni Prif Gwnstabl Glannau Mersi, Syr Kenneth a'r Fonesig Oxford

O gymharu'r achos hwn ag achosion eraill yn ymwneud â chyffuriau, fel Operation Julie ac Operation Seal Bay, meddyliais y gwnâi lyfr diddorol. Wedi i mi anfon y sgript i Wasg Gomer, cefais ateb oddi wrth John Lewis yn dweud ei fod 'yn llyfr sydd wedi derbyn fwy o glod gan ein darllenydd na braidd un arall a gyhoeddwyd gennym yn y deng mlynedd diwethaf'. Ac yn wir, y peth gorau yn y gyfrol yw'r teitl. Mae'n rhaid fy mod yn hollol ddall; roedd y teitl yn amlwg a phan ofynnais i Dic Jones awgrymu teitl, meddai: *Y Gŵr Drwg a'i Obeithion* (Badman a Hopes). Ni chafodd hoelen ei tharo'n fwy cywir ar ei phen erioed.

Roedd yn rhaid bod rhywun wedi rhoi crynodeb o'r llyfr i Hopes oherwydd un noson derbyniais alwad ffôn oddi wrtho o garchar Long Lartin – ie, galwad ffôn o garchar oddi wrth droseddwr! Dywedodd ei fod yn dwyn achos yn fy erbyn am i mi ddweud yn y llyfr fod ganddo gysylltiadau gyda'r I.N.L.A. yn Iwerddon. Roedd hyn yn enllibus, meddai. Ymatebais heb amlhau geiriau: '*See you in court*' a rhoddais y derbynnydd i lawr.

Mae'n amlwg fod Hopes wedi anghofio iddo gyfaddef wrth un o'r ditectifs ei fod wedi cael pasbort ffug yn enw 'Joseph O'Halloran' gan fudiad yr I.N.L.A. a bod yr aelodau wedi ei warchod am ychydig. Trwy lwc roeddwn wedi cadw copi o'r wybodaeth, ond ni chlywais ragor am y bygythiad o enllib. Dychwelais i Bangkok yn 2002, y tro hwn i ffilmio gyda chwmni teledu Michael Bayley Hughes, Llannerchymedd, ar gyfer y gyfres deledu *Cwmni Drwg* a ddarlledwyd gan S4C, ond roedd y Lucky Cat Club wedi diflannu. Roedd clwb nos arall o'r enw 'G-Spot' wedi agor yn ei le, ac yr oedd yr hen genhedlaeth o ferched bronnoeth wedi mynd a chenhedlaeth newydd wedi dod.

Newid Cyfeiriad

Gyda deuddeng mlynedd o fywyd 'segur' yn fy wynebu cyn i mi gyrraedd oed ymddeol go-iawn, penderfynais gynnig am waith fel Swyddog Ymchwilio gyda'r Weinyddiaeth Amaeth, Pysgodfeydd a Bwyd. Yn dilyn fy nghais cefais fy ngwahodd i gyfweliad yn Nobel House, Whitehall, Llundain. Roedd pedwar neu bump yn fy nghyf-weld, yn cynnwys cynrychiolydd o'r Swyddfa Gymreig, a synnais pan holwyd rhai cwestiynau i mi yn Gymraeg. Roedd yn rhaid wrth ddau ganolwr, a gofynnais i Mr Gareth Williams, CF, a'r bargyfreithiwr John Diehl, sydd yn awr yn Farnwr o fri, am eirda.

Dyma'r ddau a fu'n erlyn mewn dau achos mawr i mi – achosion Anthony Dimech, a Badman a Hopes. Cafodd Gareth Williams ei benodi'n Dwrnai Cyffredinol wedi hyn – y Gwir Anrhydeddus Arglwydd Williams o Fostyn. Yn ddiweddarach, ef oedd Arglwydd y Sêl Gyfrin ac Arweinydd Tŷ'r Arglwyddi. Gyda'r fath ganolwyr nid rhyfedd i mi gael y swydd! Dechreuais yn fy swydd ar 5 Ebrill 1988 ac ymddeol o'r heddlu ar yr un diwrnod. Felly, ni fûm yn segur o gwbl; mewn gwirionedd roedd gennyf ddwy swydd am un diwrnod!

Y gwir yw, nid oeddwn erioed wedi bod yn hapus fel 'meistr', yn gyfrifol am eraill a weithiai oddi tanaf. Gwell o lawer oedd gennyf wneud y gwaith fy hun ac nid goruchwylio, a dyma fi nawr nôl fel 'ditectif gwnstabl' unwaith eto, yn chwilio i mewn i droseddau, ond troseddau bychain iawn o'u cymharu â'r hyn oeddwn wedi ei wneud ar y Sgwad.

Roedd dau ohonom yng Nghymru: John Meyrick, cyn-Dditectif Brif Arolygydd o Heddlu'r Metropolis oedd y llall. Yn

Llandrindod Wells yr oedd ein swyddfa, ond ychydig iawn o amser a dreuliwn yno. Teithiwn dros Gymru gyfan ond roedd y gwaith yn hawdd heb unrhyw bwysau.

Roedd nifer o gynlluniau i gynorthwyo ffermwyr wedi eu creu o dan Ddeddf Cymunedau Ewrop 1972, a fy ngwaith yn awr oedd ymchwilio, yn bennaf, i droseddau'n ymwneud â'r taliadau yma. Ymchwilio hefyd i honiadau o gam-drin anifeiliaid ar ran Adran Iechyd Anifeiliaid a chamddefnyddio cyffuriau anifeiliaid.

Arferwn ymweld â nifer o farchnadoedd ac yr oeddwn wrth fy modd yn gwneud hynny wrth siarad â'r ffermwyr yng Nghaerfyrddin, Pont Senni a Phenderyn yn y de, Bryncir, Gaerwen a Rhuthun yn y gogledd, ac yn achlysurol dros y ffin yn Bishop's Castle a Henffordd.

Sylweddolais yn fuan iawn nad oedd y ffermwyr yn gyfarwydd â llenwi ffurflenni cymhleth a disgynnai ambell un ohonynt i drafferth wrth wneud camgymeriadau yn hytrach na thwyllo. Yn naturiol, roeddent am gael cymaint ag y medrent oddi wrth y llywodraeth, ac weithiau croesent y ffin wrth geisio cael ychydig bach yn fwy. Ond nid troseddwyr na lladron oeddent. Weithiau câi ffermwr gyngor anghywir gan swyddog o'r Adran Amaeth, a phan ddigwyddai hynny a honiadau'n cael eu gwneud yn erbyn y swyddog hwnnw, ni fyddai dewis gan yr Adran Gyfreithiol yn Llundain ond trosglwyddo'r achos i'r heddlu.

Ymchwiliwn i droseddau yn ymwneud â'r amgylchedd, rhai anarferol fel tywallt gwastraff i'r môr yn anghyfreithlon. Bûm yn trafod nifer o achosion o dan Ddeddf Pla-laddwyr 1998. Weithiau rhoddai rhywun wenwyn mewn anifail marw a'i osod mewn lle cyfleus i ddenu cadnoid, ond yn aml iawn y barcud coch a'r gigfran a gâi eu gwenwyno ac nid y cadno. Roedd hi'n anodd iawn dod o hyd i'r troseddwyr gan y byddai'r barcud a'r gigfran wedi hedfan cryn bellter o'r carcas gwenwynig cyn disgyn yn farw. Yn yr achosion yma gweithiwn gyda Chymdeithas Frenhinol Gwarchod Adar a dibynnwn i raddau helaeth ar swyddogion y Ganolfan Ymchwilio Milfeddygol. Cydweithredwn hefyd gyda milfeddygon y Weinyddiaeth gan drafod camddefnydd cyffuriau.

Un milfeddyg y deuthum ar ei draws oedd Edryd Davies a oedd wedi gweithio mewn nifer o leoedd yn Lloegr cyn dychwelyd i Gaerfyrddin. Cefais gryn syndod o wybod mai ei dad oedd Llew *Forty Six*, y Sarjant hwnnw a ddysgodd lawer o driciau i mi pan ddechreuais ar y bît yn Llanelli.

Ym mis Medi 1988 bûm yn y Swistir yn ymchwilio i achos o ffugio tystysgrifau ynglŷn â brechu cŵn yn erbyn y gynddaredd. Roedd un o'r cŵn wedi ei allforio i Saudi-Arabia, ond methiant fu fy ymgais i gael trip i'r wlad honno!

Un waith y bûm yn yr Alban, yn Lockerbie fel y digwyddodd ac achubais ar y cyfle i weld yr union fan yn Sherwood Crescent lle disgynnodd yr awyren *Boeing 747* rhyw 13 mis cyn hynny. Mae yna gofeb yn Eglwys Gatholig Moffat yn y dref i'r 270 o bobol a lofruddiwyd, ond nid oedd yno olion o'r drychineb o gwbl, dim ond lawnt o borfa yn Sherwood Crescent fel pe na bai dim wedi digwydd yno. Un waith hefyd y bûm yng Ngogledd Iwerddon a hynny mewn achos o gamddefnyddio cyffuriau anifeiliaid.

Bûm mewn rhai lleoedd diddorol iawn wrth deithio ar hyd a lled Cymru. Wrth ymchwilio i droseddau yn erbyn rheoliadau'r Bwrdd Marchnata Wyau aeth fy ngwaith â mi i Ddolwar Fach. Mynd yno i gyf-weld tyst, ac rwy'n pwysleisio mai tyst ydoedd ac nid troseddwr, a chefais gyfle i weld y lle hanesyddol. Wrth fynd i fferm gerllaw Trawsfynydd, daliais ar y cyfle i ymweld â chartref Hedd Wyn yn yr Ysgwrn.

Roedd oes y cyfrifiaduron wedi gwawrio erbyn i mi ymuno â'r Weinyddiaeth ond ni wyddwn ddim amdanynt. Nid oedd angen i mi ddysgu ychwaith oherwydd roedd digon o ferched yn y swyddfeydd yn barod i deipio fy holl adroddiadau a'r datganiadau. Mewn gwirionedd, pan fyddwn ar waith yng Nghaerfyrddin, yng Nghaernarfon, yn Rhuthun, Abertawe neu yn Llandrindod Wells, bodlonai'r teipyddion yno deipio'r cyfan i mi cyn i mi deithio am adref. Ond wedi rhai blynyddoedd cawsom wybod o'r pencadlys yn Whitehall fod pob un ohonom i gael cyfrifiadur pen-glin er mwyn teipio'r gwaith i gyd ein hunain ac felly arbed cyflogi teipyddion. I ddweud y gwir, dychrynais, ond un dydd yn Swyddfa Abertawe, dywedodd merch o'r enw Lynne Jones wrthyf yn siarp iawn am eistedd o flaen y cyfrifiadur a rhoddodd wersi i mi yn y fan a'r lle. Rwyf yn dal i ddiolch iddi.

Roedd hi'n rheidrwydd ar weision sifil ymddeol ar gyrraedd 60 oed, ond gan nad oeddwn i a'r Swyddogion Ymchwilio eraill yn medru gwneud 20 mlynedd o wasanaeth, caniatawyd i ni aros hyd nes cyrraedd 63 oed. Roeddwn i, felly, yn barod i ymddeol ym mis Mai 1997, ond gofynnwyd i mi ohirio'r diwrnod mawr deirgwaith, a gorffennais gyda'r Weinyddiaeth ym mis Medi, 1998.

Roeddwn wedi cael fy siarsio'n ddiddiwedd gan fy rhieni i beidio â bod ddiwrnod yn segur ac y byddai hynny'n gywilydd; felly roeddwn yn awyddus iawn i weithio hyd nes cyrraedd fy mhen-blwydd yn 65 oed. Roedd wyth mis gennyf i fynd!

Ychydig cyn i mi ymddeol o'r Weinyddiaeth clywais fod y Bwrdd Ymyrraeth yn Reading yn chwilio am swyddog ymchwilio ar gyfer cyf-weld ffermwyr a fynnai siarad Cymraeg. Dywedwyd bod angen cyf-weld un person yn y Trallwng a chwrddais ag un o swyddogion ymchwilio'r Bwrdd i drafod yr achos. Enw'r swyddog oedd Ann Griffiths, ond ni wyddai ddim am emynau Cymraeg! Erbyn i'r ffermwr ddeall fy mod yn dod i'w weld, newidiodd ei feddwl gan ddweud y bodlonai siarad Saesneg. A dyna'r tro olaf i mi glywed oddi wrth y Bwrdd.

Er mwyn llanw'r bwlch tan yr oeddwn yn 65 meddyliais wneud gwaith ditectif preifat, ac, yn wir, cefais gynnig gwaith gan ddau gyfreithiwr. Beth bynnag, daeth galwad taer i mi fynd yn ôl i'r Weinyddiaeth am bedwar mis, a dyna fu. Llwyddais, felly, i gadw record yn gyflawn o beidio â bod yn ddi-waith am un diwrnod o ddechrau fy ngyrfa hyd y diwedd.

Newid Byd

COLEG Y DRINDOD

Rhyw bythefnos cyn i mi ymddeol o'r Weinyddiaeth, fe gwrddais â Hefin Wyn yng Nghaerfyrddin a chynghorodd fi i fynd ar gwrs 'M.A. Ysgrifennu Creadigol' yng Ngholeg y Drindod. Chwerthinais gan ddweud nad oedd gennyf i radd B.A. i ddechrau, a chredais mai tynnu fy nghoes ydoedd. Erbyn i mi gyrraedd adref roedd Hefin wedi siarad â Marilyn a chael ychydig o wybodaeth amdanaf er mwyn rhoi fy manylion i awdurdodau'r Coleg. Cyn i mi gael amser i feddwl yn iawn, roeddwn wedi cael fy nerbyn.

Ar ôl gorffen y cwrs yn y Drindod

Dyma fi yn awr, yn fyfyriwr 64 oed. Credai un neu ddau fy mod wedi colli fy synhwyrau. Dechreuais yn y Drindod ar y diwrnod cyntaf o Hydref 1998, ac fel yr âi'r diwrnodau heibio teimlais awydd i roi'r gorau iddi fwy nag unwaith.

Ar wahân i mi roedd pawb ar y cwrs wedi bod mewn coleg ac wedi graddio, a minnau oedd yr unig un hefyd i ddilyn y cwrs trwy gyfrwng y Gymraeg. Cyfarwyddwr y cwrs oedd Dr Paul Poplawski, a'm tiwtor i oedd Menna Elfyn.

Roeddwn yn edmygu'r ffordd y caem ein hyfforddi ar gyfer ysgrifennu creadigol, er enghraifft, llunio cymeriad; ysgrifennu stori fer, ac yna gosod 'y cymeriad' i mewn i'r stori. Ysgrifennais draethawd ar 'Y Bardd Gwlad a'i Ddylanwad' ac euthum i gyfweld y Prifeirdd Dic Jones ac Idris Reynolds, gan ddyfynnu'r ddau.

Roedd y profiadau amrywiol a gawswn ar hyd fy ngyrfa yn ffynhonnell ddiddiwedd o hanesion gwir, a seiliwn lawer o'm hysgrifennu ar y profiadau hynny. Teimlwn fod ysgrifennu deialog, hefyd, yn dod yn weddol rwydd i mi, hynny'n sicr oherwydd y profiad o holi a chroesholi pobl dros y blynyddoedd.

Rhyw fis wedi i mi ddechrau ar y cwrs cefais yr alwad ffôn oddi wrth y Weinyddiaeth yn gofyn i mi ddychwelyd i'r gwaith hyd ddiwedd Mawrth 1999. Dywedais fy mod wedi dechrau cwrs coleg, ond nid oedd taw ar fy hen feistr, Roy Gilbert, a dywedodd y rhoddai achosion i mi yng nghyffiniau Caerfyrddin fel na fyddai'n amharu ar fy 'addysg'.

Roeddwn wedi newid fy meddwl fwy nag unwaith ynglŷn â'r hyn y byddwn yn ei gyflwyno fel traethawd wrth orffen y cwrs, ond yn y diwedd penderfynais ysgrifennu nofel dditectif, yn seiliedig eto ar lofruddiaeth go-iawn. Er mawr syndod i mi, ac i eraill rwy'n siŵr, llwyddais i gael gradd.

YR YSGOL FARDDOL

Fel y dywedais, roedd gennyf ddiddordeb rhyfedd ers yn blentyn mewn englynion a chynghanedd, a theimlwn dros y blynyddoedd y gwnawn unrhyw beth i fedru llunio englyn.

Yn Hydref 1992 ymunais â dosbarth cynghanedd y Prifardd Emyr Lewis ym Mhontarddulais, a dyma'r tro cyntaf i mi gael gwersi cynghanedd. Roeddwn wedi ceisio fy ngorau glas i lunio englyn a hynny ers blynyddoedd, a rhoddwn gynnig arni mewn ambell eisteddfod ond methiant llwyr fu pob ymdrech, a chefais y feirniadaeth hon un tro:

'Diolch bod y cystadleuydd yma wedi rhoi'r gair "englyn" ar frig y dudalen neu ni fuaswn yn gwybod mai englyn ydoedd!' Nid oeddwn wedi dysgu'r rheolau ac ni chlywais sôn am gynghanedd tra bûm yn Ysgol Sir Llandysul.

Cefais hwb gan Emyr Lewis ar ddiwedd y wers gyntaf pan ddywedodd: 'Rwy'n gweld bod Roy yn gynganeddwr wrth reddf.' Roedd e wedi gosod tasg syml i ni, sef gorffen llinell yn dechrau gyda 'Y côr'. Fy ymgais i oedd, 'Y côr yn canu'n Ocê.' Mae'n rhaid taw tynnu coes yr oedd e!

Daeth dosbarth Emyr Lewis i ben wedi rhyw ddau neu dri thymor ac yna clywais fod y Prifardd Tudur Dylan Jones yn cynnal gwersi yn nhafarn y Stag and Pheasant ym Mhontarsais, ger Caerfyrddin. Euthum yno un noson a gweld nifer fawr wedi ymuno. Y peth a'm trawodd fwyaf oedd gweld y fath groestoriad o bobl yno; Ann Rosser – darlithydd; Llŷr James – Cyfrifydd Siartredig; yr enwog Elfed Lewys – Gweinidog yr Efengyl; Alun Jones – cyn-athro Cymraeg mewn ysgol uwchradd; Huw Lewis – Cyfarwyddwr Gwasg Gomer; Adrian Evans – banciwr, a oedd wedi priodi â Gloria, un o'r merched llygatgraff hynny yn y Farriers Arms pan gerddodd y llofrudd Brian Wright i mewn. Y lleill yn y dosbarth oedd Colin Lewis – swyddog cynllunio; Tudor Davies – ffermwr; Geraint Roberts – dirprwy brifathro ysgol uwchradd; Harry Williams – darlithydd; Les Rees – gweithiwr rheilffordd, a minnau.

Dosbarth cynghanedd 'Y Stag' (Stag & Pheasant, Pontarsais)

189

Er fy mod yn amddifad o allu a doniau, rwyf yn diolch am un peth, a hwnnw yw cof gweddol dda. Roeddwn wedi dysgu degau o englynion pan oeddwn i'n blentyn ac yr oedd hyn yn help mawr i mi yn yr Ysgol Farddol. Pan gawn linell o gynghanedd i'w hateb, cymharu fy llinell i â llinell mewn cwpled neu englyn o waith rhyw fardd a wnawn. Er enghraifft, os oedd llinell Isfoel: 'ar de yn Haverfordwest' yn gywir, yna byddai: 'ar dân yn Haverfordwest' yn gywir. Fel yna y bûm wrthi ar y dechrau.

Ymhen blwyddyn neu ddwy ymunodd eraill â'r dosbarth, yn cynnwys un ferch ifanc iawn yr olwg, un o ferched chweched dosbarth Ysgol Bro Myrddin, meddyliais. Ond na, roedd hon eisoes yn fam i ddau o blant (a mwy oedd eto i ganlyn), sef Mererid Hopwood, a gadawodd Mererid bob un ohonom 'ar ôl' gan iddi, o fewn ychydig iawn o amser, ennill cadair yn Eisteddfod Genedlaethol Dinbych ac, erbyn hyn, mae'n 'brifardd dwbwl' ac yn athro barddol.

Cefais y fraint o ymuno â thîm Caerfyrddin yn Ymryson y Beirdd yn yr eisteddfod honno yn Ninbych; y tri arall yn y tîm oedd Mererid, Ceri Wyn Jones ac Emyr Davies. Rwy'n falch i ddweud mai ni oedd y tîm buddugol, ond prysuraf i ddweud, er nad oes fawr o angen, na fu fy nghyfraniad i yn fawr yng nghwmni'r tri chawr.

Ein tîm ni yn Eisteddfod Dinbych, 2001

Roeddwn i yng nghwmni Mererid am oriau ar y dydd Gwener hwnnw ar faes Prifwyl Dinbych heb wybod dim am ei llwyddiant. Mae'n dal o hyd i ddweud mai 'ditectif tila yw Roy' gan nad oeddwn wedi darganfod pwy oedd Bardd y Gadair, a bod hithau wedi fy nhwyllo.

Rwyf wedi bod yn aelod o dîm talwrn ers blynyddoedd. I ddechrau, bûm yn aelod o dîm Ffostrasol; yna gyda thîm Llandysul ac yna, ar ôl i Ysgol Farddol Caerfyrddin ffurfio dau dîm – y 'Sgwad' a'r 'Garfan' – gyda thîm y 'Sgwad' yr wyf ers rhai blynyddoedd bellach. Yr aelodau eraill o'r tîm yw Karen Owen o Benygroes, Arfon, Geraint Roberts o Gwmffrwd, Dafydd Williams o San Clêr a Harri Williams o'r Hendy, a'r 'Sgwad' oedd y pencampwyr yn Eisteddfod Casnewydd yn 2004.

Harri Williams, Karen Owen, y Meuryn, Geraint Roberts, fi a Dafydd Williams – pencampwyr y Timau Talwrn

Nid yn aml y cawn 10 marc gan y Meuryn ond rhoddodd ddeg i mi mewn talwrn yn Aberafan am feddargraff i'r 'betiwr':

Am *ten to two* (10:2) ym Margam,
Nid *two o'clock* yn Cheltenham,
Mi fetia i 'nghrys y byddi di
Am *ten to three* (10:3) yn wenfflam.

Mae'r tîm yn cystadlu mewn gwahanol dalyrnau ar wahân i dalyrnau Radio Cymru, a dyma'r rhai yr wyf yn eu mwynhau fwyaf.

Mewn talwrn yng Ngwesty'r Boars Head, Caerfyddin, yr oeddwn pan adroddais 'Y Dyn â'r Llygad *Glass*', a chael llawer o hwyl.

Roedd un llygad *glass* gyda Dafi Llwyngwyn,
A hwnnw yn syllu i'r pellter yn syn,
Ond tynnai y llygad bob noson cyn cysgu
A'i osod mewn jwged o ddŵr wrth y gwely.

Dihunodd un noson gan deimlo'n sychedig,
Gan gydio'n y jwg, fe yfodd ychydig,
Ond yn y tywyllwch a thrwy gamgymeriad
Fe yfodd e ormod, fe lyncodd y llygad.

Fe deimlodd y llygad yn disgyn i'w fola
Ac yno y safodd am wythnos o leia,
Ond yn y cyfamser aeth y dyn i'r tŷ bach,
A hynny yn gyson, roedd Dafi'n go iach.

Ac er iddo eistedd a llenwi y sesbwl
Ni fynnai y llygad ymddangos o gwbwl,
Fe lynodd fel trogen yn ei ymysgaroedd
Fel *home made magic eye*'n archwilio y celloedd.

Aeth lawr at y nyrs i Langwili mewn panig
Ac meddai hi wrtho wrth roi'r anesthetig:
'Cerwch lan i ben ford a thynnwch eich trowser
Ar eich gliniau yn glou, a slacwch eich coler.'

Y nyrs fu'n archwilio, a'i sbecs ar ei thrwyn
Yn edrych i'r dirgel tu mewn i'r gŵr mwyn,
Ond er iddi edrych i bob rhyw gyfeiriad,
O bell ac yn agos, ni welai y llygad.

A Dafi'n ei blyg a'i ben-ôl yn yr aer
Gofynnai drwy'r amser beth a welai'r hen chwaer,
'Dim byd,' meddai hithau, 'dim baw dwst na staen,'
'Wel 'na od,' mynte Dafi, 'rwy'n gweld chi yn blaen.'

Roeddwn wedi clywed digon o hanes fy hen dad-cu, John Davies, Maesyffin, Horeb, Llandysul, a aeth ar y rhuthr aur i Ddyffryn y Klondike ym 1898. Rwy'n cofio fy mam-gu yn sôn amdano pan oeddwn yn blentyn ond mae'n edifar gennyf erbyn hyn na fuaswn wedi cymryd mwy o ddiddordeb ar y pryd. Ond flynyddoedd wedi marw fy mam-gu, cynyddodd y diddordeb, yn enwedig pan welais ei ddyddiaduron yn sôn am ei deithiau, a'i lythyrau a anfonodd at ei deulu o Dalaith yr Yukon ac Alaska.

Wrth i mi ddarllen y dyddiaduron a'r llythyrau, es ati i wneud llawer o waith ymchwil; cysylltais â'r archifdai a'r llyfrgelloedd yn yr Yukon ac Alaska; y *Royal Canadian Mounted Police* yn Whitehorse, a'r heddlu yn Nome, Alaska. Y diwedd fu i blismon o Nome a'i wraig ddod i Gymru ac aros gyda ni ym Mhen-bre. Cefais lawer iawn o wybodaeth ganddynt, ac euthum ati i ysgrifennu'r hanes. Lawer blwyddyn wedyn cefais wahoddiad i siarad â rhyw gymdeithas ym Mhenrhiw-llan, a phenderfynais siarad am fywyd fy hen dad-cu.

Y diweddar Ainsleigh Davies oedd yn diolch i mi ar y diwedd ac fe'm siarsiodd i ysgrifennu llyfr am yr hanes. Nid oeddwn wedi ysgrifennu llyfr erioed ac ni fyddai gennyf y syniad lleiaf sut i fynd ati. Beth bynnag, ymhen rhai wythnosau siaradais â'r Prifardd Dic Jones a'r canlyniad fu i mi fynd ati i wneud ychydig mwy o waith ymchwil ac ysgrifennodd Dic yr hanes. Cyhoeddwyd *Aur y Byd* gan Wasg Gomer ym 1987.

Rwyf eisoes wedi sôn am *Y Gŵr Drwg a'i Obeithion*. Roeddwn yn awyddus iawn i gyhoeddi'r llyfr erbyn Eisteddfod Genedlaethol 1988 a gynhaliwyd yng Nghasnewydd, ardal y drosedd, a diolch i Wasg Gomer am wneud hynny.

Wedyn, yn 1990, cyhoeddwyd *Dirgelwch y Cwmdu*, hanes llofruddiaeth Stanislaw Sykut, Pwyliad a lofruddiwyd gan Bwyliad arall, Michal Onufrejczyk, yng Nghwmdu ger Llandeilo ym 1953.

Tua'r un adeg es ati i ysgrifennu hanesion chwech o lofruddiaethau neu o achosion difrifol eraill ac fe gyhoeddwyd y rhain gan Wasg Gomer ym 1992 dan y teitl *Llaw Dialedd*. Rhaid i mi gydnabod y cymorth a gefais gan Dic Jones gyda'r holl lyfrau hyn.

Mewn talwrn a gynhaliwyd yng nghlwb golff y Garnant yn Ebrill 1999, fe gwrddais â Randall Isaac, cyn-brifathro Ysgol Gymraeg Rhydaman ond erbyn hynny yn gweithio i gwmni teledu Agenda yn Llanelli. Gofynnodd i mi a fyddwn yn barod i sôn am ryw hanner dwsin o achosion o lofruddiaethau i'w darlledu ar y rhaglen *P'nawn Da* a chytunais innau. Elinor a Lyn Ebenezer oedd yn fy nghyf-weld ac awgrymodd Lyn i'r hanesion gael eu cynnwys mewn llyfr – *Gwenwyn yn y Gwaed* – a chyhoeddwyd hanes pedair ohonynt gan Wasg Carreg Gwalch yn 2001.

Gofynnwyd i mi am ragor o hanesion llofruddiaethau, ac aeth yr 'hanner dwsin' yn ugain, yna'n hanner cant ac, yn y diwedd, dros gyfnod o bedair blynedd, o Awst 1999 hyd Ragfyr 2003, darlledwyd 101 ohonynt. Ar ben hyn i gyd, yn 2003 a 2004, cyhoeddwyd dwy gyfrol yn dwyn y teitl *Troseddau Hynod* gan Wasg Carreg Gwalch, dwy gyfrol a olygwyd gan Lyn Ebenezer, yn cynnwys hanner cant yr un o'r hanesion.

Nid oeddwn wedi cystadlu yn yr Eisteddfod Genedlaethol erioed, ond gwelais mai un gystadleuaeth yn Adran Comisiynu Eisteddfod Genedlaethol Môn ym 1999 oedd 'Hanes llofruddiaeth neu achos llys a ddenodd sylw yn y cyfnod diweddar'. Gofynnwyd am 10,000 o eiriau ac amlinelliad o'r cyfanwaith, a fyddai tua 50,000 o eiriau. Roedd y gystadleuaeth fel pe bai wedi ei gosod er fy mwyn i; dyma destun deniadol iawn gan fod gennyf ffeil gyflawn achos llofruddiaeth Lily Volpert yng Nghaerdydd ym 1952. Crogwyd Somaliad o'r enw Mahmood Hussein Mattan am y drosedd ond roedd ymgyrch ar droed i geisio gwrthdroi'r dyfarniad gwreiddiol ac i gael pardwn i Mattan. O'm safbwynt i, ni allai hyn fod wedi ei amseru'n well oherwydd dyddiad cau'r gystadleuaeth oedd 31 Mawrth 1999, a'r wythnos gyntaf yn Ebrill, hanes Mattan oedd penawdau'r *Western Mail*. Cyhoeddwyd *Crogi ar Gam?* y flwyddyn ddilynol; roedd y wobr yn y gystadleuaeth honno yn un o ddwy a enillais yn Eisteddfod Môn. Y llall oedd yng nghystadleuaeth yr englyn ysgafn ar y testun 'Anifail Anwes':

> Cwningen wen ydoedd hi – a'i henw
> Hynaws yw 'Lewinski',
> Ond gwae pob *'Dachshund'* o gi
> Neu *'Setter'* ddaw'n glòs ati!

Dyma adeg sgandal yr Arlywydd Clinton a Monica Lewinsky. I ddweud y gwir, ni chefais lawer o 'gic' pan gefais wybod fy mod wedi ennill yn yr Adran Comisiynu gan fod y deunydd gennyf yn barod a dim ond rhoi'r achos at ei gilydd oedd eisiau. Ond pan dderbyniais y llythyr yn dweud fy mod wedi ennill ar yr englyn ysgafn, neidiais i fyny i'r awyr mewn llawenydd. Er i gynnwys y llythyr ddweud yn glir am ei 'gadw'n gyfrinach', ffoniais Dic Jones ar unwaith i ddweud wrtho.

Ddwy flynedd yn ddiweddarach, yn yr Adran Comisiynu yn Eisteddfod Genedlaethol Dinbych, roedd yna gystadleuaeth arall a oedd yn fy siwtio i'r dim: 'Llyfr ffeithiol diddorol yn portreadu trosedd neu drychineb enwog a ddigwyddodd yn yr hanner canrif ddiwethaf'. Cyfanwaith 30,000–40,000 o eiriau ond yn gofyn am sampl o 10,000 o eiriau i'w danfon i'r gystadleuaeth gydag amlinelliad o'r gweddill. Ysgrifennais hanes Anthony Emanuel Dimech a'r tân yn Unity Tools, Cydweli. Gan wneud yn union fel y gwneuthum yn Eisteddfod Môn, anfonais 10,000 o eiriau i'r gystadleuaeth ac amlinelliad o weddill yr hanes. Ataliwyd y wobr ac yr oedd y feirniadaeth a gefais yn ddigon teg, ond ni allwn ddeall y beirniad yn dweud: '. . . wedi defnyddio 10,000 o eiriau . . . ar gyflwyno talp helaeth iawn . . . beth mewn difrif fyddai dros ben ar gyfer gweddill y gyfrol?' Yr ateb i'w gwestiwn oedd '28,000 o eiriau' ac mae'n amlwg na ddarllenodd y beirniad yr 'amlinelliad o'r gweddill' – tudalen o bapur ynghlwm wrth y sampl. Sylw arall a wnaeth y beirniad oedd y dylai fod yna luniau wedi eu danfon gyda'r sampl. Roedd hanes y drosedd yn y papurau dyddiol, ac felly yn y *public domain*, ond nid felly'r lluniau; eiddo'r heddlu oedd y rheiny. Rhaid fyddai cael caniatâd y Prif Gwnstabl ac ni fuaswn yn meddwl y câi unrhyw un ganiatâd i'w danfon i gystadleuaeth, ac ni fuaswn innau mor ffôl â gofyn.

Ond, diolch i Bethan Mair ac i Wasg Gomer, ni ddylanwadodd y beirniad arnynt o gwbl, diystyrwyd y feirniadaeth a chyhoeddwyd y gyfrol *Dŵr a Thân a Thwyll* y flwyddyn ganlynol.

Yn dilyn hyn, darlledwyd hanes y tân yn *Unity Tools* gan S4C fel rhan o'r gyfres *Cwmni Drwg* a ffilmiwyd gan Michael Bayley Hughes o Gwmni Teledu Telegraffiti, Sir Fôn, a'r un a oedd yn cyflwyno'r rhaglen oedd y beirniad a ataliodd y wobr yn Eisteddfod Dinbych!

Fy nghadeirio yn Eisteddfod Pumsaint, 2006

Rwyf yn dal i fynychu eisteddfodau'r wlad ac yn eu cefnogi trwy anfon ambell limrig a chân i mewn. Fy 'ngwobr' yn aml iawn yw clywed fy ngwaith yn cael ei ddarllen a'r dorf yn chwerthin. Er fy mod yn colli llawer mwy nag ennill, rwyf wedi ennill tair cadair, a phe bawn wedi cael dewis pa gadeiriau y buaswn yn hoffi eu hennill, dyma'r tair a fyddai ar frig y rhestr. Enillais gadair Eisteddfod Bryngwenith ym 1997; roedd fy mam wedi ennill cadair yn yr un eisteddfod ym 1966 ac nid yn aml y clywir am fam a mab yn ennill cadair yn yr un eisteddfod. Yr ail gadair oedd Cadair Goffa Elfed yn Eisteddfod Llandyfaelog ym 1999 – Elfed oedd fy ngweinidog am 13 mlynedd, ac yr oeddwn yn eistedd wrth ei ochr yn nosbarth Ysgol Farddol Caerfyrddin. Yr olaf oedd cadair Eisteddfod Pumsaint yn 2006, lle bu fy niweddar frawd-yng-nghyfraith, Alun Creunant, yn arwain yr eisteddfod am yn agos i ddeugain mlynedd.

Fel y gŵyr llawer, nid oes gennyf lawer o barch tuag at reolau eisteddfod. Pam bod angen y fath reolau â hyn: 'Bydd yr holl gyfansoddiadau yn eiddo'r pwyllgor,' oherwydd gofynnaf – beth ddaeth o'r cyfoeth cynhyrchion? Eu cadw mewn cist mewn rhyw Dŷ Capel, heb weld golau dydd fyth wedyn, heb eu defnyddio na'u cyhoeddi o gwbl ac, yn y diwedd, pan ddôi adeg adnewyddu'r capel, y festri neu'r Tŷ Capel, eu llosgi.

Rheol arall oedd, 'Cedwir pris tocyn ar bob buddugwr absennol.' Wnaeth hyn ddim ond gwahodd celwydd; rhywun a fyddai'n cynrychioli'r enillydd yn dweud mai ei waith ef a anfonwyd i mewn, ac felly'n hawlio'r wobr gyfan.

Rwy'n cofio'n iawn am Alun Cilie yn mynd i'r llwyfan i gael gwobr am gân yn Eisteddfod Gwernllwyn yn Ebrill 1955, cân ar y testun 'Chwilmanta'. Apeliodd y gân hon gymaint ataf nes i mi ofyn am gopi gan yr ysgrifennydd ac yr oedd hi'n hawdd iawn i'w dysgu ar fy nghof. Mewn gwirionedd, Isfoel oedd yr awdur, ond ei fod yn absennol y noson honno. Cyhoeddwyd y gân yn ei gyfrol gyntaf *Cerddi Isfoel* ym 1958.

Cefais fy nghosbi un tro am anfon fy nghynnyrch yn uniongyrchol at y beirniad yn lle trwy ysgrifennydd yr eisteddfod.

Y wobr gyntaf yn yr eisteddfod honno oedd £15 a £10 yn ail. Fi oedd yr unig gystadleuydd ac am i mi anfon fy nghân at y beirniad ac felly dorri'r rheol, rhoddwyd £10 i mi. A oes rhyw gystadleuydd arall erioed wedi dod yn 'ail allan o un'? Mae'n rheol yn Eisteddfod Llanbedr Pont Steffan i'r holl gystadlaethau llenyddol fod yn Gymraeg. Mewn cystadleuaeth llunio chwe limrig ar y testun 'Hunllefau' yno un tro, anfonais chwe limrig Saesneg i'r gystadleuaeth. Y Prifardd Ceri Wyn Jones oedd yn beirniadu. Dyma ddau ohonynt.

NIGHTMARES

Each night when he takes me to bed
My husband does fill me with dread,
He's made me so weak,
I've decided – next week
I'll sleep with the lodger instead.

But Ceri my lodger is shy,
And ever so quiet a guy,
But don't get me wrong,
He is robust and strong
With his 'ding-dong merrily on high'.

Roedd £120 o wobr i'w rhannu. Er mwyn dod i wybod pwy oedd y troseddwr rhoddodd Ceri Wyn £1 o wobr i mi.

Yn ogystal â'r gwaith teledu a wnes gyda chwmni Agenda ar *B'nawn Da*, ac wedi i mi gwrdd â Michael Bayley Hughes, buom yn ffilmio nifer o hen achosion o lofruddiaethau a gafodd eu darlledu yn y gyfres *Gwaed ar eu Dwylo*. Darlledwyd hanes llofruddiaethau Amanda Randall yn Llanelli, Albert Richards ym Mhorth Tywyn, Stanislaw Sykut yng Nghwmdu, ac ar gyfer darlledu'r hanes hwnnw bûm gyda Michael yng Ngwlad Pwyl yn ffilmio. Achosion eraill a ddarlledwyd oedd rhai Ronnie Harries a lofruddiodd ei ewythr a'i fodryb ym Mhentywyn ym 1953, a ffilmiwyd hefyd achos Gerald Cooke a lofruddiodd Elizabeth Ann Stephenson, merch 16 oed, ym Mhenarlâg.

Cysylltodd Judith Davies, cynhyrchydd HTV, Croes Cwrlwys, â mi ar gyfer gwneud cyfres yn Saesneg ar rai o achosion o lofruddiaeth, a gweithiais dros gyfnod byr gyda Jonathan Hill yn ffilmio achosion Amanda Randall a Muriel Drinkwater, merch ysgol arall a lofruddiwyd ym Mhenllergaer ym 1946; llofruddiaeth Stanislaw Sykut; hanes Mahmood Hussein Mattan, a gafodd bardwn wedi iddo gael ei grogi, ac Albert Edward Jenkins o Sir Benfro a gafodd ei grogi yn Abertawe ym 1950 am lofruddio ei feistr tir. Hefyd hanes diflaniad Mamie Stuart a ddiflannodd o Abertawe ym 1919 ond y cafwyd ei gweddillion mewn ogof ar Benrhyn Gŵyr ym 1961. Darlledwyd y rhain fel rhan o gyfres *Crime Secrets*.

Ymddeol yn Llwyr

Yr wyf yn awr wedi ymddeol yn llwyr. Enghraifft o ddiwrnod prysur iawn i mi'n awr yw siopa yn y bore, chwynnu'r ardd yn y prynhawn neu gael MOT i'r car, mynd i'r Cymrodorion yn yr hwyr a llunio limrig neu ddau ar gyfer eisteddfod wledig!

Wrth gael ambell sgwrs gyda fy nghyfoedion gofyn a wnawn o hyd ac o hyd i ble yr aeth yr amser. Yna sôn am y newidiadau yn ein hoes ni yw'r testun siarad nesaf; y newidiadau ymhob maes, o safonau moesol a chrefydd i addysg ac ymddygiad. Mae cyfraith a threfn a dulliau'r heddlu o weithredu wedi newid yn llwyr ers i mi ymddeol bron 20 mlynedd yn ôl.

Byddai angen sawl pennod arall i fynegi fy marn am yr hyn sydd wedi digwydd – dirywiad, yn sicr, yn y gwasanaeth i'r cyhoedd. Mae gen i farn bendant hefyd ynglŷn â chyfreithloni cyffuriau a sut i reoli'r pla sy'n bygwth sarnu ein cymdeithas – ond nid dyma'r lle.

Dros y blynyddoedd yr wyf wedi cael y fraint o roi rhywfaint o wasanaeth i gymdeithas, pa mor amherffaith bynnag y bu hynny. Bu'n fraint – ac yn bleser, hefyd – ac mae gen i lawer iawn i ddiolch amdano a llawer o atgofion i'w trysori.

Yn Chwefror 2005 cefais ergyd pan fu farw Megan, fy chwaer, braidd yn sydyn. Er nad oedd wedi mwynhau iechyd da ers rhai blynyddoedd roedd yn sioc ofnadwy a dyma fi bellach yr unig un ar ôl o'r teulu. Wyth mis wedi marwolaeth Megan bu farw Alun ei gŵr, a theimlaf fwlch enfawr wrth ymweld ag Aberystwyth y dyddiau yma.

Pan fu farw Megan roedd hi'n 73 oed. Yr wyf finnau wedi cyrraedd yr oed hwnnw erbyn hyn. Roedd Megan am gael ei hamlosgi ond yn ôl i'r hen ardal y dof fi, i orwedd yn naear

Marilyn, Wyn, Rhodri a minnau yn Aberystwyth

Gwernllwyn, o fewn tri lled cae i'r lle y cefais fy ngeni, ac yng ngolwg yr hen gartref. Daw geiriau'r hen gân *'Adieu to dear Cambria'* yn glir eto:

'O am dy hen awyr i wrido fy ngruddiau
A'm hwian fel plentyn i huno mewn hedd,
A phan y gadawaf hen fyd y cystuddiau
Rhwng muriau'r hen fynwent O! torrwch fy medd.'